A filha
do CONDE

CB005825

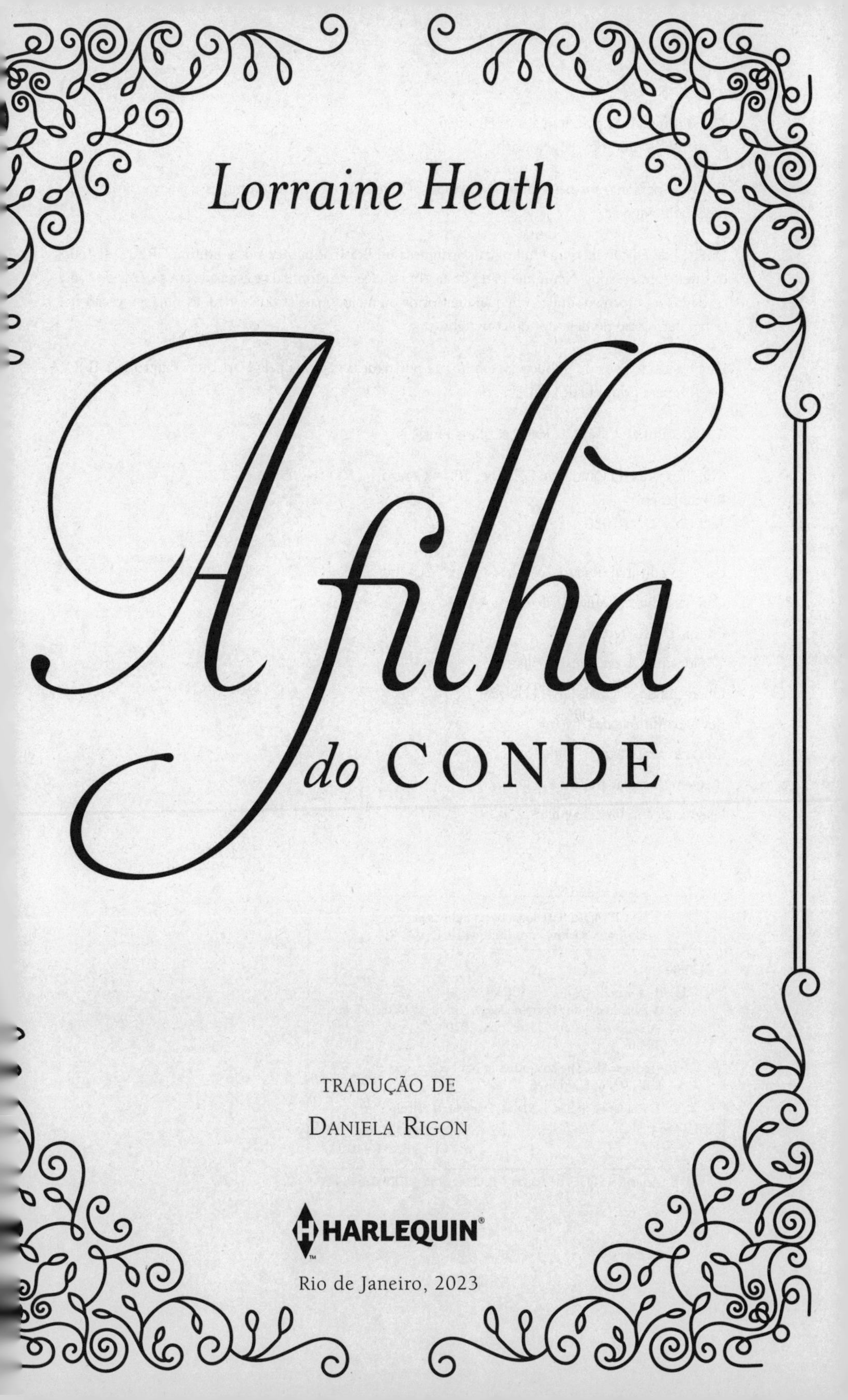

Lorraine Heath

A filha do CONDE

TRADUÇÃO DE
DANIELA RIGON

HARLEQUIN

Rio de Janeiro, 2023

Título original: The Scoundrel in Her Bed

Todos os personagens neste livro são fictícios. Qualquer semelhança com pessoas vivas ou mortas é mera coincidência.

A Harlequin é um selo da HarperCollins Brasil.

Contatos: Rua da Quitanda, 86, sala 218 — Centro — 20091-005
Rio de Janeiro — RJ
Tel.: (21) 3175-1030

Diretora editorial: *Raquel Cozer*

Gerente editorial: *Alice Mello*

Editor: *Ulisses Teixeira*

Copidesque: *Anna Beatriz Seilhe*

Liberação de original: *Rayssa Galvão*

Revisão: *Marcela de Oliveira*

Capa: *Renata Vidal*

Imagem de capa: *Trevillion*

Diagramação: *Abreu's System*

CIP-Brasil. Catalogação na Publicação
Sindicato Nacional dos Editores de Livros, RJ

H348f

Heath, Lorraine
A filha do conde / Lorraine Heath; tradução Daniela Rigon. – 1. ed. – Rio de Janeiro: Harlequin, 2020.
304 p.

Tradução de: The scoundrel in her bed
ISBN 9786580969876

1. Romance inglês. I. Rigon, Daniela. II. Título.

19-61293 CDD: 823
CDU: 82-31(410.1)

Meri Gleice Rodrigues de Souza – Bibliotecária – CRB-7/6439

Em memória de minha amada sobrinha-neta, Carolyn Rae Crutchfield.
Sua doçura iluminou o mundo e você trouxe imensa alegria.
Sentimos sua falta, garota preciosa.
Com amor, sempre.

Prólogo

ESTAVA VIVA.

Ofegante e ensopada de suor, após horas de gritos em meio a uma dor insuportável, foi uma surpresa ver que sobrevivera àquilo tudo. A parteira lhe dissera que tinha quadris estreitos demais para o que teria de enfrentar, aterrorizando-a com a terrível possibilidade de morte. Mas o medo, a agonia e as dúvidas que a assolavam iam sumindo — um contraste direto com o choro crescente, alto e indignado que reverberava no quarto. O choro alto era sinal de saúde. Seus lábios se abriram em um sorriso fraco enquanto seu coração se enchia de uma alegria inesperada, se espalhando dentro dela, preenchendo-a. Como uma criaturinha tão pequena podia causar um impacto tão grande?

— É menino? — perguntou, sem conseguir ver o bebê direito enquanto a parteira o enrolava em um lenço branco antes de entregá-lo à avó.

Vestida de preto, como se de luto, a avó aceitou a criança, tensa, a face uma máscara fria e sem emoção, quase um fantasma.

— Mãe… — A mulher abriu os braços, implorando, a palma para cima como um mendigo pedindo moedas. — Traga o bebê para mim. Quero ver se é menino ou menina.

Sem lançar um único olhar na direção da filha, ela deu meia-volta, os saltos batendo com firmeza no chão enquanto avançava para a porta fechada.

O terror a dominou, ameaçando fazer seu mundo ruir. Mesmo estando fraca, tentou se levantar para sair da cama, mas, de repente, mãos fortes a seguraram. Eram muitas, prendendo-a à cama como o ferro das algemas contém um prisioneiro.

— Mãe, não! Por favor, não leve o meu bebê! Por favor! Vou me comportar. Não vou mais pecar. Por favor! Eu imploro! Não leve meu bebê!

Uma jovem serviçal abriu a porta, prestativa.

Lágrimas brotavam dos olhos da jovem mãe, escorrendo pelo seu rosto.

— Não! Tenha piedade! Pelo menos me deixe sentir o bebê uma única vez...

As palavras "em meus braços" morreram em seus lábios quando a mulher de preto saiu porta afora com o ímpeto de um anjo vingador que busca destruir tudo a seu alcance, desaparecendo no corredor escuro com o precioso embrulho nos braços. A porta se fechou com um baque alto e sinistro que ecoaria para sempre na alma daquela jovem. Ainda passou um tempo tentando se soltar e impedir que sua mãe fizesse o impensável, que entregasse a criança para alguém incapaz de amá-la tanto quanto ela a amaria. Mas as últimas horas não tinham sido fáceis, e ela estava esgotada, exausta e fraca.

— Calma, minha querida — disse uma criada. — Já passou. Amanhã vai estar tudo bem.

Ela caiu na cama, o corpo inteiro tremendo com os soluços de seu choro desalentado enquanto tudo o que restava de seu jovem e inocente coração se partia de tal forma que nunca mais voltaria a ser inteiro.

Capítulo 1

Whitechapel
Início de novembro, 1871

COM UM ARREPIO, LADY Lavínia Kent cobriu a cabeça com a touca do casaco. A madrugada estava fria, ao contrário das noites anteriores, e Lavínia estava convencida de que a mudança climática tinha mais ligação com o perigo que a aguardava do que com o outono cedendo lugar ao inverno. Estivera ocupada com novos planos desde agosto, quando escapara da vida aristocrática que fora obrigada a levar sem a menor consideração por seus desejos, e partira em busca de algo que julgava ser mais satisfatório.

Embora a missão também tivesse riscos e perigos à espreita em esquinas escuras, Lavínia estava longe de sentir medo. Na verdade, era impelida pelo chamado que sentira uma década antes, quando conhecera um rapaz prestes a se tornar homem. Na época, também era uma jovem prestes a se tornar mulher.

Era o filho bastardo de um lorde, socialmente inferior a ela, apesar do sangue nobre — ainda que contaminado. O jovem nunca contara quem era o pai, mesmo sabendo. Lavínia ainda lembrava da voz triste dele ao confessar que não sabia nada e não tinha nenhuma memória da mulher que o trouxera ao mundo. Tinha sido retirado dos braços da mãe logo ao nascer e levado para ser criado por mulheres que acolhiam bastardos em troca de pagamento. As experiências dele apresentaram a ela um mundo até então desconhecido. Um mundo no qual adentrava naquele exato momento, com a mão desnuda apertando firme o entalhe de cabeça de lobo no topo da bengala, companhia constante e reconfortante em suas caminhadas noturnas. Nas conversas com o jovem, descobrira a verdade sobre como bastardos eram acolhidos e os horrores que sofriam. Sobre como as mulheres, quase sempre viúvas, anunciavam seus serviços. Tinha passado a procurar os anúncios e a fazer contato por carta, marcando encontros e até oferecendo pagamentos — mas não para que aceitassem alguma criança, como indicava nas cartas, e sim para que lhes entregassem as crianças que estavam sob seus cuidados. Com a benção das Irmãs da Misericórdia, por quem fora acolhida, Lavínia levava as crianças para o orfanato da igreja. Queria tanto ter dinheiro para abrir o próprio abrigo... O orfanato estava quase cheio. O que ela faria quando lotasse?

As mulheres com quem trocava cartas só aceitavam encontrá-la altas horas da noite, em becos e vielas escuros, quando as ruas eram assombradas por ruídos de ratos, bêbados cantando, alguns grunhidos e raros relinchos. A sensação de estar sendo observada era constante.

Sentiu os pelos da nuca se arrepiarem e parou de repente, prestando atenção aos arredores. Apertando mais a cabeça de lobo, ergueu a bengala depressa, agarrou o meio do cabo e girou a madeira, abrindo o esconderijo do espadim que carregava consigo. Virou para os lados, examinando bem o lugar. Não havia ninguém por perto, só um mendigo dormindo na escadaria de entrada de um prédio do outro lado da rua. Não o vira antes porque a alcova o escondia do ângulo por onde viera. O sujeito só era visível — e bem pouco — de onde Lavínia estava naquele momento. Ela esperou, atenta aos sons e movimentos, e ouviu seu ronco. Considerando-o inofensivo, guardou o espadim e continuou seu caminho.

Ficara encantada com a arma, encontrada em uma loja de penhores. Para seu alívio, o dono tinha aceitado os brincos que ela usara no casamento em troca do espadim. Tivera aulas de esgrima aos 19 anos e acabara se apaixonando pelo desafio da luta, então se empenhou bastante no aprendizado. Seu irmão só aceitara duelar com ela uma única vez — o rapaz não sabia perder, então não lidara muito bem com a derrota, apesar de ter confessado sua surpresa pela maestria da irmã no esporte. Mas, para Lavínia, a esgrima sempre fora mais que um esporte. Fora uma maneira de sobreviver e manter a sanidade enquanto levava uma vida que tinha de tudo para deixá-la louca.

Balançou a cabeça, tentando espantar aqueles pensamentos desagradáveis. Só o futuro importava. Deveria seguir em frente, um passo de cada vez. Tinha que esquecer o impossível de se esquecer. Lavínia se concentrou no momento, atenta aos arredores, ciente de que precisava estar em alerta para se sair bem no possível confronto que a esperava.

Em geral, encontrava os festeiros mais empolgados ainda nas ruas, depois de encerrarem o dia em uma taverna, mas o encontro daquela noite fora marcado em um horário mais tarde do que de costume e em uma área mais deserta do que Lavínia esperava. Mas nada podia impedi-la de seguir com seu propósito. Era tudo o que lhe restava. Tudo o que desejava. Era o que a mantinha viva, seu sustento, seu motivo para sair da cama a cada manhã.

Estava quase perto do cruzamento descrito na carta, que também estabelecera a data e o local do encontro. *Atravesse para o outro lado*, lembrou, tentando ignorar o mau pressentimento e se concentrando em seguir à risca os garranchos da carta. *Vire à esquerda no primeiro beco. Quando estiver no meio...*

Parou bem no ponto limite do alcance da luz dos postes. Se seguisse em frente, atravessaria uma cortina de escuridão. Sua coragem e teimosia tinham limites.

Com movimentos discretos e quase imperceptíveis, Lavínia analisou os arredores. Estava em uma ruela estreita entre dois prédios de tijolos com as janelas escuras, os quartos provavelmente inabitados. Era normal os encontros acontecerem em áreas desoladas, onde não haveria testemunhas para as transações. Tentou manter a postura firme; caso estivesse sendo observada, não queria que percebessem seu receio e sua desconfiança do que fora combinado.

Tentou manter a respiração tranquila, mesmo sentindo as mãos suadas e o coração batendo depressa. As irmãs a alertaram mais de uma vez para não ir aos encontros sozinha, mas não conseguiria cumprir seus objetivos escondida como uma criança assustada — e se escondera por tempo suficiente nos últimos oito anos, ocultando seus verdadeiros desejos e vontades não apenas de si mesma, mas de todos. Estava farta daquilo. Estava farta do passado. Lavínia estava recomeçando a vida, determinada a vivê-la do jeito que acreditava ser melhor.

E fora por esta mesma razão que, três meses antes, abandonara um homem muito distinto no altar da igreja de São Jorge. Não que a fuga tivesse sido ruim para o duque de Thornley. Pelo que sabia, o homem conseguira se casar com a mulher que amava. Da última vez que o vira — em segredo e para pedir perdão —, o duque lhe falara das virtudes da tal mulher, Gillie Trewlove, e Lavínia notara a emoção verdadeira na voz de um homem perdidamente apaixonado. Não ficara surpresa em saber, pouco depois, que os dois tinham se casado. Muito melhor para o duque do que se casar com uma mulher que não amava e a quem, com o tempo, conforme a conhecesse melhor, viria a desprezar — como Lavínia se desprezava pelos próprios fracassos e problemas do passado.

Ouviu um barulho. Um passo. Virando-se, deu de cara com uma mulher encorpada com um chapéu de fazendeiro ocultando quase todo o rosto. Ouviu "clique-claque" de mais passos quando outras duas mulheres, a primeira magra como um palito, a segunda alta como uma árvore, entraram no beco, as três a cercando. Atrás dela, apenas a escuridão desconhecida. Lavínia marcara o encontro com apenas uma mulher.

— Estou aqui para encontrar a D.B.

Lavínia ficou orgulhosa de si mesma por manter a voz calma.

— E na semana passada parece que a dona encontrou com a Mags. Que acabou na cadeia logo depois, de manhã. E estão dizendo que vai ser enforcada — retrucou a primeira mulher.

Ao que parecia, era provável que as autoridades tivessem descoberto que a tal Mags matara pelo menos uma das crianças que tinham sido deixadas sob seus cuidados.

— Não conheço nenhuma Mags.

Só conhecia as mulheres pelas iniciais. Será que Mags era a M.K., a quem pagara cinco libras em troca de três crianças, na semana anterior? Quase sempre, as cuidadoras recebiam o pagamento quando os bastardos eram deixados por um parente ou alguém próximo à mãe, na esperança de proteger a mulher de tamanha vergonha. Sim, algumas recebiam em parcelas — pagas quando a família se interessava pelo bem-estar dos bebês —, mas muitas apenas aceitavam a oferta única e torciam — ou ansiavam — para que nunca mais fossem procuradas pela família ou incomodadas pelas tais crianças. Como não recebiam mais nenhum dinheiro depois da primeira transação, era comum os bebês serem negligenciados até acabarem morrendo, e então eram enterrados sem nenhuma cerimônia em covas sem identificação, para que ninguém desconfiasse das ações nefastas de suas cuidadoras. Os bebês eram todos iguais para muitos dos que olhavam de fora, e quem se daria ao trabalho de contar quantos havia em uma casa, ainda mais quando logo chegaria outro para substituir o que fora perdido?

— Eu não a entreguei para as autoridades. Só estou interessada nos bebês e no bem-estar deles.

— Isso é o que a dona diz...

— Não sou adepta de mentiras. Você é a D.B.?

— Dona, até a sua fala é de gente rica. Mas dinheiro não vai resolver nada aqui. Não vamos deixar você estragar nosso negócio.

"Negócio". Lavínia sentiu o estômago se revirar com a confirmação de que aquelas três senhoras viam as crianças como produtos — frutos de mulheres que não conheciam e vendidos a outras que não os amariam.

— Não estou atrás de vocês e não me importo com o que fazem. — Não era bem verdade. Claro que Lavínia se importava, ou não estaria ali. — Só quero as crianças. Pago para tirar esse fardo das suas mãos.

— E fique tranquila que vamos aceitar suas moedas... Pegaremos todas logo que você estiver morta.

Mais que depressa, Lavínia puxou o espadim do esconderijo, erguendo-o sem medo, fazendo o brilho da lâmina refletir na luz distante, bem visível.

— Fiquem longe!

A mulher mais robusta sorriu, revelando buracos no lugar dos dentes.

— E a dona já usou uma espada? Já sentiu a dor da lâmina cortando a pele e o músculo, entrando até o osso? Sentiu a pele se abrindo numa ferida, os braços tremendo enquanto a carne se abre toda para o aço?

— Se me atacar, vai descobrir.

Lavínia se posicionou, ainda segurando a bengala na outra mão, uma arma a mais, caso fosse necessário. Traçou um "X" com o espadim, se deleitando com o sibilo do aço cortando o ar, preenchendo o silêncio com um tom de ameaça. Apesar de nunca ter cortado pele, não hesitaria em machucar aquelas criaturas que se aproveitavam do desespero alheio.

— Mas parece que a *dona* não vai atacar, não é mesmo? Porque não sou indefesa, vulnerável e nem medrosa. Não sou nada parecida com o tipo de gente que é assassinada.

A mulher mais robusta olhou para as companheiras, então, enquanto as duas recuavam, avançou de repente. Lavínia duvidava que as outras de repente tivessem decidido que queriam uma briga justa, estavam era com medo. Não queria atacar e matar sem necessidade — não era uma selvagem —, então brandiu o espadim na direção do rosto desprotegido da mulher que a atacava, arranhando a bochecha e mandando o chapéu dela para longe. Com um grito, a mulher recuou, levando uma das mãos à ferida enquanto olhava feio para Lavínia.

— Vamos lá, pessoal! Dá pra derrubar essa dona se atacarmos juntas!

— Não sem antes sofrer alguns arranhões — retrucou uma voz grave vinda da escuridão no limiar do alcance da luz do poste.

Lavínia enrijeceu, mas não se atreveu a tirar os olhos das mulheres à frente.

— Quem está aí? — perguntou a que parecia ser a líder, estreitando os olhos.

— Não importa. Não gosto de briga injusta. E acredito que eu e essa *dama* poderíamos acabar com as três em um piscar de olhos. Ela parece bem habilidosa com a lâmina.

A ênfase na palavra "dama" era sinal de que o sujeito não a utilizara por acaso, e sim para se referir ao status de Lavínia — ressaltando o fato de que ela era da nobreza. O tom também a alertou de que o sujeito não ligava muito para seu status social. Como ele descobrira aquilo? Seria um dos homens que o irmão contratara para encontrá-la e levá-la de volta para casa? A voz era familiar, mas mesmo assim...

— Você é um metido — disse a líder.

— Não posso negar. E qualquer homem que resolver me irritar está de prova. Acontece que tenho planos para essa aí, então caiam fora.

A mulher bufou.

— Pode levar. Aproveita. Mas a dona deveria saber que vai acabar perdendo a cara se não parar de enfiar o nariz onde não deve.

Lavínia ficou olhando, fascinada, enquanto as mulheres se afastavam aos trancos, fazendo bastante barulho — um contraste com o sujeito misterioso, que saiu das sombras sem um só ruído e, com um movimento hábil, tirou o espadim de sua mão, rápido como quem tira a colher de uma criança distraída.

Ela se virou.

— Senhor...

A bronca ficou presa em um nó na garganta quando a pouca luz revelou o que as sombras tinham mantido oculto.

O sujeito ficou parado na frente dela como uma espécie de lorde do mundo inferior, duro e implacável, cheio de malícia e pronto para fazer valer sua justiça. Usava roupas tão escuras que se misturavam à noite. A brisa leve fazia a bainha do sobretudo tremular ao redor das panturrilhas e bagunçava as mechas do longo cabelo loiro, solto e sem chapéu. Lavínia já se regalara com aquelas mechas, entrelaçando-as nos dedos.

Um homem alto, com uma postura ameaçadora. Não era de se espantar que as mulheres tivessem fugido. Lavínia lembrava de ter que ficar na ponta dos pés para envolver o pescoço dele com os braços, do abraço dele, de como parecia fácil quando a levantava, como se ela pesasse menos que uma nuvem branca no céu de verão. Como aquele homem a fizera acreditar em si mesma, como a fizera se sentir... desejada.

Naquele momento, no beco, veio o ressentimento de tudo aquilo. De como ele a fizera se sentir, de ter dado permissão para que a tocasse.

Mesmo sabendo que deveria agradecer pela intervenção na luta, estava indignada com sua partida — ou melhor, como a abandonara — oito anos antes. Estava fumegante, tremendo de raiva, tentando conter o impulso de esbravejar sobre a injustiça daquilo tudo — especialmente sobre como seu coração, morto havia tanto tempo, parecia voltar à vida só com a presença dele. Maldito coração, tão traidor quanto aquele homem diante dela.

Ele brandiu o espadim para o alto, mas Lavínia sabia que era só para testar a lâmina, o equilíbrio, o peso, a qualidade da forja. Tinha certeza de que ele não encontraria defeito algum.

— Não é uma arma muito prática. Espadas, facas e pistolas podem ser tiradas das suas mãos, utilizadas contra você. É melhor aprender a usar os punhos.

Ah, que atrevimento! E ainda falava como se ela fosse uma criança rebelde.

— E o que faz você pensar que não sei usar meus punhos?

Lavínia cerrou o punho e deu um cruzado no queixo bem definido que outrora enchera de beijos. Ele largou o espadim e deu dois passos para trás. Um soco daqueles com certeza teria abatido qualquer outro homem, mas aquele ali era puro tendão e músculo no corpo alto e robusto. Mesmo assim, o soco o deixou um pouco atordoado — a distração necessária para que ela pegasse de volta o espadim, cerrando os dedos com firmeza no cabo da arma. Antes que ele se recuperasse, Lavínia avançou, pressionando a ponta da lâmina no peitoral dele, logo acima da abertura do casaco, sobre a camisa. Ficou muito satisfeita ao vê-lo tenso, controlando a respiração enquanto a encarava, esperando. A tentação de cortá-lo era enorme, a chance de vingança fazia suas mãos tremerem. Aquele pilantra de primeira categoria bem que merecia, por ter roubado seu coração e pisado nele logo que conseguira o que queria — o que ela, cega de amor, dera de bom grado.

Segurando o cabo do espadim com ainda mais força, Lavínia tentou aquietar as memórias que a bombardeavam. Lembranças do homem gentil e educado que conhecera — um homem por quem começara a se apaixonar quando tinha apenas 15 anos.

Capítulo 2

Londres, 1861
Ao primeiro rubor

— MANDE PARA O abatedouro.

Lavínia sentiu um calafrio de gelar os ossos percorrer seu corpo com a lembrança das palavras do pai. Dentro do estábulo, com a testa pressionada contra a da égua, Sophie, acariciou o pelo branco do animal com o braço bom. Tinha implorado ao pai que não chamasse aquele homem horrível para levar a égua embora.

— Nos meus estábulos não quero uma égua que derruba sua lady — dissera ele, com uma voz severa, antes de voltar para casa a passos firmes.

Seria inútil discutir, mas Lavínia correra atrás do pai assim mesmo, tentando explicar o que acontecera... mas ele não lhe deu ouvidos. A égua era um perigo, e não arriscaria a segurança da única filha. Sem paciência, e com um tom que não abria espaço para argumentação, informou que compraria outra assim que se livrasse daquela.

Não era justo. Nem um pouco! Não era culpa de Sophie. Se havia um culpado, era o duque de Thornley — ou só Thorne, para os íntimos. Ele a convidara para uma cavalgada no parque, mas chamara também o irmão dela, Neville, nove anos mais velho, a quem dera bem mais atenção. Lavínia fora prometida a Thorne ao nascer, mas isso não significava que não precisasse ser cortejada, que não desejasse ser o centro das atenções do duque. Mas, não... Ignorando sua presença, os homens ficaram discutindo algum novo estabelecimento de jogos que parecia promissor e planejando como encontrariam o tal local — que, apesar da fama, ficava escondido dos olhos comuns.

Era sempre assim: Lavínia era tratada como uma criança, não como uma jovem prestes a se tornar uma mulher, já se preparando para o casamento e os filhos e que recentemente passara a ter uma criada exclusiva. Irritada e morrendo de ciúmes, chicoteara os flancos de Sophie, sempre tão dócil. Queria fingir que sua égua tinha perdido o controle e que precisava ser resgatada pelo futuro noivo. Mas, em vez de galopar para longe, Sophie empinou, derrubando Lavínia, que caiu e bateu o ombro em uma pedra. Sentindo a dor inundar seu corpo, ela gritou sem parar, encarando, atônita, o osso quebrado, que perfurara a pele e a roupa logo acima de seu pulso, e o sangue, que encharcava e manchava suas roupas de cavalgar.

O choque devia ter embaralhado suas lembranças, porque Lavínia lembrava de ter sido carregada pelo irmão, mas acabara cavalgando no colo de Thorne. O duque a segurara com força, bem junto ao corpo, incitando o cavalo a ir mais rápido, e a levara de volta para casa, enquanto Neville buscava Sophie. Apesar de ter sido a jornada mais excruciante de toda a sua vida, Lavínia apreciara a sensação dos braços de Thorne envolvendo seu corpo, da proximidade dele. O duque chegara a entrar em casa com ela no colo, levando-a até seu quarto — como se Lavínia tivesse quebrado a perna, e não o braço.

O duque seria um marido excepcional, mesmo que onze anos mais velho e, ao que tudo indicava, não demonstrasse pressa alguma para se casar. Ele ainda não pedira sua mão oficialmente, mas os pais de ambos tinham selado um contrato logo que Lavínia nascera, concedendo Wood's End — um pequeno terreno que fazia fronteira com o de Thorne, que era muito maior — ao duque após o casamento. A vida amorosa de Lavínia fora decidida sem poemas, flores ou demonstrações grandiosas de afeto. Era o contrato mais entediante já acertado. Faltava amor, paixão, desejo ardente...

Depois de colocá-la muito respeitosamente na cama, Thorne se retirou, deixando-a aos cuidados dos criados, que correram de um lado para o outro, muito preocupados, como se ela não fosse sobreviver ao acidente. Embora soubesse muito bem que um cavalheiro não podia frequentar o quarto de uma dama sem estarem casados, Lavínia ficou desapontada de o duque não ter ao menos segurado sua mão por mais alguns minutos. Chamaram o médico, que colocara o osso no lugar — um procedimento que causara imensa dor — e prendera uma tala em seu braço, para impedir o movimento até que a fratura estivesse curada.

Sentindo-se um pouco tonta por causa do láudano, que tomara para aliviar a dor, Lavínia andou até o estábulo para verificar Sophie e se certificar de que ela não se machucara. Estava quase chegando quando ouviu a ordem do pai. Não conseguiu convencê-lo a voltar atrás, e não havia mais o que fazer: sua linda Sophie seria enviada a um abatedouro.

— Eu sinto muito, minha querida. Sinto muito... — sussurrava sem parar, os olhos se enchendo de lágrimas. — Fui uma estúpida, e agora você vai pagar o preço.

Se não estivesse com uma tala no braço, teria selado Sophie, montado e fugido para longe — claro que, nessa fantasia, ignorava o fato de nunca ter selado um cavalo em toda a vida e não ter sequer ideia de como fazê-lo. A vantagem dos criados era justamente não se preocupar em aprender os detalhes das tarefas domésticas. Mas o abate de cavalos era uma exceção. Certa vez, curioso para saber como Londres se livrava dos inúmeros cavalos velhos e doentes, Neville visitara um abatedouro. Contara à irmã todos os horrores do abate e do que acontece depois. Lavínia, que na época tinha 7 anos, passara um mês inteiro acordando com pesadelos no meio da noite. E, naquele exato momento, um homem maligno, horroroso e corcunda estava a caminho de sua casa para fazer o impensável com Sophie — e ela não tinha como impedi-lo.

— Milady? — chamou Johnny, um dos cavalariços, logo atrás dela. — O abatedor chegou. Precisamos tirar Sophie do estábulo.

Sentindo a raiva, a frustração e a tristeza disputando intensamente, Lavínia virou-se e pousou os olhos no estranho, sem dúvida o abatedor. Mas não era um velho horrendo, nem parecia ter coração de pedra. Era jovem. Quase cinco anos mais velho que ela, se muito. Por baixo da boina marrom, o cabelo loiro-escuro e encaracolado caía até a gola do casaco simples. A camisa branca e o casaco marrom estavam limpos, ainda que amassados — mas Lavínia suspeitava que o tipo de trabalho que ele escolhera não permitiria que suas roupas chegassem limpas ao fim do dia. Foram os olhos castanhos que a atraíram — aqueles olhos não pareciam pertencer a um assassino.

— Como pode fazer isso? — questionou, rouca, a garganta ardendo com as lágrimas que derramara e os soluços que engolira. — Como pode matá-la? Ela não é velha. Não é arisca. E não me derrubou por mal.

— Fazemos o que somos pagos para fazer — respondeu ele, resignado, como se não fosse a primeira vez que era forçado a responder tais acusações.

— Mas você pode poupar essa daqui.

O jovem apontou para o braço dela.

— Foi a égua que fez isso?

— Não. Foi o chão. Quando eu caí.

— Mas a égua que derrubou você.

— Não foi de propósito. Eu a incitei. Ela é muito dócil.

— É mesmo — concordou Johnny.

— Meu pai é teimoso. Ele não me ouve... — Lavínia deu um passo na direção do estranho. — Mas você com certeza consegue compreender o que digo... Não a mate.

— Podemos perder a licença se enganarmos um cliente.

— Mas, se meu pai nunca descobrir, não é a ele que estarão enganando. É a morte. Não acha incrível?

— Sinto muito, milady. Agora, se me der licença...

Ele tentou passar por Lavínia, que cerrou o punho e lhe deu um soco no ombro. Logo na hora, teve certeza de que o golpe doera mais nela do que naquele estranho.

O sujeito era musculoso e rígido, duro como uma pedra, mas ao menos parou para encará-la depois do soco. Era muito alto. Se a segurasse em seus braços fortes — o que Lavínia certamente não permitiria —, o topo da sua cabeça pousaria logo abaixo da clavícula dele.

— A égua não vai sofrer. Eu garanto. E tenho jeito com cavalos. Será uma morte rápida. Ela nem vai sentir.

— Você é um monstro! Como pode fazer uma coisa dessas?

— Tem ideia de quantos cavalos existem em Londres? Acha que o povo quer andar por aí vendo carcaças podres a cada esquina, empesteando o ar? Prestamos um serviço necessário para a cidade.

Percebendo que o rapaz estava na defensiva, Lavínia sentiu-se como uma criança teimosa. Sabia que ele falava a verdade, que estava certo, que algo precisava ser feito em relação aos corcéis mais velhos, já fracos.

— Mas Sophie não é podre nem empesteia o ar! E nem está prestes a morrer!

— Bem, você deveria ter pensado nisso antes de incitar a égua.

As palavras doeram mais que a mão dela após o soco.

— Você é horrível!

Ignorando a ofensa, o jovem passou por ela, abriu a portinhola da baia e colocou uma corda pela cabeça de Sophie, firmando-a enquanto esfregava o pescoço da égua com carinho.

— Vamos, garota.

Ele guiou a égua para fora. Lavínia se atirou para a frente, abraçando o pescoço do animal.

— Eu sinto muito, Sophie! Sinto muito, mesmo! Nunca te esquecerei! Vou te amar para sempre, minha querida! — Então, olhou para o jovem: — Por favor, não deixe que ela sinta medo.

Solidariedade e tristeza brilharam nos olhos castanhos daquele estranho.

— Cantarei a música mais linda que ela já ouviu.

— Ela vai gostar.

Depois de beijar o pescoço de Sophie, sentindo o cheiro da égua uma última vez, Lavínia deu um passo para trás, quase chorando com a dor que lhe apertava o peito.

Ficou olhando enquanto o jovem conduzia Sophie até uma carroça com um cercado de madeira. Suspeitava que nem todos os cavalos conseguissem andar até o abatedouro, então aquela carroça com uma espécie de cabana cercada lhes fornecia um pouco de dignidade. O rapaz fez a égua subir por uma rampa e fechou a porta do cercado. A última visão de sua querida Sophie foi do balançar da cauda branca enquanto a carroça levava a égua para ser executada, como uma das esposas condenadas de Henrique VIII.

A carroça sacolejava a caminho do abatedouro, e Finn Trewlove se recostou no banco do cocheiro, frustrado, apertando as rédeas com força. Não era a primeira vez que ia até a casa de uma família rica para se livrar de um cavalo perfeitamente saudável. Os riquinhos não gostavam quando uma égua derrubava uma filha preciosa ou quando um cavalo coiceava a bunda do herdeiro. Finn espumava de raiva sempre que um bom cavalo precisava ser morto por razões estúpidas.

Mas fora sincero com a jovem. Recebia 10 xelins para despachar a criatura para o céu e, se descobrissem que não o fizera, o chefe poderia tirar sua licença. E não seria só o problema de perder o emprego: ele não conseguiria mais nenhum outro trabalho. Quem confiaria em um jovem que não cumprira a lei? Era proibido enganar os clientes. Poupar um cavalo do abate era roubo. Não se arriscaria a ir para a prisão, não importava quão bonita fosse aquela jovem, não importava quão verde fossem seus olhos — os mais verdes e lindos que já tivera o prazer de encarar. Mesmo que os olhassem cheios de raiva — raiva, aliás, que a garota deveria sentir de si mesma! Que tola! Incitara a égua até ser derrubada, depois queria implorar a Finn que poupasse a vida da criatura! Como se ele tivesse escolha...

Não tinha. No depósito, esperavam a égua e os 10 xelins. O animal seria abatido com um golpe rápido de machado, direto no pescoço. Finn em geral conseguia algum conforto sabendo que o fim era rápido e misericordioso.

Mas a garota — aquela maldita! —, com os olhos cheios de lágrimas, o fizera se sentir culpado por seu trabalho. Ganhava bem, mas não era o emprego que queria para a vida. Tinha 21 anos e já juntara uma boa quantia; logo arranjaria algo melhor. Mas nenhum trabalho novo, por melhor que fosse, eliminaria o terror da tristeza naqueles olhos verdes...

Na meia-noite daquele mesmo dia, Finn estava parado junto aos estábulos da enorme residência do conde de Collinsworth, a sua bolsa preta especial para assaltos descansando aos pés. Na juventude, ele se envolvera com um grupo infame. Tinha 15 anos quando a mãe descobriu e chicoteou seu traseiro até quase arrancar o couro — isso mesmo tendo deixado que ele ficasse com as cuecas para proteger a pele sensível. A mulher o acolhera quando ninguém mais o queria, e a surra foi para que ele entendesse que ela não o mantivera vivo todos aqueles anos para vê-lo enforcado ou apodrecendo na prisão. Para acalmar a mãe, Finn abandonara a carreira de ladrão. Só que nunca se livrara das ferramentas que comprara, assim como nunca desaprendera as habilidades que havia adquirido com o cargo — não dava para saber quando poderiam vir a calhar.

Passara algumas horas examinando a residência, tentando determinar qual seria o quarto da garota, mas ela não tinha aparecido nas janelas. Considerando a luz que volta e meia escapava por entre as cortinas, reduzira as possíveis janelas de dormitórios para oito. Mas, sem saber o tamanho dos cômodos, não podia ter certeza quanto à quantidade de quartos. Em uma residência grande como aquela, alguns dos quartos poderiam ter mais de uma janela. As paredes externas do casarão eram cobertas de sebe, mas sem árvores próximas em que pudesse escalar para espiar o interior da casa.

Por isso levara as ferramentas. Planejava invadir a mansão do conde.

Logo na tarde seguinte, cogitara ir falar com a garota sobre o destino da égua, mas decidira que um encontro às escondidas seria mais seguro, assim ninguém — exceto a jovem — saberia o que ele fizera. Um lorde que mandava um cavalo para o abate só porque o animal derrubara a filha não aceitaria muito bem o pedido de um plebeu para falar com a tal donzela, ainda mais considerando o desejo de Finn de que o pequeno encontro resultasse em um passeio. O plano fizera sentido enquanto bebia uma cerveja atrás da outra na taverna da irmã, embora suspeitasse que, na manhã seguinte, de cabeça limpa, descobriria que fora muito tolo.

Mas aquilo ficaria para o dia seguinte. Não estava bêbado demais para entrar furtivamente na casa. Esperou que as luzes se apagassem uma a uma e a casa caísse no breu para ter certeza de que todos os habitantes, incluindo os empregados, estivessem dormindo. Quanto maior a residência, mais fácil assaltá-la. Durante a noite, um ladrão poderia vagar por um casarão daqueles afanando o que quisesse sem encontrar uma vivalma.

Passou a bolsa por sobre o ombro e abaixou mais a boina, então se esgueirou na direção da casa. Era muito parecida com a que planejava viver quando mais velho, já bem-sucedido. Por mais que odiasse o emprego no abatedouro, amava trabalhar com cavalos e tinha esperanças de, um dia, com um pouco de sorte, ter a própria fazenda para criar e treinar as nobres criaturas. Não era um sonho extravagante. E queria ser dono da própria vida, trabalhar para si mesmo, sem ter que dar satisfações a ninguém. Bem, os sonhos ficariam para outra hora. Naquele momento, precisava se concentrar em não ser pego.

Quando chegou à entrada de serviço, colocou a bolsa com cuidado no chão e pegou um lampião. Era um pequeno quadrado, com três laterais cobertas e escuras, com apenas um buraco na quarta, permitindo a passagem do mínimo de luz. Depois de acender a vela com um palito de fósforo, segurou a lamparina na altura da fechadura. Ficou feliz por conhecer o modelo e saber como destrancá-lo. Tinha as ferramentas necessárias para abrir o fecho de uma janela ou cortar o vidro, caso não conseguisse destrancar a fechadura, mas entrar pela porta era sempre melhor — ainda mais naquele caso. Se descobrissem a porta destrancada, simplesmente culpariam um empregado por não ter tomado cuidado. Era melhor do que deixar alguma evidência gritante de que alguém de fato entrara sem convite. Pegou as ferramentas de um saquinho e, em menos de um minuto, já estava dentro. Deixou a bolsa na soleira da porta. Não estava ali para roubar — apesar da *enorme* tentação de afanar um vaso ou uma caixa decorada enquanto andava pelo casarão escuro, segurando a lamparina à frente.

Por vezes, a luz refletia em algum objeto que Finn tinha certeza de que não dariam falta. Os riquinhos tinham tantas quinquilharias... como se encher a casa de tralhas inúteis disfarçasse a falta de algo a mais em sua vida. Em alguns de seus roubos, ninguém sequer sentira falta de candelabros de prata, enfeites ou estatuetas saqueados. E nunca tinham ido atrás do bronze. Sabia disso porque sentia um prazer perverso em observar a casa assaltada, para ver o desespero dos habitantes, na manhã seguinte. Ele se orgulhava de nunca ter sido pego, pensara que poderia se tornar o maior ladrão da história — até que a mãe descobriu suas peripécias e acabou com seus planos.

Bem, se a mãe não tivesse frustrado suas ambições fora da lei, Finn não estaria se esgueirando por aquela mansão, subindo devagarzinho a larga escadaria. Imaginou a filha do conde descendo os degraus com um vestido de baile com um tom de verde igual ao de seus olhos. Os homens fariam fila para dançar com aquela jovem assim que ela pisasse no salão. Bailes eram um bom negócio para ladrões, ainda mais quando os convidados dormiam na casa do anfitrião. Eram mais joias para roubar — com o cansaço da festa, os convidados quase sempre se esqueciam de guardarem bem os seus pertences. Tinha frequentado alguns bailes por ordem do chefe da gangue, e depois assaltara uma das residências. Tinha sido a noite mais aterrorizante e empolgante de sua vida. Até aquele momento. Seu coração batia intensamente. Não era medo, e sim expectativa.

Chegou ao topo da escadaria e virou para um corredor. Na primeira porta, parou e encostou o ouvido na madeira, escutando com atenção. Um ronco pesado. De homem. A porta seguinte não revelou nada além de silêncio. Devia ser o quarto da senhora da casa, mas precisava conferir. Abriu a porta bem devagar, com muito cuidado, centímetro a centímetro. As dobradiças desses casarões eram sempre silenciosas, com os empregados se esforçando para mantê-las lubrificadas.

Estava quase chegando na cama quando viu a ocupante: uma mulher de boca aberta, as dobras de pele amontoadas sob o pescoço, tão velha quanto sua mãe. Finn recuou depressa, mas sem fazer barulho, e fechou a porta ao sair. Pensando no que descobrira sobre os cômodos ao observar as janelas, lembrando dos vislumbres de luz por entre as cortinas, ignorou as três portas seguintes. Abriu a quarta bem devagar, e na mesma hora soube que era o quarto certo. Tinha o cheiro dela: floral, mas não enjoativo. Um cheiro raro.

Uma essência que só sentira uma vez, quando passara ao lado dela para pegar a égua. A fragrância o assombrara até aquele momento, quando finalmente inalou outra vez o perfume. Sentiu uma calma inundar seu corpo.

Avançou até a cama com os passos leves como os de um gato. As cortinas ao redor do leito estavam abertas, e Finn ficou agradecido pelo calor do verão. Com cuidado, depositou a lamparina na mesinha de cabeceira, virando-a para que a chama não iluminasse o rosto dela. Dormindo, ela parecia mais inocente e gentil do que quando se conheceram, quando o atingira com aquele soco fraco. O braço machucado ainda estava envolto pela tala — ele achava que ainda ficaria assim por um bom tempo, de acordo com sua experiência com ossos quebrados. Uma das mãos estava pousada no travesseiro, a palma para cima, os dedos quase dobrados. A outra estava escondida sob os lençóis. A trança, de um tom que lembrava a lua reluzindo no céu, caía por cima de um dos ombros, a ponta se enrolando tentadoramente sob o seio pequeno.

Xingando baixinho, Finn desviou o olhar da trança e limpou a mente desses pensamentos impuros. Ela era uma dama, a filha de um conde. Tolice pensar que, com ela, poderia ter algo mais do que a conversa casual para tranquilizá-la. Segurou um dos ombros magros dela, surpreendendo-se com a delicadeza do seu corpo — parecia que o ombro iria quebrar se ele apertasse forte — e a sacudiu de leve.

— Milady?

A jovem foi abrindo os olhos devagar… até que os arregalou de vez, escancarando também a boca. Finn tratou de cobri-la com a mão, para que ela não gritasse.

— Shh. Não vim fazer mal. Só trago notícias de Sophie.

A jovem pestanejou. Finn sentiu que ela fechava a boca sob sua palma.

— Prometa que não vai gritar, aí tiro a mão.

Ela assentiu. Hesitante, Finn afastou a mão, preparado para colocá-la de volta caso necessário.

— Veio me contar como ela morreu? — indagou a garota, ríspida, a tristeza em seus olhos amenizando a acidez das palavras.

— Não exatamente. Mas ela está no céu, de certa forma. Achei que você iria querer ver com seus olhos.

A vida da égua lhe custara um mês de salário, e ele queria ver a expressão dela quando descobrisse, para saber se valera a pena.

Franzindo o cenho, ela se sentou e puxou as cobertas até o queixo.

— Não estou entendendo.

— Quero lhe mostrar uma coisa. Agora. Hoje à noite. Vamos na minha carroça...

— Você está esperando que eu entre na carroça de uma pessoa que nem sequer conheço? E que invadiu minha casa e entrou no meu quarto escondida?

Certo de que não havia mais risco de gritos, Finn se endireitou, desapontado pela teimosia e relutância dela. Não tinha pensado muito bem nos pormenores. Só porque sentira uma conexão com ela, porque fora atraído pelo verde de seus olhos, não significava que a jovem também estivesse interessada nele.

— Só quero mostrar que ela está bem.

— Está tentando me enganar?

— Por que eu faria isso?

— Porque você é um plebeu. Pode estar querendo se aproveitar de mim. Ou, sei lá, me sequestrar e fazer meu pai pagar uma quantia exorbitante como resgate.

Roubar um vaso era uma coisa, mas *sequestrar uma pessoa*? A garota pensava tão mal dele a ponto de considerá-lo um possível sequestrador? Nossa! O que diabos estava fazendo ali?

— Esqueça. Foi uma ideia estúpida.

Ele se virou para sair.

— Espere.

Não deveria insistir. Ir até ali tinha sido idiotice, mas pior era ter se importado tanto com o que ela lhe pedira naquele outro dia, ter sentido toda aquela necessidade de mostrar que não era um bastardo sem coração. Era só bastardo... Que piada triste. Finn se virou para ela, desejando que não fosse tão linda, que não o encarasse com tanta franqueza enquanto se inclinava mais para perto.

— Por que não veio durante o dia?

— Porque o que fiz precisa ser mantido em segredo. Acha que deixariam que você viesse comigo? Duvido. E, mesmo se deixassem, não permitiriam que fosse sozinha. Teríamos acompanhantes e lacaios... Acha que seu pai ficaria feliz em saber que a égua não foi abatida, como solicitou?

— Não. Ele ficaria furioso. Mandaria cortarem a sua cabeça.

— Exatamente. Então tem que ser agora, no meio da noite. A melhor hora para fazer e guardar segredos.

Quando não havia ninguém para ver os dois juntos.

Finn prendeu a respiração enquanto ela hesitava, como se qualquer movimento do ar pudesse influenciá-la, desejando mais que tudo que ela aceitasse acompanhá-lo. Até que a garota finalmente assentiu.

— Só preciso de alguns minutos para me arrumar.

— Seja rápida. Vou esperar no corredor, mas se ouvir alguém chegando, vou ter que fugir correndo.

— Serei rápida.

Finn pegou a lamparina, saiu e fechou a porta. Recostou-se na parede para esperar. A jovem o intrigava. Aquilo era loucura — uma completa loucura. Nada bom sairia daquele passeio, mas, mesmo assim, não conseguia parar.

Sophie não estava morta. Lavínia mal podia acreditar. Queria ver com os próprios olhos. Devia ser uma tonta por acreditar em alguém que invadira sua residência, seu quarto… mas, se aquele jovem quisesse tirar proveito dela, teria feito alguma coisa enquanto ela dormia. Poderia ter batido em sua cabeça, deixando-a inconsciente, e a sequestrado. Era um sujeito alto e grande, e Lavínia sentira a firmeza de seus músculos quando lhe dera um soco. Ele não teria a menor dificuldade em sequestrá-la.

Colocou um vestido simples, que não requisitava a ajuda de serviçal para fechar. Sentia um misto de medo e euforia. Nunca fizera nada tão arriscado. Não que não tivesse pensado muito em sair por aí sozinha. Mas sempre que fantasiava em escapar escondida com algum homem na calada da noite, era com Thornley — ou, pelo menos, achava que era. Na verdade, as feições do sujeito nunca tinham sido muito claras, mas ficava envergonhada de imaginar que seu acompanhante fosse outro homem que não seu prometido. Sentiu uma pontada de culpa: estaria sem acompanhante, sozinha com um homem com quem não se casaria. Mas, mesmo com dificuldade, ignorou as dúvidas que a assolavam. Não era como se estivessem planejando fazer qualquer coisa pervertida. Ele só queria mostrar que Sophie estava bem.

Não que desconfiasse, mas ficara empolgada com a aventura. E ainda estava brava com o pai, o que só a deixava com mais vontade de fazer alguma rebeldia, mesmo que ele nunca fosse descobrir. Ficaria quieta no jantar com os pais, mas estamparia no rosto o sorriso travesso de um gato que lambeu todo o creme da torta. Teria um segredo delicioso. Nunca tivera segredos.

Tinha a vida mais chata de todas as suas amigas, sempre sem nem uma fofoquinha para compartilhar. Não poderia contar sobre a excursão que estava prestes a fazer, mas usaria o mesmo sorriso de gato em futuros bailes, o que deixaria a todos na dúvida, se perguntando que tipo de travessura ela poderia estar tramando. Ganharia um ar de mistério que a tornaria mais atraente aos olhos dos outros — talvez atraente o bastante para que Thornley finalmente a notasse.

Abriu a porta do quarto pensando que não era nada ruim seu acompanhante ser tão bonito. Ele estava esperando no corredor com a lamparina em uma das mãos e a boina na outra. A camisa não estava amassada como a que usara mais cedo, naquele mesmo dia. Naquele instante, Lavínia se deu conta de que, quando ele se aproximou dela no quarto, não cheirava a cavalo, sujeira e estrume. Devia ter tomado banho, talvez até fizera a barba. O cabelo também não parecia mais tão longo. Um jovem que se dera ao trabalho de se arrumar não teria planos nefastos em mente.

Ele botou a boina.

— Não podemos fazer nenhum barulho — sussurrou ele.

Lavínia assentiu. Então, o sujeito fez uma coisa muito estranha: pegou sua mão. Como se pudesse transferir sua furtividade para ela. O jovem não usava luvas, mas ela calçava um par de couro preto — uma dama não deveria sair de casa com as mãos desnudas. Mesmo assim, o calor da pele dele passava pelo material da luva, aquecendo as mãos dela. O jovem não fez som algum. Mesmo andando na ponta dos pés, Lavínia não era tão boa quanto ele em se esgueirar pela casa, o que ficou evidente quando chegaram à escadaria de mármore. Cada passo seu soava como uma martelada em um prego.

Depois de alguns passos barulhentos, o jovem parou e estendeu a lamparina para ela.

— Segure isso.

Lavínia obedeceu, mas quase deu um grito quando ele a pegou no colo. Com aqueles braços fortes e poderosos... A sensação de ser carregada por Thornley não chegava aos pés do que era ser carregada por aquele jovem musculoso, que descia a escada depressa. A comparação era injusta com Thornley, que a segurara como um cavalheiro: mantendo certa distância entre os corpos, como era apropriado. No mundo deles, seguir a etiqueta era de extrema importância.

Quando chegaram ao chão atapetado do hall, o jovem a colocou no chão, pegou a lamparina, segurou sua mão outra vez e a guiou depressa até a cozinha.

Antes que Lavínia tivesse tempo de perceber que não havia nenhum empregado por perto, o rapaz abriu a porta, a puxou para fora da casa, depois, silenciosamente, trancou, pegou uma bolsa na soleira e se encaminhou para os estábulos.

Olhando para a casa, Lavínia notou que não havia uma única luz acesa nas janelas. Tinham conseguido! A fuga fora um sucesso! Engraçado como o pensamento a deixara feliz a ponto de querer dar pulinhos de alegria, como se tivesse feito algo notável. Nunca sequer pensara em desobedecer às regras, e lá estava ela: prestes a ter uma noite inteira de contravenções.

A carroça feia que ele usara para levar Sophie estava parada em um beco ali perto. Depois de jogar a bolsa na traseira, ele apagou a lamparina com um sopro e guardou. Segurando outra vez a mão dela, o rapaz a guiou até a frente da carroça, segurou sua cintura magra e a levantou até o banco de madeira. Depois, subiu para junto dela, pegou as rédeas e urgiu os cavalos.

— Como você se chama? — perguntou ele, a voz baixa e grave no silêncio da noite.

Lavínia quase riu, só então percebendo que nunca tinham se apresentado direito. Não deveria nem ter falado com ele, quanto mais subido naquela carroça. De súbito, teve a desagradável sensação de que não era a primeira garota a fazer aquilo.

— Lady Lavínia.

— Nome refinado.

— Sou uma dama refinada. E qual é seu nome?

— Finn.

Suspeitava que aquele rapaz fosse complexo demais para um nome tão simples.

— E qual é o seu sobrenome?

— Trewlove.

Lavínia franziu o cenho.

— Hoje à tarde, ouvi meu irmão conversando com um amigo sobre um tal de Trewlove e um local de jogos. Você é o dono?

— Meu irmão é o dono. Aiden.

— Ele disse que é um local secreto.

Entre um poste de luz e outro, ela o viu dar de ombros.

— Não é bem um clube de cavalheiros...

— Mas se ninguém conseguir encontrar...

— Ah, as pessoas conseguem... Os riquinhos gostam porque não é um lugar muito... apropriado. Eles se sentem devassos ou desvairados, acham que estão vivendo perigosamente. — Finn riu baixinho. — Na verdade, eles não fazem ideia do que é viver perigosamente.

Suspeitava que Finn soubesse, e até demais. Devia ser uma tola por confiar nele. Mas, por alguma razão, nunca se sentira tão segura em toda sua vida.

— Por que não matou Sophie?

Ele abaixou a aba da boina, como se o brilho da meia-lua no céu de veludo preto estivesse atrapalhando a visão.

— Não sei. Parecia um desperdício de cavalo bom. Mas você não pode contar ao seu pai. Nunca. Meu chefe me mandaria para a cadeia.

— Fez isso sem a permissão dele?

— Eu tive permissão, mas ele vai negar para proteger seu negócio, sua licença. Como eu disse, se não cumprimos o contrato, somos reportados. Fechariam nosso abatedouro, e os clientes buscariam alguém mais confiável.

Lavínia estudou o perfil de Finn, mais delineado pelo luar do que pelos postes de luz, cada vez mais escassos. Não queria pensar na hipótese de estarem saindo dos limites de Londres, ou talvez da Inglaterra. Por que não estava insegura? Que feitiço aquele rapaz lançara sobre ela? Era raro falar com os criados, ainda mais com plebeus. No entanto, lá estava: intrigada por um rapaz que mal saíra da puberdade.

— Por que você trabalha com algo tão cruel?

— Não vejo o que faço como crueldade. Acho que acabar com o sofrimento dos bichos é um ato de misericórdia. Tenho jeito com cavalos, de falar com eles, de acalmá-los. Eu os envio para o céu dos cavalos sem que nem percebam que estão fazendo essa jornada.

— Mas há outros tipos de emprego.

— Alguém precisa dar conta das tarefas desagradáveis para que pessoas como você nem percebam que elas existem.

Lavínia notou o leve desgosto na voz dele. Talvez merecesse mesmo aquilo, considerando sua vida privilegiada. Para ser sincera, ela diria até que era mimada. No jantar, o pai anunciara que já tinha comprado um novo cavalo para ela, que seria entregue até o final da semana. Nunca passava vontade ou necessidade.

— Como está seu braço? — indagou ele.

O interesse genuíno pegou Lavínia de surpresa, e ela imaginou Finn sussurrando palavras aos cavalos com o mesmo tom carinhoso.

— Dói um pouco.

O sacolejar da carroça aumentava o desconforto da fratura, mas ela não queria reclamar.

— Tomei uma dose de láudano antes de me deitar. Fico um pouco desnorteada, acho que foi por isso que aceitei vir com você.

— Você veio comigo porque quer ver sua égua. O osso quebrou?

— Sim. Foi horrível. Atravessou a pele. Mas não desmaiei. Fui muito corajosa.

Estava orgulhosa disso, mesmo que a verdade fosse que a visão do osso saltando da carne entorpecera seus sentidos a ponto de não acreditar que aquele era o próprio braço, apesar da dor latejante garantir que era, sim.

Embora estivessem na escuridão quase total, o sorriso dele reluziu ao luar, e Lavínia achou que fosse a coisa mais mágica que já vira. O láudano estava mexendo com ela de um jeito estranho, fazendo com que se sentisse atraída por aquele jovem de encantos gentis.

— Você é muito corajosa — disse ele.

— Não muito. Nunca saí de casa tão tarde, e nunca estive sozinha com nenhum homem, quanto mais um estranho. Estou ficando com medo de o meu pai descobrir.

— Ele não vai. Posso levar você de volta sem que ninguém perceba que saiu.

Lavínia lembrou da bolsa dele. Sabia que a casa era trancada à noite, mas ele conseguira entrar mesmo assim.

— Você também é ladrão?

Deveria ter pensado melhor antes de perguntar.

— Era. Até minha mãe descobrir. Agora vivo uma vida honesta. — Ele sorriu e olhou para ela. — Não é tão empolgante.

— Mas é mais seguro.

— É mesmo. Esse meu trabalho de agora jamais me levaria para a cadeia. Quer dizer, desde que você guarde nosso segredinho.

— Vou guardar. Eu prometo.

Além disso, aquele segredo estava ligado a outro que ela precisava guardar para si mesma. Embora nunca tivesse levado as surras de cinto que o pai dava no irmão, se descobrissem sobre aquele passeio noturno, o pai talvez fizesse questão de deixá-la incapaz de se sentar por uma semana.

— Por que você incitou a égua? — perguntou ele de repente.

Lavínia deu de ombros, com vergonha de admitir a verdade.

— Por que uma garota faz tolices? Eu queria chamar a atenção de alguém.

— Um de seus muitos pretendentes?

Ele parecia confuso, como se estivesse meio incomodado por ela ser bonita. Sabe-se lá por quê, Lavínia estava relutante em confessar que Thornley era seu pretendente — provavelmente porque ainda não era para valer. Além disso, a culpa que sentia por estar fora de casa, à noite e sozinha com outro homem diminuiria se considerasse que o duque era apenas um amigo.

— Não tenho pretendentes. Não por enquanto, pelo menos. Só tenho 15 anos. Ainda não fui apresentada oficialmente à sociedade, para ter minha primeira temporada.

— Só 15 anos — repetiu ele, em um murmúrio. — Uma criança.

Lavínia ficou irritada.

— Não sou criança! Sou quase mulher. Quantos anos *você* tem?

— Um bocado a mais que você.

— Quanto a mais?

— Seis. Tenho 21.

— Nem é tanto assim.

— É o suficiente.

Ele fez uma curva com a carroça e entrou em uma rua bem mais estreita do que a anterior. À frente, se assomava a fachada de um prédio enorme, com "Trewlove" reluzindo ao luar em letras grandes e brancas.

— O que é esse prédio? — perguntou.

— A fábrica de tijolos do meu irmão.

— Aiden é dono de uma fábrica *e* de um estabelecimento de jogos?

Um sorriso divertido surgiu no rosto dele.

— Não. Meu outro irmão, Mick, é dono da fábrica. Ele se considera empreiteiro e tem planos de transformar as piores partes de Londres em locais elegantes.

— Quantos irmãos você tem?

— Três.

— Não consigo imaginar como seria ter três irmãos. Só tenho um. Ele é nove anos mais velho que eu e nunca quer nada comigo.

— Queria ser mais próxima dele?

Lavínia riu da franqueza de Finn.

— Não exatamente. Quando ele arranja tempo, fica só me provocando.

— É a lei. Irmãos devem provocar as irmãs.

— Você também tem irmãs?

— Duas.

Lavínia achou que as provocações dele não deveriam ser tão irritantes quanto as de Neville. Na verdade, ficava agradecida quando passava meses sem ver o irmão, nos períodos em que ele estava na escola ou cuidando de alguma propriedade da família no lugar do pai, aprendendo tudo o que precisava para se tornar um conde adequado quando chegasse a hora.

— Espero que não se ofenda com o que vou dizer, mas você não fala como um plebeu.

Embora a dicção dele estivesse longe da altivez de um aristocrata, Finn parecia ter certo grau de educação — pelo menos mais do que ela esperava de alguém que abatia animais para ganhar a vida.

— Isso é culpa da minha irmã, Gillie. Ela é obcecada, não quer que nenhum de nós fale como se tivéssemos vindo da sarjeta. Gillie acredita que temos que falar bem se quisermos crescer na vida.

— E o que você quer fazer da vida, Finn Trewlove?

Ele abriu outro sorriso e deu uma piscadela.

— Isso ainda é um mistério, lady Lavínia.

Finn parou a carroça, posicionou a trava e desceu. Não parecia haver vivalma na rua quando Finn foi até o lado dela e ergueu os braços. Lavínia se aproximou até que as mãos grandes dele pudessem envolver sua cintura fina e apoiou as mãos pequenas nos ombros largos dele. Bem devagar e com todo o cuidado, como se não tivesse pressa alguma, Finn a abaixou até que seus pés pequenos tocassem o chão.

Ele a encarou um pouco, parecendo analisá-la, e Lavínia se perguntou se Finn algum dia soltaria sua cintura — também não sabia se queria que ele soltasse. Ninguém nunca a olhara daquele jeito, com tanta intensidade e interesse, como se ela fosse fascinante. Era muito empolgante ser o objeto de tamanha atenção. Enfim, ele a soltou e deu um passo para trás.

— Meu irmão tem carroças e cavalos para transportar os tijolos. Por aqui.

Ela o seguiu até um pasto largo — não exatamente um estábulo, embora pudesse ver o que parecia um abrigo feito de madeira ao longe. Os cavalos por ali eram muito mais robustos do que os dos estábulos de seu pai, mas supôs que os animais precisavam dos músculos para transportar as cargas pesadas. Então, avistou a elegante égua branca com pelagem cinza. Seu coração saltou de alegria, batendo com um alívio tão grande que Lavínia se surpreendeu por ele não ter saído do peito.

— Sophie! Aqui, garota! Aqui, minha querida!

A égua se aproximou, e Lavínia a acariciou, pressionando a testa contra o focinho de Sophie.

— Pensei que nunca mais fosse ver você. Acho que também não vai mais acontecer depois desta noite, mas ao menos não te perdi por completo. Saberei que está aqui, gracejando pelo pasto, se divertindo com seus novos amigos. Sinto muito por ter tratado você tão mal e por ter tentado lhe usar para chamar atenção. Ah, minha querida, sentirei tanto a sua falta!

Sophie relinchou, jogando a cabeça para trás, e Lavínia teve certeza de que a égua tinha entendido cada palavra e expressava o quanto sentiria sua falta também. Em seguida, Sophie trotou para longe.

Dominada por alívio e felicidade, Lavínia se virou para encarar Finn.

— Obrigada por ter poupado a vida dela.

Então, sem pensar ou raciocinar, inundada de alegria, passou os braços em volta do pescoço dele e o beijou.

Capítulo 3

1871

Finn ainda lembrava do primeiro beijo dos dois como se tivesse acontecido minutos antes, e não anos. O toque não durara mais que um piscar de olhos, mas sentia que os lábios dela tinham marcado os seus como ferro incandescente. Já tinha beijado outras garotas antes, e sempre preferira beijos lentos e sensuais, daqueles que duravam uma eternidade — um banquete em vez de uma mera mordiscada. Ainda assim, o leve toque dos lábios dela o pegara de surpresa, como o soco que levara, no queixo.

Ao que tudo indicava, Lavínia estava tão feliz com aquele reencontro quanto ele. Não que Finn fosse demonstrar a mágoa e raiva que sentia ao vê-la depois de tantos anos.

Sentindo a lâmina perfeitamente posicionada entre duas costelas, achou melhor permanecer imóvel como uma pedra. A pele se abria fácil para as lâminas e, sem osso como barreira, o espadim entraria fácil na carne. O aço vibrava de leve, e Finn notou que a mão de Lavínia tremia no mesmo ritmo. Queria desafiá-la a terminar o que começara oito anos antes: a completa e absoluta destruição de seu coração.

Os dois se encaravam, ofegantes, tensos.

Entrar na briga não era parte de seus planos, mas ele não queria ver sangue derramado e também achou melhor não esperar a situação sair do controle para intervir. Apesar da tentação de ver como Lavínia se sairia contra três adversárias, ele falara a verdade: não gostava de brigas injustas.

O soco da Lavínia do presente estava mais forte do que o da jovem dama preocupada com sua égua. Ficou se perguntando quem a ensinara a brigar. Sentiu uma onda de ciúme injustificado ao pensar em algum homem sem rosto segurando a mão dela, demonstrando a forma correta de dar um soco, para evitar quebrar os dedos.

Teria sido a mesma pessoa que a ensinara a empunhar o espadim? Ficara impressionado com a habilidade e a confiança com que ela manejava a lâmina, embora a sensação o incomodasse tanto quanto a lembrança do primeiro beijo. Não queria reviver todos os momentos até chegar à lembrança do último beijo, do momento em que ele acreditou mesmo que conquistara Lavínia... até, mais tarde, perceber que fora uma mentira, assim como tudo o que acontecera entre eles.

— Você estava me seguindo? — indagou ela, sem nem tentar disfarçar a amargura na voz.

Claro que a seguira, mas não iria admitir. Só descobrira que Lavínia estava na cidade havia seis semanas, e não tinha sido difícil encontrá-la. Desde então, por razões que não sabia explicar nem a si mesmo, ele a vigiara de longe, curioso sobre os motivos que a levavam até aquela área de Londres. Precisava admitir que também sentira um desejo impróprio de assegurar que ela ficasse fora de qualquer perigo. Malditos instintos de protegê-la! Já tinha se metido em problemas mais de uma vez por causa deles!

— Estão oferecendo uma recompensa para quem souber de você.

— Sim, eu vi os avisos que colocaram. Meu irmão contratou alguém para me levar de volta para casa. Veio me capturar em troca da recompensa?

— Quinhentas libras é uma boa grana.

— Lutarei com unhas e dentes até o fim.

Finn ignorou o desejo de possuir aquela boca, as palavras saindo com tanta determinação e autoridade que era impossível duvidar. Aquela mulher tinha uma ferocidade que não existira na jovem Lavínia que conheceu. Ah, ela sempre fora esquentada e o agredira uma vez ou outra, mas Finn suspeitava que a mulher diante dele fosse perfurá-lo com o espadim sem pensar duas vezes e sequer se arrependeria. Engraçado ela se sentir injustiçada naquela história toda, quando na verdade ele é que fora dispensado. Seus irmãos achavam que ela era só um caso inconsequente, e Lavínia de fato tratara o relacionamento dos dois com casualidade, completando o descaso com uma traição sem igual — algo que ele nunca imaginara que fosse capaz de fazer.

— Ainda não decidi como proceder quanto a isso. O que faz por aqui, *lady Lavínia*?

Planejara manter o tom neutro, mas não conseguiu impedir que as últimas palavras saíssem carregadas de desgosto.

A resposta dela foi aumentar a pressão da ponta da lâmina contra sua pele. Finn sentiu a pontada e percebeu que ela estava mesmo disposta a atacá-lo, mas não deixou a surpresa transparecer. Não moveu um único músculo, embora cada parte de seu corpo estivesse tensa, pronta para entrar em ação, caso necessário.

— Fique longe de mim! — ordenou ela.

— Ou o quê?

Outra pontada. Aquela com certeza cortara a carne.

— Vá em frente — desafiou. — Enfie a lâmina em mim.

— Pode ter certeza de que a tentação é grande.

Em um movimento rápido e fluido, Finn ergueu o braço, derrubando o espadim e agarrando o pulso dela. Quando Lavínia tentou se defender, ele segurou o outro pulso. Sem a menor gentileza, empurrou os braços dela para trás e os segurou junto à lombar com uma única mão. Com a outra, agarrou o ombro magro de Lavínia, puxando-a para a frente até que estivesse com o peitoral pressionado contra seus seios. Ela inclinou a cabeça para trás o máximo possível, tentando se afastar.

Aquela proximidade foi um tremendo erro de cálculo. O casaco de Lavínia se abrira de um lado, e o mamilo rijo dela despontava contra seu peitoral — o casaco dele se abrira, expondo a pele. Naquela pequena área de contato, Finn sentia o calor dela em seu corpo, trazendo lembranças do corpo nu e quente dela por inteiro. A reação em seu corpo foi tão intensa que era como se ela estivesse deitada em uma cama, à espera dele, convidando-o para um jogo de sedução e conquista. Queria atormentar Lavínia, fazê-la sentir o mesmo que sentira por ela, tantos anos antes.

— Houve uma época de nossa vida em que não tivemos o menor problema quando o assunto era tentação.

Não deveria ter hesitado em usar a vantagem inicial, mas tudo não passara de um blefe. Era tão incapaz de matá-lo quanto de parar de respirar. E não porque nunca matara ninguém, mas porque era Finn. Mesmo que ele fosse o responsável pela dor imensurável que a assolava nos últimos anos, Finn já tinha sido o motivo da maior alegria que já sentira.

Porém, naquele momento, a proximidade era insuportável. Deveria odiar o cheiro dele, tão familiar... Depois de tudo o que ele fizera, como ainda podia se deleitar com seu aroma forte e inebriante, com um leve toque de couro?

Perguntas formigavam na ponta de sua língua. Dúvidas que guardaria para si, sem dar a ele o prazer de descobri-las. O que tinha feito para merecer a traição? Por que ele não a encontrara, como prometera? Só que o motivo para o abandono já não importava mais. Já se passara muito tempo. Lavínia não era mais aquela garota ingênua. Respostas não mudariam o passado, nem quem ela era, nem seus planos para o futuro.

— Me solte.

Lavínia via a raiva nos olhos dele, sabia que suas palavras eram como faísca para um fogo que logo queimaria com intensidade. De alguma forma, Finn conseguiu abafar as chamas, abrindo um sorriso lento e devastador. Um sorriso ousado, perverso, provocante e cheio de promessas de prazer. Se ela sucumbisse...

— Não. Você me fez sangrar. Agora tem que pagar o preço.

— Você sempre vem cobrar alguma coisa, não é mesmo?

Oito anos antes, tinham feito planos de fugir juntos, de deixar tudo para trás... mas ele não aparecera. Lavínia ficara arrasada, abandonada com o coração partido e os olhos cheios de lágrimas.

— Já paguei seu preço uma vez, Finn. Não pretendo pagar de novo.

O sorriso dele desapareceu, substituído por uma expressão de confusão. O aperto dele afrouxou por um mero segundo, o corpo recuou alguns milímetros... foi o suficiente. Livre de anáguas, um luxo que não podia mais bancar, Lavínia ergueu o joelho com toda a força, sentindo a maciez das bolas dele cedendo ao osso, derrubando-o com uma só pancada. Finn caiu de quatro, ofegante, grunhindo de dor. Ela ficou tão satisfeita com os gemidos de dor que quase se espantou com o prazer que sentiu diante do sofrimento dele. Quase.

Pegou o espadim do chão e o guardou de volta na bainha da bengala, surpresa ao notar que as mãos não estavam dormentes. Finn não a segurara tão forte quanto parecia, não a machucara. Poderia até ficar com pena dele, depois do golpe tão duro, mas lembrou-se de como, anos antes, seu coração fora massacrado.

— Fique longe de mim! — ordenou, antes de dar meia-volta e sair da ruela a passos firmes.

— Vivi! — gritou ele.

Lavínia quase se virou, quase voltou para confortá-lo e garantir que não lhe causara nenhum dano permanente. Mas continuou andando.

— Não me chame assim! — respondeu, ríspida, por cima do ombro, a voz ecoando por entre os prédios.

Finn lhe dera o apelido e era o único que a chamava daquele jeito. O tom calmo e íntimo fazia o nome soar como um elogio carinhoso… isso na época em que pensava ser tudo para ele.

Capítulo 4

1863
Transformação

— Assim que for apresentada à rainha, vai começar um turbilhão de eventos da temporada. Tantas maravilhas, alegrias e emoções… Ah, como é bom ser jovem!

Ah, como é bom voltar a Londres!, pensou Lavínia, sentada junto da mãe na carruagem. O pai e irmão tinham ido um mês antes. A carruagem sacolejava pela estrada irregular, guiada por quatro cavalos. Sabia que deveria estar animada para a primeira temporada, mas a ansiedade que a fazia se remexer no banco de couro era mais porque encontraria Sophie mais tarde — e, para ser sincera, também porque veria Finn.

Nos dois anos que se passaram desde que a égua fora salva, eles se encontravam todas as noites de terça-feira, à meia-noite em ponto, para visitar Sophie. Lavínia se tornara especialista em sair escondida. Aprendera a não botar os sapatos até que estivesse fora de casa. Usava roupas mais simples, sem anáguas nem tecidos barulhentos, para transitar sem ruído pelo corredor e pela escadaria.

Finn sempre a esperava naquela carroça horrível. Com o tempo, no entanto, aprendera a gostar da carroça. O sacolejar constante fazia seu corpo roçar sem parar contra o de Finn, como se a madeira velha e os parafusos enferrujados *quisessem* que os dois ficassem colados um no outro.

— Atrevo-me a dizer que, depois da sua apresentação, Thornley vai pedi-la em casamento. Você deve estar casada até o fim do ano, minha querida.

Qualquer outra dama ficaria irrequieta com o noivado que estava por vir, mas Lavínia não tinha pressa. Na verdade, torcia para que Thornley não a pedisse em casamento tão cedo. Gostava do duque e não podia negar que ele ficava mais bonito a cada ano. Compreendia que ele era seu destino inquestionável. Era impossível a filha de um conde se casar com um abatedor cavalos. Ainda assim, isso não a impedia de sonhar...

Finn sempre tirava Sophie do pasto quando iam à fábrica de tijolos do irmão. Segurando sua cintura entre as mãos fortes, o rapaz levantava Lavínia para que montasse na égua, entrelaçando os dedos na pelagem cinzenta. Então, a acompanhava a pé de um lado a outro da rua enquanto conversavam sobre o tanto que a vida dos dois era diferente. Lavínia gastava seu tempo livre passeando pelos jardins e sabia identificar todas as flores, ao passo que Finn mal sabia a diferença entre uma rosa e um cravo. Apesar de tudo, os dois tinham muito em comum. Gostavam de ler histórias de aventura, de preferência as que se passavam em locais exóticos. Adoravam admirar as estrelas. Por vezes, depois de cavalgar com Sophie, ela e Finn se deitavam em um lençol no pasto e ficavam observando o céu noturno. Ele apontava todas as constelações. Seus momentos favoritos eram quando faziam um piquenique — mas sempre à noite, o melhor horário para criar e guardar segredos.

— É claro que teremos um baile — continuou a mãe, interrompendo seus pensamentos. — Mas acho que não esse mês. Muitas famílias vão exibir as filhas, mas não estamos nessa competição.

Dois anos antes, ansiava por completar a idade necessária para frequentar os bailes. Naquele momento, só queria que nenhum deles fosse nas terças-feiras.

Se a mãe estivesse falando a verdade, se Thorne cumprisse o acordo que os pais dos dois tinham assinado, os próximos meses com Finn seriam os últimos. Queria aproveitá-los ao máximo.

Nem se preocupou em enviar um recado a Finn quando chegaram na residência em Mayfair. Ele saberia que Lavínia estava de volta a Londres. Ele sempre sabia. Suspeitava que Finn vigiava a casa — que *a* vigiava. Isso deveria ser preocupante, mas não era. Nada nele era preocupante, nem mesmo seu emprego. Não depois de testemunhar o carinho que Finn tinha com Sophie.

Nos dias que se seguiram, acompanhou a mãe em visitas matinais, recebeu amigas para tomar chá, foi a várias lojas e contou as horas até a meia-noite de terça-feira. Então, vestida com a roupa mais simples que tinha, foi furtivamente até a entrada de serviço. Não precisava de uma única vela, pois o caminho estava praticamente memorizado. Sabia quais tábuas do chão rangiam e deveriam ser evitadas e em quais corredores precisava andar bem no meio, para evitar mesas, cadeiras ou estatuetas. Sabia quando grudar os braços no corpo para não derrubar nenhum vaso de seu pedestal. Não precisava mais se preocupar em passar por certas soleiras, com medo de que o irmão a flagrasse enquanto jogava bilhar ou bebia um pouco mais de uísque, depois da noite de farra com os amigos. Aquela temporada também trazia mudanças para ele. O irmão tinha se mudado para a própria casa, mais modesta.

Veria Neville com menos frequência, o que significava que também veria Thornley menos vezes. Mas o duque ainda faria visitas frequentes, se a mãe estivesse certa. E dedicaria atenção exclusiva a ela, coisa que Lavínia deveria ansiar, não temer, como era o caso. Depois de anos tentando chamar a atenção de Thornley, não se importava mais se o duque demorasse para reparar nela. Com 17 anos, não se sentia pronta para assumir a responsabilidade de se tornar duquesa, e esperava que ele sentisse o mesmo quando a olhasse. Podia já ter idade para frequentar os bailes, mas dificilmente estava pronta para assumir as responsabilidades da casa dele.

Todos os pensamentos sobre Thornley voaram como pétalas de dente--de-leão em uma ventania quando ela pisou fora de casa. Finn estava lá, e desejou ter uma lamparina para enxergá-lo melhor. Ele parecia mais alto do que se lembrava, e definitivamente mais robusto. Tentou não pensar que isso era resultado das muitas vezes que ele precisara usar o machado.

Depois de tantos encontros, tinham o acordo tácito de não se cumprimentarem, mas nunca fora tão difícil quanto naquela noite. Queria gritar que estava feliz em vê-lo. Em vez disso, sentou-se em um degrau da soleira e começou a calçar um dos sapatos. Finn se ajoelhou ao lado dela para calçar o outro. O calor da mão dele em seu tornozelo a deixou sem fôlego. Deveria reclamar do contato informal, da intimidade, mas era Finn, seu amigo mais querido, com quem compartilhava segredos, noites e a verdade sobre Sophie. Não confiava em mais ninguém desse jeito. Sabia que Finn não se aproveitaria dela, mesmo que seu jovem e traiçoeiro coração repentinamente desejasse o contrário.

Ficou estarrecida. O que Thornley pensaria se soubesse que ela desejava outro homem — e pior, um plebeu? Mas a verdade é que, por mais que quisesse a atenção de Thornley, nunca o *desejara*. Pela amizade neutra que tinham desenvolvido ao longo dos anos, suspeitava que o duque ainda não a enxergasse como uma mulher, e sim como uma criança incapaz de retribuir as paixões desenfreadas de um homem da sua idade. Além disso, também suspeitava que, naquele mesmo momento, Thornley devia estar expressando essas paixões para outra. Tinha certeza de que o irmão se mudara para a própria casa pelo mesmo motivo: buscar prazer.

Uma dama, como era o seu caso, poderia se apaixonar o quanto quisesse, mas não tinha a liberdade ou a oportunidade de aproveitar a sensação. E ela com certeza não receberia uma casa para fazer o que desejasse. Portanto, Lavínia não aceitaria a culpa por sair escondida da casa dos pais na calada da noite ou pelo fato de que o rapaz por quem nutria interesse de conhecer melhor estivesse descobrindo intimamente a forma de seu tornozelo.

Quando os sapatos estavam no devido lugar, Finn se levantou e estendeu a mão para ela. Lavínia tinha parado de usar luvas nos encontros, preferindo as palmas ásperas de Finn ao mais macio dos couros. Os dois correram para a carroça.

Não disseram uma única palavra até estarem bem longe da casa. Lavínia não se incomodava mais com o sacolejo da carroça, que fazia seu corpo roçar em Finn de tempos em tempos. No entanto, não precisava mais tanto do balançar como desculpa, já que a distância que se sentavam um do outro diminuíra com o tempo. Naquela noite, estava com o quadril e a coxa encostados nele.

— Estava começando a achar que você não viria este ano.

Finn sempre falava com uma voz tranquila, sem demonstrar irritação, como se ela fosse um dos cavalos que precisava acalmar.

— Minha mãe e eu fomos primeiro a Paris, para encomendar os vestidos apropriados para minha primeira temporada. Paris é na França, atravessando o Canal...

— Eu sei onde é Paris. — O tom foi rude, bem diferente do jeito carinhoso dele.

— Não quis ofender. Às vezes esqueço o quanto você sabe.

Finn já lhe contara que ele e os irmãos tinham registro em uma biblioteca, para continuarem sempre estudando. Às vezes, ela queria que Finn pudesse ver a biblioteca de sua família na casa de Londres. Centenas de livros. Queria que ele tivesse a oportunidade de ler cada um deles.

— Não me ofendi. Só não vejo sentido em falar sobre algo que já sei. Conte algo que não sei. O que fez enquanto esteve fora?

Ela suspirou ao lembrar de como sua vida era tediosa. Só tinha alguma emoção quando estava com ele.

— O mesmo de sempre. Festas no campo, uma quantidade absurda de bordados e alguns passeios a cavalo.

Nunca contara a ele sobre Thornley e o acordo entre seus pais. Finn era um homem decente, e Lavínia temia que, se soubesse que estava prometida, ele pusesse um fim às aventuras clandestinas, não importava quão inocente fossem. Claro que ela mesma encerraria os encontros depois que Thornley pedisse sua mão em casamento. Não havia dúvidas. Mas, naquele momento, que mal havia em manter aquela amizade?

Além disso, Finn era apenas seis anos mais velho que ela, muito menos que os onze de diferença com Thornley, e isso facilitava a conversa. E ele não tinha expectativas, não a olhava sabendo que um dia dividiriam a cama. Além disso, Finn não a tratava como criança. Bem, ele também não a conhecia a vida inteira. Thornley a vira de fraldas! Naquela temporada, quando ele a visse nos vestidos franceses, perceberia o quanto Lavínia tinha crescido. Ela deveria estar empolgada com a ideia. Só que era para Finn que ela queria se exibir naqueles vestidos. Talvez usasse o de seda verde em um dos encontros noturnos. Só que não conseguia vesti-lo sozinha, então precisaria contar o segredo à sua criada. Podia confiar em Miriam. Mesmo sabendo que deveria se dirigir à ela pelo sobrenome, Watkins, eram apenas seis anos de diferença entre as duas, e a criada, mais velha, se tornara praticamente uma amiga ao longo dos anos. Miriam a abraçara quando ela chorou por Sophie, a consolava quando Thorne estava ocupado demais para ela fazendo-a duvidar do próprio encanto, e a tranquilizava quando a língua afiada da mãe a acusava de não ser elegante o suficiente. Miriam até confidenciara que se apaixonara por um dos lacaios e que não reclamara quando ele lhe dera um beijo, no último Natal, então entenderia o desejo de aventura da jovem patroa antes do casamento. Lavínia não contaria sobre todos os encontros com Finn, só explicaria que a saída seria uma pequena travessura com alguém que conhecia havia muito tempo. Com a ajuda de Miriam, ela poderia vestir anáguas e prender o cabelo em um penteado apropriado. A criada poderia ajudá-la na fuga e provavelmente adoraria a emoção, já que ficara feliz com o beijo escondido de um dos lacaios.

— Só isso? — perguntou Finn.

As palavras a trouxeram de volta à realidade, para longe dos planos que idealizava.

— Desculpe, o que foi?

— Perguntei se foi só isso que fez nesses muitos meses em que esteve fora?

— Também participei de minha primeira caça a raposas. Não gostei.

— Seu coração é mole demais para matar animais.

— É, deve ser...

Thornley também paticipara. Ele parecera desapontado quando Lavínia se recusara a ser "pintada" com o sangue da caça. Que ritual arcaico, espalhar sangue da presa na bochecha do novato da turma...

— Queria que a raposa tivesse escapado.

Finn passou o braço em volta dos ombros dela, em um quase abraço.

— Desculpe ter perguntado. Vamos mudar de assunto.

— O que você fez enquanto eu estava fora? — indagou ela, tentando espantar os pensamentos sombrios.

Mas estava mesmo na expectativa da resposta. Queria saber tudo o que ele fizera. Não trocavam cartas quando separados, receosos de que os pais dela descobrissem e a confrontassem sobre o remetente. Era agoniante ficar tantas semanas, e às vezes até meses, sem saber o que ele estava fazendo.

— Trabalhei. Bebi. A taverna da minha irmã está indo muito bem. Se não chego cedo, não encontro cadeira. Queria levar você lá um dia.

Lavínia agradeceu por não estar sentada na ponta do banco, porque teria caído da carroça com aquelas palavras. Durante dois anos, os encontros só envolveram os dois e Sophie.

— E se formos vistos?

Ele riu.

— É claro que seremos vistos. Mas não por alguém que você conhece, e as pessoas que eu conheço não saberão quem é você. Estive pensando bastante no assunto, em como eu gostaria de fazer algo mais do que esses nossos encontros.

Ela também queria, mas o que seria esse algo mais? Chamariam muita atenção com um encontro no parque, mesmo se fingissem ser por acidente, e as pessoas ficariam curiosas, suscitando fofoca e especulação. Lavínia não podia fazer nada que pudesse causar vergonha à família ou a Thornley, ou que pudesse fazê-lo questionar a ideia de seguir com o acordo. O pai a trancaria no quarto por toda a eternidade. E um baile estava fora de questão. Talvez um camarote escuro no teatro, mas ela não teria permissão de ir sem um acompanhante.

— Seria um risco.

— Nossos encontros são um risco.

Não tinha argumentos para retrucar.

— Não sei, Finn. Estarei tão ocupada nesta temporada, com a minha apresentação à sociedade, que não tenho certeza se poderei encontrá-lo toda terça-feira.

— Você quer continuar me vendo?

— Mais que tudo. Você é meu amigo mais querido do mundo inteiro.

Ele deu uma risada quase triste, um som sinistro que ela nunca ouvira sair dos lábios dele. Até pensou que o ouviu xingar baixinho. Finn virou a carroça para a rua da fábrica.

— Eu não quero ser seu amigo, Vivi.

Nunca tinha sido chamada daquele jeito. *Vivi.* Depois daquela noite, Finn nunca mais a chamaria de outra coisa. Nada de lady Lavínia ou de milady. Nada de usar seu nome. O "Vivi" que saía de seus lábios soava quase como um carinho. Ninguém nunca encurtara seu nome ou lhe dera um apelido. E era bom. Muito bom. Mas as palavras que vieram antes a deixaram confusa.

— Não entendo, Finn. Se você não quer ser meu amigo, então o que estamos fazendo aqui? Você não gosta de mim?

Ele parou a carroça e virou-se para encará-la. Estendendo a mão, tocou sua bochecha com muita ternura, passando o polegar pelo canto de seus lábios delicados.

— Eu gosto muito mais de você do que seria prudente para um homem na minha posição.

Finn encerrou o breve toque e pulou para o chão, deixando Lavínia esperando por algo que não conseguia identificar. Como sempre, ele deu a volta na carroça e ergueu os braços para ela.

— Vamos. Sophie está esperando.

Sem pensar na conversa anterior ou tentar desvendar seu significado, Lavínia apenas seguiu o ritual já tão comum aos dois: apoiou as mãos nos ombros dele, que a segurava pela cintura. Mas tinha algo diferente naquela noite. Finn pareceu demorar mais para colocá-la no chão, parecia que fixaram os olhares um no outro quase ao mesmo tempo, parecia que seu corpo inteiro formigava. Seus seios quase roçaram o peitoral dele. Bastava respirar fundo e se inclinar um pouco para a frente, e os mamilos rijos roçariam em Finn. Imaginou que a sensação fosse tão tentadora quanto a palma áspera da mão dele segurando a sua.

Finalmente, seus pés tocaram o chão, e o momento acabou. Só não podia dizer o mesmo de seus devaneios. Estava ciente da presença dele como nunca estivera. Reparava mais no porte, nos ombros... Claro que já tinha notado os ombros largos de Finn, mas nunca pensara sobre o quanto deveria ser bom recostar a cabeça ali. Com a lua quase cheia, via os traços de uma barba por fazer no maxilar dele. Aquilo era novidade. Finn não era mais um rapaz prestes a virar homem. No período que ela se ausentara, ele havia cruzado esta fronteira de uma maneira magnífica.

Que Deus me ajude!, pensou. Queria que as mãos dele continuassem em sua cintura. Queria que tocasse em locais que apenas seu marido deveria poder.

Ficou grata — e desapontada — quando o relincho de Sophie quebrou o encanto e Finn a soltou. Saiu andando na direção do pasto, mas parou no meio do caminho ao ver sua querida égua.

— Ela está selada!

— Você fez aniversário enquanto estava fora, não é? — perguntou Finn, parando ao seu lado.

O olhar dele era quase palpável, e Lavínia virou o rosto para encará-lo, sorrindo e piscando para espantar as lágrimas que ardiam em seus olhos. No ano anterior, ganhara um buquê de flores — que ele mesmo deveria ter arrancado do jardim de alguém, tinha quase certeza.

— Deve ter custado uma fortuna!

— Você já tem 17 anos. É velha demais para cavalgar sem sela.

— Finn, fico tão feliz, nem sei o que dizer…

Ele deu um passo em sua direção.

— Eu não quero ser seu amigo — repetiu, a voz baixa e rouca, porém mais urgente. — Eu nunca quis ser seu amigo, desde que a conheci. Mas esperei até que tivesse idade suficiente. E agora você tem.

Lavínia franziu o cenho, confusa.

— Para o quê?

— Para isso.

Jogando a boina para o lado, Finn inclinou a cabeça bem devagar na direção da dela, dando tempo para que se afastasse, para que colocasse a mão em seu peito e o impedisse. Mas Lavínia apenas entreabriu os lábios e esperou. O que eram mais alguns segundos após uma espera de dois anos?

Até aquele exato momento, Lavínia não percebera que estava esperando por aquilo, por ele… Esperando que Finn a visse como mais que uma criança mimada que cometera o erro de incitar a égua e então desobedecera às ordens do pai por pura teimosia, que ficara brava e fora arrogante com o homem responsável por levar o animal. O homem que levara Sophie, mas poupara a vida de sua égua e lhe presenteara com aqueles encontros.

Perderia Sophie de novo quando seu noivado fosse anunciado no *Times*, mas não naquela noite... Não por algumas semanas, meses ou até mesmo anos. Não dava para afirmar que estava comprometida com outro enquanto nada fosse oficializado. Enquanto Thornley não se ajoelhasse diante dela nem a proclamasse sua, sempre haveria uma chance de que ele nunca o fizesse. E essa chance, ainda que pequena, permitia que Lavínia se considerasse livre para entreabrir os lábios e esperar.

Sentindo coração batendo em descompasso, como se tivesse corrido pelas ruas de Londres para chegar até ali, via Finn encurtar a distância entre suas bocas bem devagarzinho. As mechas loiras e encaracoladas caíam sobre a testa dele, e os olhos escuros — castanhos, de um tom que ela nunca se esqueceria — e intensos a mantinham cativa. Sabia disso agora com a mesma clareza com que o luar delineava a silhueta dele.

Os lábios se tocaram, fazendo sumir toda a ansiedade da espera, que parecera durar uma eternidade. E a menina à beira de se tornar mulher cruzou a fronteira quase que aos tropeços.

Porque o beijo não foi nada como o encontro gentil de lábios que ela esperava. Quando Finn alcançou seu objetivo, deixou bem claro que chegara com um propósito. E, enquanto envolvia a cabeça dela entre as mãos grandes e ásperas, Lavínia sentiu dois anos de desejo vibrando pelo corpo do rapaz, insistindo e exigindo que a espera não fosse em vão. A língua contornou os seus lábios delicados antes de experimentar a abertura que preparara em antecipação ao beijo. Lavínia sentiu a boca ceder por completo quando ele a invadiu com sua língua. Não havia gentileza no beijo, apenas um desejo intenso das línguas que se encontravam em uma batalha frenética, uma busca por possuir o outro, mas ao mesmo tempo algo incrivelmente libertador. Sentiu um arrepio percorrer o corpo com a descoberta, a evidência, de que Finn a desejava com tanta intensidade, que ele a queria, que precisava dela.

Lembrou-se de como ele sempre tomara o cuidado de se manter a uma distância respeitosa, de que só a tocava quando necessário, como nos momentos em que a ajudava a subir e descer da carroça ou a montar em Sophie. Achava que os modos de Finn refletiam sua deferência à posição dela na sociedade. Mas, sentindo ele deslizar as mãos por suas costas, apertando-a com mais força junto ao corpo e abraçando-a, Lavínia enfim percebeu o quanto ele se esforçara para se conter, como ele sabia o que os esperava do outro lado de suas frágeis defesas.

Ele fizera aquilo para protegê-la do que desejava tão desesperadamente entregar. Para esperar até que ela tivesse idade suficiente para querer, aceitar e não se assustar. E Lavínia estava assustada, mas era com a ideia de que jamais poderia se saciar dele, de que teriam apenas um curto período juntos, um número limitado de beijos. De saber que aquilo não duraria a vida toda. Finn gemeu, o coração acelerado tamborilando contra os seios dela, e a apertou em seu abraço até que era quase impossível o luar ou qualquer outra luz passar por entre seus corpos. Lavínia desejou que Finn não estivesse de casaco e até considerou pedir que o retirasse, querendo sentir mais o calor de seu corpo. Envolveu o pescoço dele com os braços, os dedos se enrolando nas pontas do cabelo loiro e sedoso. Finn cheirava a homem, não a cavalos, e Lavínia teve certeza de que ele tinha tomado banho antes de encontrá-la. A camisa cheirava a goma fresca.

Ele deslizou a boca, afastando-a de seus lábios, saboreando seu queixo, seu pescoço. Lavínia desejou estar com um vestido de baile que deixasse a mostra os ombros. Um modelo bem decotado, para que ele pudesse beijar ali também, marcando posse sobre tudo. Mesmo que isso nunca pudesse ser verdade — pelo menos, não por mais que um breve período.

Tão ofegante quanto ela, Finn parou e encostou a testa na sua.

— Achei que ia ficar doido esperando você crescer.

Ela riu.

— Se eu soubesse que estava me esperando, teria crescido mais rápido.

Ele deu um passo para trás, mas segurou sua mão como se ainda precisasse do contato.

— Vamos. Quero ver você montada em Sophie.

Tinha sido tolice beijá-la, mas sentira a necessidade de demonstrar o quanto não queria ser apenas um amigo. Mesmo sabendo que nunca poderia ser mais que aquilo. Nenhum lorde permitiria que ele se casasse com sua filha — não que estivesse pensando em casamento, mas certamente não acharia ruim que trocassem mais alguns beijos.

O gosto dela ainda estava em sua língua quando se recostou na cerca do pasto, cruzando os braços, assistindo à jovem trotar com a égua pela rua. A sela custara uma fortuna, mas valera a pena ver a alegria no rosto dela, saber que gostara do presente. Tinha pensado em selar um dos cavalos do pasto para acompanhá-la na cavalgada, mas os bichos eram feitos para carregar cargas pesadas. Embora fossem robustos e magníficos, não eram destinados a passeios. Finn sabia tudo sobre todos os tipos de cavalos utilizados por toda Londres. Os animais eram criados para servir a um propósito específico, e ele já murmurara palavras carinhosas para todas as raças antes de colocar um capuz em sua cabeça, cobrindo os olhos para que as criaturas não vissem o que estava por vir. Todos tinham deixado a terra com o máximo de dignidade que Finn poderia garantir. Depois disso... bem, nunca tivera estômago para o que vinha depois. Tiravam o couro, cortavam a carte, moíam os ossos para produzir fertilizante — um sem-fim de indignidades. A única certeza era de que nunca teria móveis com pelagem de cavalo.

A princípio, poupara a vida de Sophie porque queria provar a Vivi que não era um monstro sem coração, como ela o acusara. Queria evitar a tarefa que o aguardava, como em todas as vezes que precisava usar o machado. Dissera a si mesmo que estava sendo misericordioso, mas nada o fizera se sentir tão completo como ela, nada o fizera acreditar que era capaz de grandes feitos, de crescer na vida. Só a fé de Vivi conseguia isso.

Mick acreditava que poderia ser bem-sucedido. Que, com riqueza e poder, conseguiria superar as circunstâncias de seu nascimento e ter seu lugar entre os aristocratas. Finn começava a questionar se o mesmo não seria verdade para ele. Se, com trabalho e esforço, conseguiria conquistar a aceitação da nobreza. Mesmo sendo bastardo. Mesmo sendo considerado filho de ninguém, por mais que soubesse quem era seu pai. Era o destino dos que nasciam do lado errado do lençol. Não eram nem considerados humanos.

Nunca ficara chateado com isso antes de Vivi, antes do beijo. Não deveria ter tomado essa liberdade. Mas como poderia se arrepender, se aquela tinha sido a experiência mais gratificante de todos os seus vinte e três anos?

Ao contrário dos irmãos, Finn nunca se deitara com uma mulher. Chegara perto disso uma ou duas vezes, quando a urgência fora muito forte, e seu corpo ansiara pelo alívio. Mas, lá no fundo, sempre pensava que poderia gerar um bastardo; que poderia condenar a mulher a uma vida de vergonha — ou então ao casamento. Que, se ela escolhesse casar, ele seria responsável por dar uma vida nada invejável à criança — isso se ficasse sabendo da existência dela.

Seu pai era um conde. Ele entregara Aiden para Ettie Trewlove na calada da noite sem nem se preocupar em esconder o brasão do casaco. Seis semanas depois, fizera o mesmo com Finn. Seu progenitor era um homem nojento que usava mulheres a seu bel-prazer sem pensar nas consequências.

Finn sempre pensava nas consequências. Sabia, sem dúvida alguma, que teria uma decepção amorosa se continuasse com Vivi. Tinha consciência de que não poderiam ficar juntos para sempre. Ela até podia gostar dele por enquanto, mas, depois de um tempo, desejaria mais. Quando percebesse que Finn não se encaixava no mundo dela, que não seria feliz no dele... Ainda assim, era difícil se imaginar longe de Vivi.

Vivi parou Sophie na frente dele, e Finn pegou as rédeas.

— Ah, Finn, senti tanta falta de cavalgar nela! Mesmo tendo outra égua, Sophie foi minha primeira. Ela sempre será especial. Obrigada pela sela. Obrigada por poupá-la.

Quase disse a ela que lhe daria qualquer coisa que pudesse, mas não viu sentido em admitir que havia coisas que não poderia dar. Levantando os braços, segurou a cintura dela — tão pequena, tão fina — e a ajudou a descer. Segurá-la era o que mais gostava de fazer... isso antes de beijá-la. Agora, o toque tinha sido eclipsado por uma forma de contato muito mais poderosa.

Não soube de onde tirou forças para soltá-la no chão, mas soltou. Os meses que ela passava no interior sempre eram os mais difíceis, os mais excruciantes. Não tinham contato algum, ele não sabia o que ela estava fazendo, se estava bem e feliz. Ia até a mansão de Londres todas as noites, esperando o vislumbre da luz de seu quarto, indicando seu retorno. Daí mantinha vigília até que conseguisse vê-la.

Entendia que era preciso tomar cuidado, até a encorajava a ser mais furtiva. Mas estava ficando farto daquilo.

Pegando o cabresto, guiou Sophie de volta ao pasto, removeu a sela e guardou as rédeas, para que pudessem ser utilizadas na semana seguinte. Chegara a época do ano em que sua vida era resumida a viver seis noites medíocres para ter uma de felicidade.

Depois de guardar tudo, ajudou Vivi a subir na carroça e sentou-se ao lado dela. Com um estalar das rédeas, os cavalos começaram a andar.

— Eu disse a verdade, Vivi. Quero mais que isso.

— Eu sei, Finn. Eu também quero. Mas meu pai é um homem poderoso, ele não aprovaria nossos encontros. Sei que fiquei muito boa na arte de fugir, mas...

— Se fôssemos à taverna da minha irmã, você teria que escapar mais cedo, talvez por volta das dez. Fica aberto até meia-noite.

— Acho que dá... Meus pais se deitam nesse horário. Eu em geral me recolho por volta das nove. Se eu contasse para minha criada, ela poderia me ajudar a sair sem ser vista. — Ela soltou um longo suspiro. — Terei que contar a ela de qualquer forma, não posso usar esta roupa em público. Vou precisar de ajuda para vestir algo apropriado.

— Qual é o problema com essa roupa?

A risada dela ecoou pelo ar.

— Não tem anáguas, para começar. É só um vestido simples.

Finn não ligava para o que ela vestia, mas precisava admitir que gostou de saber que ela queria usar algo mais chique ao sair com ele.

— Você aceita? Vai comigo à taverna da minha irmã, na próxima terça-feira?

— Sim.

Sentiu uma mistura de empolgação e hesitação na voz dela.

— Não seremos pegos — garantiu, mesmo sabendo que torcia para terem sorte de nada dar errado.

Capítulo 5

Lavínia não poderia estar mais satisfeita com o que via refletido no espelho alto à sua frente. Escolhera um vestido verde de gola alta fechada até o queixo e mangas compridas, com abotoadura nos punhos. Os babados da saia deixavam a roupa mais festiva do que qualquer outra que já usara com Finn. O cabelo, sempre trançado nos encontros secretos, caía em ondas pelas costas, as mechas laterais trançadas e presas na parte de trás da cabeça com fitas cor de esmeralda.

— Sei que não deveria falar nada, mas estou achando muito insensata essa história de se aventurar com um plebeu.

— Mirian, só é insensata se meus pais descobrirem. — Lavínia virou-se para encarar a ruiva com uma constelação de sardas no rosto; a criada não era muito mais velha que ela. — Estou confiando na sua discrição com esse segredo. Você não pode contar a ninguém, nem mesmo aos outros criados.

— Não vou contar. Mas, se acontecer alguma coisa, a culpa vai cair sobre mim.

Lavínia apertou o braço da jovem.

— Não, não cairá. Ninguém vai achar que você sabia dos meus planos, e eu não a trairei. Afinal, depois de tanto tempo, nós duas somos amigas. — Mesmo com as palavras de conforto, Miriam parecia um pouco perturbada e culpada, como se precisasse de mais garantias. Por isso, Lavínia acrescentou: — Além disso, eu já o encontro há dois anos, e ninguém sequer desconfia. Sou muito boa em fazer o que não devo sem ser pega. É só que a aventura desta noite é um pouco mais complicada. — Ela olhou de volta para o espelho. — Não faremos nada para sermos descobertos. — Ela encontrou o olhar de Miriam no espelho. — Não me diga que nunca fez nada arriscado assim?

A criada ficou tão vermelha que as sardas quase sumiram.

— Conheci um rapaz no meu trabalho anterior... Saí com ele algumas vezes. Foi emocionante, mas emoção não coloca comida na mesa. Então tive que parar com os encontros.

— Você ainda pensa nele e se pergunta como teria sido?

Miriam negou. Lavínia não conseguia pensar em Finn sem se perguntar "e se ele fosse um lorde?" ou "e se eu não fosse filha de um conde?". Coisas bobas para se desejar...

— Está na hora.

Miriam pegou a *pelisse*, uma peça verde-esmeralda feita mais para cobrir do que para aquecer, e colocou-a sobre os ombros de Lavínia. A dama pegou as luvas e se levantou enquanto a criada ia até a porta, abria e olhava o corredor. Lavínia estava com os nervos à flor da pele, a mente tão tensa que parecia prestes a explodir. Com um breve aceno da criada, Lavínia a seguiu para fora do quarto até a escadaria de acesso de serviço. Só quando chegou aos degraus é que percebeu que passara o corredor inteiro prendendo a respiração. Ficou surpresa pelo pai não ter ouvido o estrondo de seu coração.

Desceram a escada, atravessando um labirinto de corredores, com Miriam avisando que parasse sempre que ouvia algum barulho suspeito. Enfim chegaram à entrada de serviço. Miriam a abriu a porta depressa e esperou que ela saísse.

— Vou garantir que esteja destrancada mais tarde — sussurrou.

Lavínia assentiu, virou-se e levou um susto com algo se mexendo nas sombras e quase arruinou a noite com um berro. Apertando o peito, sentiu o coração martelar com tanta força que os dedos vibravam.

— Ah, Finn! Você me assustou! Achei que fosse me esperar nos estábulos.

Finn abriu um daqueles sorrisos que ela amava e, sem uma única palavra, segurou sua mão. Naquele momento, Lavínia soube que não havia outro lugar para sua mão no mundo inteiro. De mãos dadas, os dois correram pela trilha lateral da propriedade, por onde chegavam as entregas, que não podiam perturbar a tranquilidade dos jardins. Quando enfim chegaram perto dos estábulos, não havia sinal da carroça.

— Como vamos? — perguntou.

— Hoje, a noite pede algo melhor do que aquela velha carroça.

Finn a guiou pelo beco até a rua, onde encontraram uma carruagem. Ele a ajudou a subir quando o cocheiro abriu a porta, e se sentou ao seu lado logo em seguida. O veículo chacoalhou quando o cocheiro subiu no banco da frente, então partiram. Lavínia não conseguiu conter o riso, que saiu aos borbotões, traduzindo a alegria que dominava seu corpo.

— Conseguimos!

Finn pegou a mão dela, fazendo-a desejar que não estivesse de luvas — mas uma dama não podia andar em público com as mãos desnudas. Sentiu o aperto dele em seus dedos.

— Eu nunca duvidei que fosse dar certo.

Era impossível não acreditar que Finn estava falando de algo muito mais grandioso que aquele passeio. Que, na verdade, estava falando sobre nunca ter duvidado deles como casal, de tudo aquilo. De repente, o medo cresceu tanto quanto a empolgação: qualquer coisa entre eles era proibida, por mais que fosse seu desejo viver aquilo.

— Conte-me sobre sua irmã — pediu ela. Para acalmar o coração, decidiu voltar a conversa para um assunto seguro.

— O nome dela é Gillie.

— Ah, é a que se preocupa com o jeito de falar de vocês... Eu me lembro de quando você contou dela. É casada?

— Ela não liga muito para essas coisas. Já fica ocupada demais com a taverna. Você vai ver.

Finn levou a mão dela ao rosto e beijou os nós de seus dedos. O calor dos lábios dele penetrou o couro, aquecendo até seu âmago.

— Estou muito feliz por irmos juntos.

Lavínia sorriu com alegria e prazer. Sempre ficava mais feliz na companhia dele.

— Eu também.

Gostava do aconchego da carruagem, era quase como se eles tivessem se isolado do mundo, como se não existisse nada além dos dois. Então, um estranho pensamento lhe ocorreu: como seria bom se pudessem morar ali, só os dois, dentro dos limites daquele espaço. Mas claro que não podiam.

Tinham responsabilidades e deveres, famílias que sentiriam sua falta. Lavínia não queria pensar naquilo, ainda mais quando viu que estavam em uma parte de Londres com a qual não era familiarizada. As ruas eram mais sombrias, mais sinistras...

— Onde fica a taverna da sua irmã?

— Whitechapel.

— Não é uma das partes mais refinadas da cidade.

— Não. — Finn soltou sua mão e deslizou o braço por seus ombros, puxando-a para que se aconchegasse mais contra o corpo dele. — Comigo você vai ficar segura.

— Sei que vou. Eu confio em você, Finn. Confio mais do que em qualquer outra pessoa.

Segurando seu queixo delicado, Finn inclinou um pouco sua cabeça e lhe deu um beijo doce e gentil. Lavínia não se importaria se não fizessem nada além de viajar por Londres a noite toda, só se beijando. Adorava a sensação da língua vagando por sua boca, acariciando a sua, explorando cada canto e reivindicando posse de tudo. Não conseguia imaginar Thornley a beijando daquele jeito. Era muito impróprio, indomável e indigno. Uma união tão íntima, mesmo que parcial, que demonstrava a sensação de posse e de familiaridade que tinham um com o outro. Impossível pensar em fazer aquilo com outra pessoa. Impossível *querer* fazer aquilo com qualquer outra pessoa.

A carruagem começou a desacelerar, e Finn se afastou.

— Esta noite você não será a filha de um conde. Não queremos arriscar que ninguém reconheça seu nome. Você será apenas Vivi. — Ele abriu um sorriso carinhoso. — Minha Vivi.

Lavínia não conseguia parar de sorrir ouvindo o apelido. Sentia que aquela noite era, de fato, especial. Muitas das garotas que conhecia sonhavam em se tornarem princesas, enquanto ela ansiava por nada mais do que ser uma garota comum.

— Se alguém perguntar o que faço, direi que sou ajudante de cozinha.

— Você sabe o que uma ajudante de cozinha faz?

Ela deu uma risadinha.

— Não. Mas acho que não vão querer saber os detalhes.

A carruagem parou. Finn entregou algumas moedas ao cocheiro através de uma abertura no teto. Quando as portas se abriram, ele saltou para fora e virou-se para ajudá-la. Segurando a mão dele, apreciando a força que sempre encontrava naquele apoio, Lavínia desceu.

E lá estava o prédio de tijolos que ele mencionara tantas vezes, com a placa de madeira pendurada na porta, balançando de leve ao sabor do vento, o nome do estabelecimento estampado: "A Sereia e o Unicórnio". Alguém pintara uma sereia em um dos cantos de cima e um unicórnio na parte de baixo, do outro lado. A luz que iluminava as pessoas lá dentro se derramava pelas janelas, lançando um brilho quente na calçada de pedra. Vozes, risos e um ruído de sons que não conseguia identificar escapavam pela noite, e Lavínia se perguntou como alguém poderia passar pela rua sem querer entrar um pouco para participar da folia.

Finn tomou sua mão e a guiou porta adentro. O interior era ainda mais maravilhoso e diferente de qualquer local em que ela já estivera. Estava acostumada a festas e reuniões com conversas baixas e discretas, mas, na taverna, parecia que estavam todos gritando para serem ouvidos por seus companheiros de mesa. E ninguém se movia com calma e elegância; passavam com pressa, carregando copos e canecas. As duas mulheres mais apressadas tinham seios fartos, quase escapando do decote. A energia e empolgação do lugar eram avassaladoras.

Lavínia virou-se para dizer alguma coisa a Finn, mas as palavras ficaram presas na garganta quando percebeu, de repente, que fazia dois anos desde que o vira iluminado por outra coisa que não uma luz de lamparina. Tinha esquecido como os olhos dele eram castanhos. O cabelo era uma mistura de loiro claro e escuro, como se o sol tivesse tocado algumas mechas, mas não todas. Ele parecia muito mais velho do que realmente era, ter bem mais idade do que o jovem que fora buscar Sophie para o abate. Havia uma virilidade nos traços do rosto que não estavam lá no passado, uma firmeza que fez o estômago dela dar uma cambalhota, que a deixou muito consciente de que já não era mais uma criança. Finn se arrumara com tanto esmero quanto ela. O casaco não era do material grosseiro de sempre, e sim de um tecido mais fino e escuro. O lenço do pescoço era branco como neve e estava amarrado com muito requinte. O colete de brocado preto devia ter custado uma fortuna. Não sabia por que, estava mais difícil de engolir, respirar e pensar.

Sempre se sentira atraída pela companhia dele, mas ali, vendo-o à luz do lampião, Finn era mais que uma companhia agradável. Era um homem, e um dos mais agradáveis aos olhos. E ali, junto dele, percebeu o quanto ela própria também amadurecera.

Finn apoiou a mão em sua lombar e a guiou por entre algumas mesas, protegendo-a de dois homens grandalhões que gargalhavam, quase caindo da cadeira. Quando chegaram a um longo balcão de madeira reluzente, ele empurrou um par de cavalheiros para o lado, abrindo um espaço que insistiu que ela ocupasse. Então, encostou o peito contra as suas costas e a envolveu com os braços de forma protetora, aquecendo seu coração.

— Gillie! — gritou ele.

Era a mulher mais alta que Lavínia já vira, quase tão alta quanto Finn, maior do que muitos dos clientes da taverna. Ela parou de encher uma caneca de cerveja atrás do balcão e olhou para ele, então assentiu e retomou a tarefa. O cabelo ruivo batia logo abaixo das orelhas — Lavínia não conhecia nenhuma mulher que usasse o cabelo curto. Inclinando-se sobre o balcão, conseguiu vê-la melhor. A roupa era bastante simples: camisa e saia. Ao contrário das garçonetes, ela não parecia querer exibir seus atributos. Depois de encher a caneca, colocou-a no balcão e foi até os dois.

— Oi, Finn.

— Gillie, esta é Vivi.

— Olá — cumprimentou a mulher, educadamente.

Lavínia sentiu que era avaliada e teve a horrível sensação de que não seria considerada boa o suficiente.

— Finn me falou muito de você — assegurou a ela.

Arqueando a sobrancelha, Gillie voltou sua atenção para o irmão.

— É mesmo?

— Eu nem sabia que uma dama poderia ser dona de um negócio. Ele falou muito sobre como você é independente.

— E eu gosto da minha independência. O que posso servir para você?

— Ah, hmm…

Lavínia crescera sendo servida por uma babá, depois pela governanta e um lacaio, e só bebia o que lhe traziam. Às vezes pedia para que levassem chá aos seus aposentos, mas duvidava que aquele lugar servisse chá. E não queria insultar a irmã de Finn pedindo algo que ela não podia oferecer.

— Você tem… vinho tinto?

Gillie sorriu.

— Tenho. E você, Finn. O de sempre?

— Sim.

— Volto em um instante.

Depois que Gillie se afastou, Finn se inclinou para mais perto. A respiração dele fazia cócegas em seu pescoço, uma sensação deliciosa e perversa.

— Você não bebe álcool?

— Só vinho durante o jantar.

— Talvez possa experimentar algumas coisas hoje.

— Você vai ter que me guiar.

— Aceito o desafio, vou guiá-la no que você quiser.

A voz dele ficou mais baixa e grave, com um tom provocante, e Lavínia não sabia mais se ainda estavam falando de álcool.

A irmã dele voltou com as bebidas

— Desculpe não poder conversar muito. Estamos mesmo lotados.

— Não se preocupe. Vamos achar uma mesa. — Finn pegou as bebidas e se virou para Lavínia, orientando: — Segure na minha jaqueta.

Enrolando os dedos na manga da jaqueta escura, Lavínia deixou que ele a guiasse pela multidão, ciente dos olhares dos cavalheiros. Ninguém se atreveu a tocá-la. Tinha a sensação de que estar com Finn indicava que pertencia àquele homem e que não deveriam mexer com ela. Era um pouco inebriante pensar no tanto de poder que ele já parecia ter, mesmo tão jovem. Quem poderia dizer aonde Finn conseguiria chegar? No Parlamento, talvez. Quem sabe até como primeiro-ministro. Mas qualquer uma dessas conquistas estava a anos de distância, e, quando acontecessem, Lavínia já estaria casada. Era triste pensar em como em breve seus caminhos divergiriam.

Pararam junto à mesa ocupada por dois senhores, que logo se levantaram. Finn não perguntou se os dois se incomodavam que eles se sentassem, só botou sua caneca e o copo de vinho dela na mesa. Deslizando o braço ao redor de sua cintura, ele a puxou.

— Vivi, esses são meus irmãos, Aiden e Fera.

Havia alguma semelhança entre Finn e Aiden — nos olhos, no maxilar, no queixo —, mas nenhuma entre ele e Fera, tão alto e largo que chegava a intimidar um pouco. Foi mais difícil buscar semelhanças nas feições dos dois, já que o cabelo longo e escuro de Fera caía sobre parte do rosto.

— É um prazer. Ouvi muito sobre vocês.

O que não era bem verdade. Sabia sobre a casa de jogos de Aiden, mas nunca ouvira Finn falar sobre a ocupação de Fera.

— Meu irmão não contou muito de você — retrucou Aiden.

— Não quero que você tente roubá-la — explicou Finn. — Chegue para o lado. Quero esta cadeira.

Finn puxou uma cadeira vazia para ela, que se acomodou.

Depois que os homens mudaram de posição, acomodando o novo arranjo de assentos, um sujeito de cabelos escuros e barba se aproximou. Segurando um copo de líquido âmbar, ele pegou uma cadeira vazia de uma mesa próxima, colocou-a entre Aiden e Finn e se sentou.

— Esse é Mick. Irmão, diga olá a Vivi.

Mick a examinou de cima a baixo. Não foi com um olhar libertino, mas ele definitivamente a encarava como se ela fosse uma caixa de quebra-cabeças que, quando aberta, revelaria um tesouro.

— Você não mora em Whitechapel.

— Não — concordou, sucinta. — O que me entregou?

Ele arregalou os olhos de leve. Talvez pelo gracejo, talvez porque Lavínia se recusara a ser intimidada por aqueles homens. Mick se virou para Finn, então se voltou outra vez para ela.

— Sua roupa. É de um tecido muito fino.

— Eu tenho uma costureira habilidosa.

— Que trabalha com tecidos caros.

— Pare com isso, Mick — intrometeu-se Finn, em alerta.

Mais uma vez, Lavínia se espantou com a superproteção dele, que parecia não querer que o menor desagrado arruinasse a noite.

— E tem uma dicção bem elegante... quase aristocrática.

Embora Finn tivesse dito para ela não revelar muito de si mesma, aqueles eram os irmãos dele. Certamente eram confiáveis.

— Meu pai é o conde de Collinsworth.

— Ah, então esta noite é só para se divertir?

— Você não tem mais ninguém para irritar? — retrucou Finn.

— Não é só diversão — assegurou Lavínia. — Eu queria muito conhecer a família de Finn. Mas devo dizer que, com exceção de Aiden e Finn, vocês não se parecem nem um pouco.

Os homens também pareciam ter idades muito próximas, outro fato intrigante.

— Temos mães e pais diferentes — explicou Mick.

— Mas como, se vocês são todos da mesma família?

— Somos bastardos.

Finn notou quando ela piscou os olhos verdes uma, duas, três vezes, em choque e — como temia — desgosto. Amava os irmãos, mas naquele momento só queria matar Mick — ou, pelo menos, quebrar seu nariz perfeito. Sua origem — ou melhor, sua ignorância em relação à sua origem — nunca parecera relevante quando estava com Vivi.

Mas, quando Mick falou, de repente passou a importar. Muito.

— Vamos embora — anunciou Fera, de repente, se levantando.

Aiden olhou para cima, confuso.

— Por quê?

— Porque estamos estragando a noite dos dois.

— Mas não tem nenhuma outra mesa.

— Vamos ficar no balcão. — Ele acenou para Vivi. — Foi um prazer, milady.

Ele se afastou, e Aiden teve o bom senso de pegar a caneca e segui-lo.

— Você não contou a ela? — perguntou Mick.

Tinha sido o primeiro bebê entregue à porta de Ettie Trewlove, o primeiro que ela recebera e criara como seu, e sempre se vira como o mais velho — mesmo que nenhum deles soubesse muito bem o dia do próprio nascimento.

— A origem de Finn não importa nem um pouco para mim — afirmou Vivi, com toda a grandeza de uma rainha manifestando um decreto.

— Vai importar muito para o seu pai.

— Vá para o inferno, Mick! — retrucou Finn, entre dentes, esforçando-se para controlar o temperamento e não socar o irmão bem na covinha da bochecha escondida sob a barba espessa — uma marca muito parecida com a do pai.

Mick assentiu de repente antes de se levantar.

— Lady Vivi.

— É Lavínia — corrigiu ela.

Ele assentiu outra vez, como se já suspeitasse que o nome dela não fosse tão simples quanto o que Finn dissera.

— Aproveite o restante da noite.

Finn esperou até que não pudesse mais ouvir os passos do irmão antes de olhar para Vivi.

— Sinto muito que você tenha descoberto desse jeito. Mick sempre se afetou muito com as circunstâncias do nosso nascimento.

Lavínia pousou a mão quente e delicada sobre seu punho fechado, que descansava ao lado da caneca, e Finn se perguntou quando foi que ela havia tirado as luvas.

— Eu falei a verdade, Finn. Não me importo.

Relaxando a mão, ele virou a palma para cima e entrelaçou os dedos nos dela.

— Eu deveria ter dito antes.

— Por que não disse?

— Achei que você não iria querer mais nada comigo.

— Tolinho.

Lavínia puxou a mão dele até o rosto e deu um beijo em seus dedos. Ela sempre voltava mudada dessas viagens para fora durante o inverno, mas ali, as diferenças pareciam mais acentuadas, como se ela tivesse se despido do manto da infância.

Apesar de ainda ter uma aura de inocência, Lavínia perdera qualquer resquício de infantilidade. Sua pureza era um produto da vida que levava, da educação que recebera. Ela crescera protegida do mundo, e Finn não achava isso ruim. Não queria que ela conhecesse a dureza de sua realidade.

— Conte-me tudo — pediu Lavínia, baixinho. — Conte-me sobre sua família.

— Não aqui.

A taverna não era um local para compartilhar algo tão pessoal. E, para ser sincero, não tinha certeza se queria encará-la enquanto contava sobre sua vida. Não queria ver a tristeza, o choque ou o desgosto em sua expressão. A escuridão era mais adequada para aquele tipo de revelação.

— Gostou do vinho?

Ela riu baixinho. Aquela risada sempre alcançava sua alma, aquecendo-o por dentro.

— Nem experimentei ainda.

Finn a observou levantar o copo e tomar um gole, colocando em ação os delicados músculos do pescoço. Então, ela lambeu as gotas que ficaram nos lábios, como ele quisera fazer.

— É muito saboroso.

— Quer experimentar cerveja?

Ela assentiu, mordendo o lábio, e seus olhos brilharam como se a pergunta envolvesse algo realmente impróprio. Finn desejou que fosse mesmo o caso. Deslizou a caneca para a frente, então ficou outra vez hipnotizado pela delicadeza com que ela bebia. Riu baixinho vendo a careta de Lavínia, uma expressão que teria ficado medonha em qualquer outra mulher, mas que nela era cativante. Ficou com vontade de se inclinar para mais perto e beijar aqueles lábios.

— É muito amargo! — exclamou ela.

— Bem, você se acostuma. Talvez a gente possa tentar conhaque mais tarde.

Ela olhou em volta.

— Você passa muito tempo aqui?

— Venho quase todas as noites. Não há muito o que fazer além disso.

— Não consigo imaginar como é viver assim. Minhas noites são cheias de leituras, recitais e teatro. E, este ano, haverá os bailes e os jantares. Talvez isso até afete nossos encontros toda terça-feira.

— Vou esperar mesmo assim.

— Odeio pensar em você lá, parado, desperdiçando tempo. Poderíamos combinar um sinal... Cortinas abertas ou uma vela na janela.

— Não precisamos de sinal, Vivi. É um prazer esperar você chegar. Se não aparecer, só perco uma cerveja. Que mal há nisso?

— Ah, Finn... — Ela apertou suas mãos com os dedos finos. — As coisas estão mudando.

Ele assentiu. Essas mudanças poderiam ser ainda maiores do que ela percebera.

— Se não quiser que mudem, é só me dizer para nunca mais lhe esperar.

— Não, eu já quase morro quando não nos vemos, sempre que estou viajando. Acho que morreria se não visse você quando estou em Londres.

Finn com certeza morreria se não pudesse mais vê-la, mas não queria assustá-la falando da intensidade de seus sentimentos. Por isso, apenas abriu um sorriso pretensioso.

— Fique tranquila, porque você vai me ver.

— Estou tão feliz por ter me trazido aqui. Agora, nas noites em que não estivermos juntos, vou poder imaginar você aqui dentro, discutindo com seus irmãos e rindo com sua irmã. — Ela franziu a testa. — E sua outra irmã?

— Francy? Deve estar dormindo. Ela ainda é uma criança.

Francy tinha apenas 9 anos, chegara tarde na vida de sua mãe. Era a única a quem Ettie Trewlove dera à luz, resultado do ataque de um aproveitador. Ele e os irmãos tinham apenas 14 anos quando a caçula chegou. Fizeram a promessa de proteger a irmã, a mãe e qualquer outra mulher que fosse maltratada por homens inescrupulosos.

— Ainda quero saber mais sobre a sua família.

Não era uma história feliz, mas devia a verdade a ela.

— Anos atrás, minha mãe anunciou que aceitava criar bastardos em troca de dinheiro — explicou ele, baixinho.

Estavam deitados sobre o casaco dele nos jardins da família de Lavínia, perto do canteiro de amores-perfeitos coloridos — não que pudessem vê-los, claro, já que estava escuro. Era o lugar favorito dela e, depois daquela noite, pensaria em Finn sempre que estivesse ali.

Tinham ficado na taverna até a hora de fechar. Ela experimentara uísque — que queimava a garganta — e conhaque — que ardia o nariz, mas proporcionava um calor agradável, e tinha gostado bastante do efeito. Notara o olhar de escrutínio dos irmãos de Finn durante toda a noite. Ignorou o máximo possível, porque queria uma noite agradável com Finn. Ele era tudo o que importava.

— O primeiro a chegar foi Mick. Então veio Aiden. Seis semanas depois, foi a minha vez. O homem que me levou foi o mesmo que tinha levado Aiden. Um arrogante. Nem se preocupou em esconder o brasão da carruagem.

O coração de Lavínia pulou com tanta força que suspeitou que Finn também tivesse sentido.

— Seu pai é nobre? Quem?

— Não importa. Não quero nenhuma associação com ele.

— E sua mãe?

— Eu não sei nada dela. Como ele entregou dois bastardos com apenas seis semanas de diferença, supomos que o maldito tinha mais de uma amante. Aiden volta e meia espiona o sujeito e sabe que ele mantém mais de uma mulher, até já conversou sobre o assunto com ele. Mas não quero saber. Não é o tipo de homem com quem quero me associar... Ele trata as mulheres de forma abominável e se livra dos filhos sem o menor remorso.

Lavínia não podia acreditar.

— Ele simplesmente... deu você para outra pessoa?

— E nunca olhou para trás. Nunca foi nos visitar para saber se estávamos bem. Pagou quinze libras por cada um de nós. — Ele riu baixo. — E ainda perguntou se ela podia fazer um desconto por mim, já que já recebera um de seus bastardos. Mamãe o fez pagar o preço cheio.

— Isso é horrível!

Finn rolou o corpo até ficarem frente a frente e tocou sua bochecha delicada com a mão, passando o polegar carinhosamente ao longo do canto de sua boca.

— É um dos motivos por que não tinha contado isso antes. Não é uma história feliz. Mas minha mãe, Ettie Trewlove, é uma boa pessoa. Ela ama todos nós e nos transformou em uma família. Nem todas as mulheres que cobram para criar os bastardos se importam com os bebês. Para elas, as crianças são apenas negócios. Mas minha mãe se importa. Tive essa sorte.

— Ela é que teve sorte de ter você.

Mesmo sabendo que era impossível, Lavínia não conseguiu deixar de pensar na sorte que seria tê-lo para si. Mas Finn era seu naquele momento, quando estavam isolados e ninguém sabia sobre os dois. Sentiu o coração doer por Finn, por todas as dúvidas que o atormentavam. Não conseguia imaginar como era ser abandonada... Precisava assegurá-lo de que as revelações não haviam mudado seus sentimentos.

Mas, para ser sincera, percebeu que *tinham mudado*. Aumentaram. Finn era ainda mais incrível por ter superado uma vida tão trágica. Envolveu o pescoço dele enquanto se inclinava para unir as duas bocas, declarando sua propriedade sobre os lábios e sobre ele inteiro.

Finn gemeu, sem hesitar em abrir a boca, e Lavínia aproveitou para aprofundar o beijo, tentando comunicar com sua língua apaixonada o quanto o adorava e como o passado dele só importava porque o moldara em alguém que ela amava.

Lavínia o amava. Ficava impressionada com a intensidade do sentimento. Mas não podia expressar aquilo em palavras. Não seria justo com nenhum dos dois. Porque, alguma hora, teria que honrar o contrato que o pai fizera. Mas não tão cedo, pois ainda tinham tempo.

Ela o beijou com fervor, alegria e mágoa, e não objetou quando Finn envolveu seu seio na palma da mão e o apertou. Nem quando desceu o rosto até seu mamilo rijo, fechando a boca sobre ele por cima do tecido. O calor percorreu seu corpo como um choque, acumulando-se entre as coxas. Segurando-o pela nuca, Lavínia o puxou para perto, desejando que não houvesse nenhum tecido entre sua pele macia e a rugosidade aveludada da língua dele. Suspirou e gemeu, sabendo muito bem que aquilo não era exemplo de bom comportamento, mas era tão maravilhoso... Alguns momentos de luxúria não fariam mal.

As bocas se encontraram outra vez, com ardor, enquanto ela entrelaçava os dedos no cabelo dele. Quase deu voz aos sentimentos que queriam explodir dela, como os fogos de artifício que vira iluminar o céu de Cremorne Gardens, outra noite.

Foi Finn quem recuou, depois de um tempo, demonstrando todo o seu autocontrole. Ele a encarou.

— Nos vemos na próxima terça-feira — sussurrou, como uma promessa, uma bênção.

Lavínia se perguntou como manteria a sanidade, ficando tanto tempo sem vê-lo.

Sentado na taverna, tomando a terceira cerveja, Finn pensou em como odiava todas as noites da semana, exceto as terças-feiras. Era quarta, a noite seguinte à visita de Vivi ao bar de sua irmã. Queria levá-la outra vez para a taverna, queria que visitassem outros lugares. Queria viver todos os tipos de aventuras junto dela...

Finn mal se mexeu quando alguém puxou a cadeira ao seu lado. Aiden surgiu em seu campo de visão, cruzando os braços sobre as costas da cadeira.

— O que você estava pensando, ontem à noite, trazendo aquela moça aqui? Ela é filha de um conde!

— Eu também sou filho de um conde.

— Você é o *bastardo* de um conde. Ele nunca lhe reconheceu nem nunca vai reconhecer. Sua mãe era amante…

— Nós não sabemos disso. Não sabemos nada sobre ela. Só achamos que minha mãe era amante porque o conde entregou dois bastardos em sequência. Ela podia ser uma criada ou a filha de algum lorde.

— O quê? Está delirando? Acha que vai juntar uma parte do pai e outra da mãe para virar um nobre completo, digno da moça? Isso é sandice, Finn! Esse seu casinho é loucura. Nada de bom virá disso.

Capítulo 6

1871

CORRER ATRÁS DAQUELA TRAIDORA não traria nada de bom, mas não seria derrotado por ela!

Sem esperar que a dor sumisse, Finn respirou fundo e se obrigou a ficar de pé. Com muito esforço, conseguiu correr. Não precisou andar muito para avistá-la. Lavínia andava a passos rápidos, olhando em volta, procurando por perigos. A garota que conhecera não era tão independente, tão atenta… O que acontecera desde que se viram pela última vez? Tentou não se importar, não querer saber.

Diminuindo o ritmo e silenciando os passos, conseguiu alcançá-la mais cedo do que Lavínia esperava. Ondas de irritação emanavam do corpo dela. Finn sempre conseguira ler muito bem o que ela sentia, por isso a traição tinha sido tão surpreendente. Fora pego desprevenido. Acabara se sentindo um cordeiro levado ao abate — considerando seu trabalho na época, a comparação parecia mais que apropriada.

Lavínia acelerou o passo. Ele imitou.

— Você não consegue me vencer na corrida.

Ela parou de repente, deu meia-volta e enfiou o punho no ombro dele, empurrando-o dois passos para trás. Finn franziu a testa.

— Onde você aprendeu a dar socos?

— Não é da sua conta. Agora me deixe em paz.

— Acontece que, por coincidência, você está indo na mesma direção que eu.

Já estava planejando seguir aquele caminho. Desprezava a curiosidade que sentia, a necessidade de voltar a saber tudo sobre ela. Balançou a cabeça, querendo afastar os pensamentos. Nunca soubera *tudo* sobre ela. Só pensara que sim.

— Então atravesse a rua. Ande pelo outro lado.

— Qual é o problema? Está difícil resistir à tentação de me beijar?

— Mais fácil o inferno congelar do que eu beijar você outra vez.

Ela retomou a caminhada, marchando como um soldado a caminho da batalha — ou se esforçando para abandonar a batalha. Mas Finn estava doido por uma briga desde que colocara os olhos nela pela primeira vez, depois de oito longos anos.

Era revoltante ver que ela estava ainda mais bonita do que quando a vira pela última vez, quando trocaram juras de amor, e fizeram promessas que foram quebradas poucas horas depois... Os anos e a maturidade tinham acrescentado uma graça que Lavínia não possuía aos 17, quando Finn declarara seu amor. E o mais irritante era descobrir como o próprio corpo — ah, aquele traidor! — reagia à proximidade dela.

Alcançou-a na caminhada outra vez. Lavínia soltou um suspiro impaciente, e Finn sentiu um prazer perverso ao saber que sua presença a incomodava. Ótimo. Começou a assobiar a melodia que tentara tanto esquecer — a música que ouvira no baile em que valsara com Lavínia em seus braços. Será que ela ainda se lembrava dos momentos com carinho ou a memória também rasgava seu coração, como fazia com o dele? Lavínia o fizera de tolo. Nenhuma das lembranças que tinha dela deveriam ser agradáveis. Mas, em algumas noites, ainda ficava na cama encarando o teto, porque a imagem dela surgia sempre que fechava os olhos.

Cinco anos de sua vida em isolamento, e a única coisa para lhe fazer companhia, para mantê-lo são, era a lembrança que tinha dela. Aquelas memórias eram seu sustento. No começo, ele as invocava para alimentar a sede de vingança, de retribuição, mas a solidão fora aumentando até transformá-las em sonhos. As lembranças traziam a esperança de que o amor estaria esperando em algum lugar, que voltaria a tê-la, sorrindo para ele, rindo com ele, enchendo-o de alegria.

Odiava Lavínia por ter trazido tanta alegria para sua vida apenas para roubar tudo depois. Aquela filha de conde mimada... *Não parece tão mimada agora, não é?*

Deveria deixá-la à mercê dos ladrões, bêbados e canalhas. Mas só de pensar em algum homem encostando nela um dedo que fosse, sua fúria crescia tanto que ele quase tremia de raiva. Lavínia não era mais sua — na verdade, nunca fora — mas, ainda assim, uma parte tola de si não conseguia esquecer de quando quase a tivera, aquela garota que amara no passado.

— Como você sabia que eu estava aqui? — perguntou ela.

— O quê?

Lavínia soltou um suspiro irritado. Finn não sabia se a raiva que ela sentia era consigo mesma, por perguntar, ou com ele, por fazê-la repetir a pergunta.

— Como você sabia que eu estava aqui? Thornley contou?

— Não. Foi Gillie.

O duque tinha contado para a irmã dele sobre a mulher que o abandonara no altar, já que Gillie estava ajudando na busca. Tudo o que sabiam era que Lavínia chegara a Whitechapel. O motivo ou onde estava exatamente eram desconhecidos.

— Então por que veio atrás de mim?

Não tinha ideia. Talvez parte dele achasse que, se a visse só mais uma vez, conseguiria parar de pensar nela, que deixaria de ser assombrado pelas lembranças e pela perspectiva de tudo que poderiam ter vivido.

— Por que você não volta para casa? — perguntou Finn. Quase deixou escapar um grunhido de frustração por ter perguntado. Queria que ela pensasse que não se importava. E ainda por cima continuou falando, agindo feito um idiota: — Thornley se casou. Não podem mais forçar você ao matrimônio.

— Vão me forçar a casar com outra pessoa, algum outro duque. Mamãe está determinada a me tornar duquesa.

— Achei que se casar com um duque fosse o sonho de toda dama…

Não conseguia evitar a amargura em sua voz. Não deveria culpá-la por querer alguém que não fosse um plebeu, mas Lavínia não precisava ter encerrado tudo daquele jeito tão cruel.

— Você, de todas as pessoas, deve saber que títulos não importam nem um pouco para mim. Se acha que importam, não me conhece nem um pouco.

— Eu a conhecia bem o suficiente para você me convidar para a sua cama.

O orgulho ferido fez as palavras saíram cheias de raiva. Lavínia pareceu chocada, mas não esboçou nenhuma outra reação.

— O que está fazendo aqui? — inquiriu.

— Estou tentando acabar com esse mercado de venda de crianças. Ou, pelo menos, garantir que seja uma prática licenciada. Se precisa de licença para matar um cavalo, por que não para supervisionar o filho de outra pessoa? É ridículo. Não faz sentido proteger mais os animais do que os humanos.

Já seguira Lavínia algumas vezes até um beco escuro e assistira à mulher passar horas esperando, suspirando sem parar. Na semana anterior, vira o encontro dela com alguém, que a deixara com três crianças. Ficara curioso, mas não achava que conseguiria se aproximar sem revelar como estava ferido pela traição. Fora tão arrogante em relação aos sentimentos dela, certo de que a conquistara por toda a eternidade.

Infelizmente, quanto mais tempo passavam juntos, mais borbulhava a raiva que ele tentava aplacar, saindo por entre as fendas da muralha que erguera para esconder seus sentimentos. Queria que Lavínia pensasse que ele era indiferente ao passado, mesmo que a intensidade de seu ressentimento ultrapassasse os limites do bom senso. Não tinha ido atrás dela antes porque temia um pouco a constatação de que Lavínia lhe dera as costas por ele ser um bastardo. Passara a vida inteira tentando se convencer de que sua origem não importava, mas, no fim das contas, talvez importasse justo para a pessoa de que ele mais precisava em sua vida. Mas ali estava Lavínia, tentando proteger as crianças nascidas nas mesmas circunstâncias que ele. Seria por isso que o traiu?

— Por que você se importa com isso?

— Mais uma vez, Finn, parece que você não sabe nada sobre mim.

Chegaram aos portões da cerca de ferro forjado que rodeava o orfanato da igreja. A barreira tinha sido projetada para manter as crianças dentro do terreno, não para evitar a entrada de alguém com más intenções. Finn poderia escalar a cerca em um piscar de olhos.

Ignorando-o, sem ter ao menos a educação de agradecer pela escolta, Lavínia abriu o portão, as dobradiças gritando em protesto.

— Da próxima vez que sair à noite para se encontrar com alguém, contrate um homem grandalhão para a segurança.

— Acho que demonstrei que sou mais do que capaz de cuidar de mim mesma.

Ela entrou na propriedade e fechou o portão depressa, com força, fazendo o ferro chacoalhar em protesto.

— Vivi…

Ela parou, mas não se virou nem brigou outra vez por ele usar o apelido. Lady Lavínia sempre parecera um nome muito complicado para a garota que Finn conhecia — ou, talvez, tivesse sido um nome muito complicado para ele, uma lembrança constante do status social dela, de como ela via o mundo de cima de um pedestal, enquanto ele estava destinado a permanecer no chão, só admirando o que não podia tocar.

— Não tenho a menor dúvida de que você quase sempre conseguiria se defender, mas não estava preparada quando a desarmei. A madrugada traz perigos reais, coisas que você pode não estar preparada para enfrentar.

Lavínia se virou para encará-lo, mas Finn não conseguia distinguir suas feições — ela era apenas uma silhueta escura envolta em sombras.

— E você é um desses perigos?

— Sim.

— O que aconteceu com o menino que compartilhou tantos sonhos comigo?

— Morreu.

Você o matou. Você e seu pai, pensou.

— Pois foi o mesmo fim da garota que compartilhou os sonhos dela com você. Que belo par, nós somos.

Ela virou de volta para a igreja e começou a se afastar. Finn ficara surpreso com a tristeza na voz dela. Pego desprevenido, quase a seguiu. Mas que bem viria disso? Só ouviria recriminações e acusações. E sentiria mais intensamente a amargura pela traição.

Além disso, tinha um compromisso.

Lavínia entrou pela porta dos fundos, direto para a cozinha, onde uma única lamparina repousava na grande mesa de madeira, mesmo local em que a deixara antes de partir para a excursão noturna. Confortada pela luz, largou a bengala na mesa, apoiou as mãos nas costas de uma cadeira e deixou a cabeça pender para a frente. Inspirou profundamente, tentando conter o tremor que a dominara desde o momento em que vira Finn. Ele sabia de seu paradeiro. Há quanto tempo?

Voltou para a porta, querendo se certificar de que estava trancada, garantindo a própria segurança. Não que uma porta trancada pudesse impedi-lo, mas não o imaginava invadindo uma casa religiosa. Nem mesmo ele seria capaz de tamanho sacrilégio.

Encostou a testa na porta, lutando contra as lágrimas. Ficar tão perto e poder conversar com ele reabrira antigas feridas. Pensava que estivessem curadas, mas acabara de descobrir que, na verdade, passaram esse tempo todo infeccionando. Como ele se atrevia a falar com ela sem pedir perdão por quase destruí-la?

— Nenhuma criança esta noite?

Virando-se na direção da voz, abriu um sorriso triste para a irmã Theresa. Lavínia tentou impedir que a melancolia pelo fracasso da noite a dominasse, chateada porque não conseguira resgatar mais crianças. Mas, ali a alguns dias, enviaria um artigo para o *Times* revelando os detalhes de suas aventuras. O julgamento e eventual enforcamento de Charlotte Winsor, vários anos antes, tinham ajudado a esclarecer alguns dos abusos do mercado de criação de bastardos, mas as autoridades ainda não faziam o suficiente para proteger as crianças. Lavínia abraçara essa causa, e mudar essa realidade era sua razão para se levantar toda manhã e continuar vivendo. Com a luta, tinha um novo propósito — passara a não mais apenas existir, mas sim de fato viver. Se conseguisse fazer com que lhe dessem ouvidos…

Parecia uma tarefa intransponível, considerando que sequer conseguira convencer Finn a deixá-la em paz. O maldito! Deveria ter furado o peito dele com com o espadim. Mas não hesitaria, caso ele tentasse de novo.

— Nenhuma. Ninguém apareceu.

Uma pequena mentira, mas não queria preocupar a irmã. Tinha sido a primeira vez que fora confrontada com violência. E por uma péssima coincidência de, na semana anterior, ter se encontrado com uma mulher que fora presa logo depois. Odiava admitir que Finn poderia estar certo com aquela história de contratar um guarda para acompanhá-la. Era bem possível que estivesse se tornando conhecida e, se outras fossem presas, poderia ser vista como ameaça.

— Que bom que você voltou em segurança. Durma bem, srta. Kent.

Quando buscara abrigo na igreja, não revelara que era filha de um conde. Queria se manter tão anônima quanto possível.

— Boa noite, irmã.

A irmã Theresa voltou para o quarto. Depois de pegar a lamparina e a bengala, Lavínia saiu da cozinha, seguiu por um corredor e, finalmente, subiu os degraus para o segundo andar, onde vários quartos se alinhavam de um lado de um corredor comprido, enquanto o lado oposto ostentava apenas uma sala grande que ia de um canto a outro. Três portas levavam para aquele único aposento, todas abertas para que qualquer choro ou grito pudesse ser ouvido. Entrou no cômodo em silêncio, satisfeita de ver quase todas as vinte e cinco camas de cada parede ocupadas por crianças, várias que só estavam ali por seus esforços.

Olhou para a irmã que adormecera em uma cadeira enquanto vigiava os pequenos. Muitos acordavam com pesadelos. Poucos falavam sobre o que tinham vivenciado antes do orfanato, mas era impossível olhar para eles e não se perguntar o quanto a vida de Finn poderia ter sido parecida, se ele tivesse sido entregue a uma mulher diferente. Considerando tudo que ele contara, a mulher que o recebera era amorosa, e ele a amava como a uma mãe. Nem todos os bastardos tinham a mesma sorte.

Devagarzinho, sem fazer barulho, caminhou por entre as camas, iluminando cada ocupante com a lamparina, arrumando uma manta aqui, enfiando uma mecha de cabelo atrás de uma orelha acolá, carregando uma boneca de pano no braço. Todas aquelas crianças eram preciosas, e Lavínia se via como mãe de cada uma delas, zelando por seu sono e cantando canções de ninar, mantendo--as perto e enchendo-as de amor. Salvá-los preenchia um vazio dentro dela, um abismo que só crescera com o passar do tempo, ao decorrer das semanas sem uma só palavra de Finn.

Então, naquela noite, quando não quisera ouvir nada dele, o maldito desandou a tagarelar.

Soltou um suspiro silencioso e voltou para o corredor. Mesmo achando que não conseguiria dormir, não queria assombrar os corredores como um fantasma macabro. Foi até o quarto que compartilhava com a irmã Bernadette, e não teve nenhuma surpresa ao encontrá-la dormindo — roncando tão alto que poderia acordar os mortos.

Ainda sem fazer barulho, tirou o vestido que encontrara em uma casa de doações. Usava roupas descartadas de outra pessoa. Estava um pouco gasto, mas ainda era útil. Quando fugiu, acabara de abandonar Thorne no altar, então ainda estava com o vestido de noiva. Com medo de ter sua fuga frustrada, não tivera tempo de voltar para casa e pegar outras roupas.

O duque merecia alguém que dedicasse todo o coração a ele, e Lavínia ainda era uma mulher despedaçada. Embora só tivesse percebido o quanto estava sendo injusta ao avistar Finn no casamento de seu irmão, duas semanas antes do seu.

Vestiu a camisola — outra roupa usada, mas incrivelmente macia depois de tantas lavagens. Com o máximo de cuidado possível, porque a cama tendia a ranger, se enfiou embaixo dos cobertores ásperos e ficou examinando as sombras que dançavam no teto.

Vê-lo naquele dia, na igreja, fora como ter o coração partido de novo. Achava que ele estaria lá, mas não poderia ter imaginado como ficaria abalada ao vê-lo. Finn era um homem adulto, sem nenhum traço do adolescente por quem ela se apaixonara. Estava mais bonito do que naquela época, e parecia ter ficado mais alto. Os ombros estavam mais largos, sem dúvida. Ele usava uma roupa de costura fina, um símbolo de seu sucesso.

Avisou a seu acompanhante, Thorne, que tivera um mal súbito — com certeza por algo que tinha comido —, e os dois saíram discretamente da igreja. O duque a levara para a casa e depois seguira para a recepção do casamento, para desejar felicidades ao casal. Lavínia não sabia se Mick Trewlove tinha visto o nome dela na lista de convidados — duvidava muito. Seu irmão não comparecera porque a esposa estava doente de verdade naquela manhã. O que, sem dúvida, tinha sido o melhor para todos. Suspeitava que os Trewlove não teriam recebido seu irmão de braços abertos. Não que tivessem alguma simpatia por ela, mas fora vencida pela curiosidade. Às vezes, quando o sono se recusava a aparecer, Lavínia ficava imaginando o que acontecera com Finn.

E, quando o viu na igreja, naquele casamento, desejou que nunca tivesse passado noites insones pensando nele, porque a culpa e a vergonha que conseguira conter por tantos anos voltaram, e exponencialmente mais fortes devido à proximidade de seu casamento com Thorne. No fim das contas, fora incapaz de seguir com o casório. Na noite anterior à cerimônia, cometera o erro de confessar à mãe que achava que seria melhor para todos se simplesmente desistisse do matrimônio. A condessa, temendo que a única filha fugisse em busca de liberdade, a trancara no quarto.

Na manhã seguinte, Lavínia se retratou e continuou com todos os preparativos, como se quisesse o casamento. Mas, na igreja, o irmão desavisado não hesitou em deixá-la um pouco sozinha, e Lavínia conseguira escapar. Não estava preparada para fugir, mas conseguira.

Até aquela noite, até ver Finn de novo. Não estava nem um pouco pronta para encará-lo, para ser bombardeada com tantas lembranças. Então, contra vontade, ficou deitada no escuro lembrando-se da noite mágica em que fora dele por completo.

Capítulo 7

1863

Encontrando a felicidade

SENTADA DIANTE DO ESPELHO, Lavínia observava Miriam arrumar seu cabelo em um penteado que lembrava o de Maria Antonieta — o que parecia apropriado, já que a mãe cortaria sua cabeça se soubesse por que tinha implorado para que o evento fosse um baile de máscaras. Era necessário. Todos os bailes a que comparecera tinham sido chatos e enfadonhos. Era sua primeira temporada, e deveria estar encantada com o glamour da vida em sociedade. Em vez disso, achava tudo sem graça e extremamente cansativo.

Passara boa parte do tempo dançando com vários parceiros. Os muitos amigos de seu irmão estavam todos dispostos a garantir que ela não virasse peça decorativa — mesmo nas noites em que Thornley não participava dos eventos, que eram a maioria. Ele não precisava gastar tempo conhecendo as várias debutantes. Sabia com quem estava destinado a se casar, então estava livre para fazer outras coisas. O duque estaria presente naquela noite, é claro, para não insultar os futuros sogros. Lavínia valsaria as ocasionais duas músicas com ele, então Thornley sem dúvida iria para a sala de jogos, escaparia para beber uísque escondido com seu irmão, ou iria atrás de qualquer entretenimento mais interessante.

Mas o baile de máscaras não era para ele. Era para Finn.

Um jovem que conseguia entrar furtivamente em qualquer residência, que conseguia chegar até seu quarto, também conseguiria se esgueirar em um salão cheio de gente, ainda mais com todos mascarados. Ele só precisava escalar o muro dos jardins — passar pelo portão de trás da casa seria muito mundano — e marchar pelo caminho ladrilhado até as portas do terraço, que sem dúvida ficariam entreabertas para garantir que o ar fresco circulasse pelo salão lotado.

Depois que Miriam terminou o penteado, Lavínia passou pela tediosa tarefa de vestir seu traje — um volumoso vestido branco que deixava o pescoço, os ombros e boa parte do colo à mostra. Colocou um colar de diamantes que fora da avó e brincos combinando. Calçou as luvas brancas até os cotovelos, sentindo-se como uma verdadeira dama, não uma garota prestes a virar mulher. O sentimento tinha pouco a ver com a roupa, e mais com a maneira como se mostraria a um cavalheiro em particular. Lavínia se recusava a sentir culpa por não ligar para Thornley; duvidava que ele fizesse o mesmo em relação a ela. Mas Finn se importaria. Ele se daria ao trabalho de conseguir um traje e uma máscara para se infiltrar no baile da família dela. Era um plano deliciosamente perverso. A mãe teria um ataque apoplético se descobrisse um plebeu no grande salão.

Mas Lavínia confiava que Finn seria discreto. Tinham discutido os detalhes inúmeras vezes. Nunca ficara tão ansiosa por uma noite, nem mesmo por seu primeiro baile.

Com a ajuda de Miriam, conseguiu colocar a máscara sem tirar um único fio de cabelo do lugar. A máscara de prata cobria apenas seus olhos e reluzia com lantejoulas, adornada com elegantes tufos de penas.

— Está muito linda, milady — elogiou Miriam.

— Sou obrigada a concordar.

— O duque não vai conseguir tirar os olhos de você.

— Espero mesmo que não.

Embora, na verdade, queria que Miriam estivesse errada. Não queria atrair a atenção de Thornley, ainda mais porque nunca era o centro das atenções dele por muito tempo nas outras noites.

— Há grandes chances de você se mudar para a bela residência do duque até o final do verão. Pelo menos, é o que alguns empregados estão dizendo. E que me levará junto.

Virando-se para o lado, Lavínia estudou seu reflexo no espelho.

— Bem, claro que vou levá-la comigo. Mas duvido que seja este ano. Ainda nem noivamos. O duque não está com pressa de se casar.

— Mas vai ficar boquiaberto quando pousar os olhos em você, hoje à noite.

Ela negou com a cabeça, rindo baixinho.

— Garanto que Thornley não é o tipo que fica boquiaberto.

Com um último olhar no espelho, Lavínia saiu do quarto e desceu para o grande salão, onde tudo já estava nos conformes — exceto pelas portas que levavam ao terraço.

— Por favor, abra as portas do terraço, James — pediu a um lacaio que passava. — Está uma noite tão linda, nossos convidados vão ficar com calor se o ar não circular.

Pegou um cartão de dança de uma mesinha perto da escada que levava ao salão de baile e o escondeu dentro da luva. Tomara muito cuidado com a seleção de danças, escolhendo seis valsas diferentes, e planejara deixar cada uma em branco, já que não tinha certeza de quando Finn apareceria. Estava determinada a ter uma dança íntima com ele. Nada de quadrilha ou cotilhão.

Virou-se ao ouvir um farfalhar de saias. Era a mãe. Lavínia abriu um sorriso.

— Você está linda, querida.

— Obrigada, mamãe.

— Atrevo-me a dizer que o duque de Thornley ficará ansioso para pedi-la em casamento, embora eu não saiba por que você insistiu tanto nessa ideia das máscaras. Um baile à fantasia não precisa ser tão exagerado.

— Eu gosto do mistério das máscaras, do ar de incerteza. Talvez eu dance com um cavalheiro sem saber quem é.

— Duvido muito. Você conhece todos os convidados. E dá para identificar quase todos pelo físico. Os outros, basta saber pela voz.

— Ainda assim, é divertido tentar adivinhar quem são antes de falarem. Ou, pelo menos, acredito que seja. — Estendeu a mão e pegou a da mãe. — Acho que as máscaras vão acrescentar uma pitada de emoção ao baile, torná-lo mais memorável.

— Suponho que sim.

A mãe se afastou, querendo garantir que tudo estivesse em seu devido lugar. Uma hora mais tarde, o salão estava repleto de convidados. A alegria no ar era quase palpável. Lavínia podia sentir a felicidade dos convidados, embora duvidasse que houvesse alguém mais feliz que ela. Seus olhos percorriam o salão, analisando cada cavalheiro — muitos tinham feito pouco mais que vestir seus trajes de festa e colocar uma máscara — em busca da única pessoa que não recebera um convite dourado diretamente de sua mãe.

Um sujeito alto de cabelo escuro se aproximou dela. A mãe estava certa em uma coisa: não precisava ver por baixo da máscara para saber quem era.

Thornley. O duque exalava confiança, vestindo o título nobre como um manto feito sob medida. Quando ele sorriu, Lavínia sentiu o estômago dar uma cambalhota. Ele era diabolicamente belo e exalava poder e prestígio. Ela gostava dele, mas Thornley não fazia seu coração disparar. Será que conseguiria se casar com um homem que não lhe causava nenhuma emoção? O dever ditava que sim. Mas e a felicidade? Seria feliz o suficiente para não pensar mais em outro quando se deitasse com ele?

— Lady Lavínia — cumprimentou o duque, em seu barítono grave e requintado, pegando sua mão enluvada e dando um beijo logo acima dos nós dos dedos. — Ou, devo dizer, rainha Maria Antonieta?

Ela riu baixinho, encantada com a percepção do duque. No entanto, esperava que ele não prestasse toda essa atenção a ela durante a noite.

— Você adivinhou minha fantasia! Incrível! E a sua...

O duque usava um traje de noite preto e uma máscara preta simples que cobria apenas os olhos. Ela arqueou a sobrancelha, em dúvida.

— O duque de Wellington, naturalmente.

Lavínia o encarou com desaprovação.

— Você poderia pelo menos ter se dado ao trabalho de vestir o traje militar...

— Sou uma versão mais velha dele, muito tempo depois de seus dias no exército. Posso considerar que tenha me reservado uma valsa?

Olhou para o cartão. Viria uma valsa sem nome logo em seguida. Como o cavalheiro que estava aguardando ainda não aparecera, Lavínia respondeu:

— Você está com sorte. A próxima dança é sua.

Enquanto Thornley a guiava pelo piso lustroso de madeira, teve que admitir que ele era um dançarino maravilhoso. Respeitoso. Nenhuma maldade brilhava em seus olhos, nada indicava que ele desejava mais proximidade entre seus corpos. Será que isso mudaria quando o noivado fosse oficializado?

— Você não gosta de bailes de máscaras? — perguntou.

— Não muito.

— Então aprecio sua vinda.

— Sua mãe nunca teria me perdoado. Você me perdoaria?

— Sim, eu entenderia. Por que acha que somos ensinados a fazer o que não queremos?

— Não sei. Parece uma maneira estranha de administrar a vida alheia. Está gostando da sua temporada?

— Muito. Não quero que acabe. — E, então, por razões que não conseguia entender, sentiu a necessidade de acrescentar:— Mal posso esperar pela próxima, com outra rodada de bailes.

— Você não tem pressa para se casar?

— Não, Sua Graça, não tenho. Você tem?

Ele riu baixinho.

— Para ser sincero, Lavínia, acho que somos jovens demais para isso.

A jovem riu em resposta. O duque tinha 28 anos. Quando será que ele acharia que tinha idade suficiente? Bem, seu próprio irmão, com 26, também evitava o casamento. Ela inclinou a cabeça com arrogância.

— Como rainha, aliviarei seu dever de permanecer presente esta noite. E, se puder levar meu irmão com você, melhor ainda.

— Você realmente não se importaria se eu me despedisse? — indagou o duque.

— Nem um pouco, fique tranquilo. Tenho muitos parceiros de dança, e alguns até se deram ao trabalho de arranjar um traje adequado.

A música terminou, e a dança também. Com um sorriso terno, o duque pegou sua mão e deu mais um beijo logo acima dos dedos.

— Você é uma rainha generosa. Uma pena que, um dia, perderá a cabeça.

Lavínia se perguntou se já não teria perdido — mas por outro homem. Não desejava nem um pouco que Thornley ou Neville a vissem valsar com Finn, com o corpo mais colado ao dele do que deveria. Não queria que soubessem que gostava mais da companhia dele do que de qualquer outra pessoa. Como o cavalheiro perfeito que era, o duque a escoltou até a beira da pista de dança.

— Aproveite a noite, Sua Graça.

— Você também, milady.

Thornley se afastou, cada passo reverberando com propósito. Lavínia suspeitava que muitos se sentiam intimidados com a presença dele, mas Thornley fora forçado a vestir o manto de duque aos 15 anos, estava muito acostumado à posição.

— Você parece gostar dele — comentou uma voz baixa perto de sua orelha, em um sussurro sensual.

Com o coração trovejando, Lavínia se virou para encarar um sujeito vestido com roupas comuns. Por baixo do sobretudo, usava uma jaqueta de trabalhador, colete, camisa e um lenço de pescoço. As botas, no entanto, tinham sido polidas até brilharem. O chapéu de abas largas, também de um trabalhador ou de um fazendeiro, cobria a testa, escondendo o rosto nas sombras — um rosto já meio escondido por trás de uma máscara preta.

— Você veio!

— Eu prometi que viria. Eu nunca mentiria para você, Vivi.

Ela sorriu.

— Sua fantasia...

A roupa não era tão elegante quanto a dos outros. As moedas valiam muito para Finn. Não podia esperar que ele as gastasse com um evento tão trivial.

— Sou um ladrão de estradas — explicou.

O sorriso dela aumentou.

— Claro... Brilhante! Você é muito criativo. Atrevo-me a dizer que é o único com criatividade por aqui. — Inclinando-se para ele, sussurrou:— Você parece muito perigoso.

— É porque sou mesmo. — Os lábios dele se curvaram em um sorriso sensual. — Mas só para você.

Como Finn conseguia fazê-la se derreter tão facilmente, perdendo a linha de raciocínio?

— Sou Maria Antonieta, caso você não saiba. Ela era a rainha...

— Eu sei quem ela era.

— Sinto muito. Não é minha intenção sempre questionar o que você sabe...

— Eu a vi na exposição da Madame Tussaud. Você é muito mais bonita.

— Do que uma estatueta de cera? Espero mesmo que sim.

— Você me reservou uma dança? — perguntou ele.

Lavínia assentiu.

— Você prometeu aprender a valsar. Conseguiu praticar?

— Fiquei olhando enquanto você dançava com aquele cara. Parece fácil.

— Há quanto tempo chegou?

— Um tempo.

— Por que não veio falar comigo antes?

— Porque não queria chamar atenção, então passei um tempo me misturando. Você é bem popular.

O tom implicava certo incômodo.

— É o baile da minha família, então as damas se sentem obrigadas a falar comigo, e os homens, a dançarem comigo. Não significa que eu goste disso.

— Você não gosta?

— Essas pessoas fazem muito só por obrigação. Mas você está aqui porque quis, porque queria me agradar.

Embora fosse imprudente, estendeu a mão, agarrando os dedos enluvados dele, e a apertou.

— Para mim, significa o mundo que você esteja aqui. Escalou o muro?

Ele riu baixinho.

— Não, usei o portão. Eu não queria arriscar estragar a fantasia.

— Não tinha pensado nisso... — Olhando em volta, viu um cavalheiro se aproximando. — Preciso dançar uma quadrilha com lorde Dearwood. Sua valsa é a música seguinte. Espere aqui.

Não tinha pensado em como apresentaria Finn a alguém, então o deixou no canto do salão, indo ao encontro de Dearwood.

Durante toda a quadrilha, Lavínia ficou ciente dos olhares de Finn. Ele a estudava, incapaz de desviar a atenção. Não se importava com ninguém ali além dela. Tinha ido apenas para que ficassem juntos. Ele a fazia se sentir especial, única, querida. Quando a dança finalmente terminou, foi um alívio poder voltar até Finn. Porém, Dearwood lhe ofereceu o braço.

— Você não precisa me acompanhar até o fim da pista de dança.

— Claro que sim, milady. Sou um cavalheiro.

Ela tentou dar a volta por alguns outros casais e chegar na beira da pista longe de Finn, mas parecia que os dois homens tinham atraído a atenção um do outro, porque Dearwood a guiou justamente para onde Finn estava, e Finn deixara seu lugar para se encontrar com os dois no meio do caminho. Ficou incomodada, maldizendo os homens e sua natureza teimosa e ciumenta, mas não conseguiu evitar a alegria secreta que sentiu por Finn estar determinado a reivindicá-la.

Finn se aproximou quando saíram da pista. Dearwood inclinou a cabeça, parecendo um cachorro confuso.

— Não tenho certeza se sei quem você é, senhor.

— Dick Turpin — respondeu Finn, baixinho, a dicção não muito diferente do usual, e Lavínia teve um momento de pânico, temendo que ele fosse descoberto.

Dearwood riu, mas era uma risada desprovida de humor.

— Muito esperto. Mas eu estava me referindo à sua verdadeira identidade, não à fantasia.

— Pensei que o propósito de um baile de máscaras fosse, por uma noite, ser alguém diferente do que realmente somos.

Dessa vez, Finn pronunciou as palavras com muito cuidado, num tom arrogante, como se fosse um rei comentando um assunto enfadonho. Em sua profissão, lidava muito com pessoas elegantes e aprendera a imitá-las. Dearwood pensaria que a dicção anterior fazia parte da fantasia. Finn curvou-se ligeiramente em direção a Lavínia.

— Maria Antonieta, acredito que a próxima dança seja minha.

Ah, sim, ele poderia mesmo ser confundido com um aristocrata. Sem hesitar, Lavínia colocou a mão em seu braço.

— Obrigado pela dança, lorde Dearwood.

Sentiu uma imensa gratidão ao ser escoltada para longe do homem curioso.

— Ele é amigo do meu irmão. Um intrometido.

— Acho que está de olho em você.

— Não seja ridículo...

Lavínia quase respondeu que era comprometida, mas não queria estragar a magia da noite. Mais afastados, ficaram esperando que o cotilhão terminasse.

— Você lidou bem com ele. Só agora me ocorreu que deveríamos ter inventado um nome falso. Lorde qualquer coisa.

— Eu não sou lorde — respondeu ele, em um tom apático.

Lavínia torceu para que ele não estivesse se sentindo cercado por homens superiores, porque não estava. Não conhecia ninguém tão gentil ou interessante quanto ele.

— Não, você é Dick Turpin, um infame ladrão de estrada. Por que a escolha?

— A história dele sempre me fascinou.

Ela balançou a cabeça.

— As coisas que você sabe...

— Dá para aprender muito passando as noites em tavernas. Visitei uma que ele supostamente frequentava. Ainda falam sobre ele... Alguns o consideram um herói lendário.

— Mas, se fosse um herói, não teria sido enforcado.

— Talvez não, mas a justiça nem sempre é justa.

Não queria falar sobre justiça ou enforcamentos.

— Estamos um pouco piegas.

— Estamos vestidos como pessoas que tiveram um fim trágico.

— Então vamos fingir que elas não tiveram um fim trágico, e sim que viveram felizes para sempre.

Queria dar a ela um final feliz — coisa boba de se querer quando ela vivia em um mundo como aquele. Embora não tivesse deixado de perceber o brilho naqueles olhos verdes ou o resplendor de seu sorriso quando descobrira que ele estava lá, como prometido.

Tinha chegado havia um tempo, mas ficara observando o lugar, as pessoas. Um de seus talentos como ladrão era nunca ter pressa. Levava o tempo necessário para catalogar todas as nuances de uma situação e garantir que nada desse errado. Fizera o mesmo naquela noite, sabendo que era crucial que fosse confundido com um aristocrata. Não tinha dúvidas de que, se suspeitassem de sua verdadeira origem, não seria apenas escoltado para fora da propriedade, e sim levado para a cadeia com um ou dois socos pelo caminho, como punição por sua arrogância.

O conde e a condessa não gostariam de ter o baile exclusivo invadido. Mas Vivi gostava. Gostava muito, o que fazia o risco valer a pena.

A música terminou, e ele a guiou para a pista de dança. Uma antiga namorada de seu irmão, Mick, era viúva de um duque, e o ensinara a valsar. Mick também lhe ensinara, a contragosto. Ao que tudo indicava, Mick e Aiden acreditavam que Finn era um tolo por ficar de romance com a filha de um conde. Os dois é que eram tolos, por não entenderem o que era se sentir completo na presença de outra pessoa. Eles não sabiam o que era sentir uma alegria inigualável ao segurar a mão de sua amada ou ao encarar seus olhos verdes. Seu mundo era monótono e sombrio, seus dias, cheios de tarefas difíceis e muitas vezes angustiantes... mas, sempre que via Lavínia, o passado, o presente e o futuro ficavam mais alegres e iluminados. Seus problemas se dissipavam, ou, pelo menos, se escondiam. Enquanto estava com ela, ficava cheio de esperança.

Naquele exato momento, sentia o corpo dela preencher seus braços. Talvez a estivesse segurando um pouco mais perto do que deveria, as pernas roçando as saias dela, mas Lavínia não reclamou. Em vez disso, abriu um meio sorriso malicioso, encarando-o com olhos provocantes, indicando que sabia o que ele estava fazendo. Finn desejou que não estivessem usando aquelas máscaras malditas. Queria ver o rosto dela, ali, naquela sala com candelabros de cristal derramando toda a sua luz.

Dava para ver mais dos olhos dela do que ele se lembrava de ter visto, mesmo com a máscara lançando sombras ao redor das esmeraldas. Verde tinha se tornado sua cor favorita, mas havia tantas tonalidades diferentes que não tinha certeza de ter encontrado uma exatamente da cor dos olhos dela. Era um alívio a máscara dela acabar logo abaixo do nariz delicado, deixando a boca visível. Os lábios rosados eram tentadores — queria se inclinar para a frente e se apossar deles. Sua mão, com os dedos abertos, se espalhava pelas costas de Lavínia. Ela era uma criatura tão delicada que Finn temia que não fosse capaz de sobreviver em seu mundo.

Precisaria de muitas moedas, se tinha alguma esperança de dar uma vida confortável a ela. Não ficou surpreso com o absurdo de contemplar um futuro em que estivessem juntos.

— Estou impressionada — provocou Lavínia. — Você não pisou no meu pé uma única vez.

— Eu não faria nada para lhe causar dor.

Os olhos dela se encheram de ternura.

— Você pode não ser da nobreza, mas é um cavalheiro. Não tem ninguém dentro dessas paredes que eu estime mais.

As palavras o tocaram profundamente, e ele não duvidou nem por um momento que fosse verdade.

— Você vai dançar com outras damas? — perguntou ela.

— Não. Estou aqui só por você. Você é a única com quem eu me importo, Vivi.

Por um segundo, pensou que ela fosse beijá-lo.

— Tem mais duas valsas, e vamos dançá-las juntos — anunciou ela, em vez de dar o beijo. — Vai ser um escândalo, mas não me importo.

— Por que seria um escândalo? Estamos dançando agora.

Ela riu.

— Uma mulher não deve dançar mais que duas vezes com um cavalheiro. Uma regra boba, não acha?

— Não quero outra valsa com você. Quero ir para algum lugar onde a gente possa trocar um beijo.

Lavínia mordeu o lábio. Finn nunca notara, mas um dos dentes da frente dela era um pouco torto, sobrepondo parte do outro. A visão o fez sentir algo engraçado em seu íntimo, como se quisesse protegê-la ainda mais.

— Entre essas duas valsas, há três outras danças para as quais não tenho parceiro. Talvez a gente possa dar um passeio pelo jardim.

Longe de todos os convidados, onde ele ficaria mais confortável e não se sentiria sob vigilância constante.

— Mal posso esperar.

Dançar com Finn tinha sido a realização de um sonho. O rapaz tinha passos tão leves... Não era de se admirar que não o tivesse ouvido entrar em seu quarto, naquela primeira noite. E o jeito que ele a segurara — respeitoso, mas não tanto. O toque firme no encontrar das mãos, sinalizando que ele não tinha a menor intenção de soltá-la. A outra mão tomara posse de suas costas, fazendo-a desejar ardentemente que Finn a puxasse para mais perto. Queria ter se aproximado mais, porém suspeitava que a mãe a estava observando, de testa franzida, esforçando-se para descobrir com quem a filha dançava.

Era tudo tão gostoso... Mesmo que ninguém soubesse de sua rebeldia, ao menos *ela* sabia. E Finn. Finn gostava desse lado dela, mas Thornley não gostaria nem um pouco, se soubesse. O duque esperava que ela fosse perfeita. Como era chato sempre fazer o que esperavam. Só podia torcer para que seu casamento não fosse tão desinteressante. Ao menos teria as lembranças de Finn para ajudá-la no tédio.

Não importava onde estivesse no grande salão — na pista de dança ou em pé com outras debutantes, sussurrando sobre algum cavalheiro —, sentia sempre o olhar dele. Bastava olhar para trás para encontrá-lo, sozinho, evitando ser puxado para qualquer conversa e acabar sendo questionado por qualquer um que não considerasse Dick Turpin uma boa resposta para sua identidade. Como ele deveria estar se sentindo isolado... Tinha sido egoísta convidá-lo.

Entretanto, quando soaram os primeiros acordes da valsa seguinte, a que lhes daria algum tempo para ficarem sozinhos, Finn não parecia nem um pouco decepcionado. Os olhos castanhos estavam calorosos; o sorriso, acolhedor. Quando o conhecera, não soubera que, eventualmente, ele se tornaria a pessoa mais importante de sua vida, seu motivo de sair da cama todas as manhãs, a pessoa que habitava seus sonhos.

Precisava ser franca com Thornley e informá-lo de que tinha dúvidas sobre o casamento arranjado. Ainda havia tempo, já que nenhum dos dois estava com pressa de cumprir o combinado. Talvez o duque também tivesse alguém especial com quem preferisse se casar — talvez fosse por isso que o tempo que passava com ela era mais por obrigação do que por vontade. Ao contrário do tempo dela com Finn... Estava com ele porque queria, porque deixava de respirar quando estavam separados.

— Então, como faremos para ninguém nos ver nesse encontro secreto? — perguntou ele.

— Temos que agir com o máximo de discrição possível. Saia pelas portas e desça a escada. Espere por mim. Estarei trinta segundos atrás de você.

— Já fez isso antes?

— Não. — Ela sorriu. — Mas vi outros fazendo.

Thornley nunca tentara arranjar um encontro secreto com ela. Estava empolgada por poder fazer isso com Finn. Sinceramente, por mais que Thornley fosse bonito, nunca desejara beijá-lo. Mas sonhava em beijar Finn o tempo todo. Pensava nele durante quase todo o dia.

Quando a música parou, Finn a guiou para fora da pista de dança, pegou sua mão e curvou-se, beijando os dedos enluvados.

— Esperarei por você — murmurou, numa voz sedutora.

Lavínia observou enquanto ele se afastava, abrindo caminho entre a multidão de convidados até sumir de repente. Como ele conseguia se misturar tão bem, chegando a ficar invisível para ela? Talvez só tivesse conseguido invadir seu quarto porque ainda era um ladrão, porque não tinha desistido da vida de crime, como alegara. Ela não podia afirmar nada, mas uma coisa ele com certeza roubara: seu coração.

Rindo daquela tolice, virou-se e deu de cara com a mãe, o rosto cheio de condenação e decepção.

— Quem era aquele com quem você estava dançando? — perguntou, severa.

— Dick Turpin.

A mãe continuava a encará-la, o olhar cada vez mais cortante, como se seus olhos estivessem sendo amolados bem ali, no meio do salão.

— O infame ladrão de estrada?

Ao contrário da conversa com Dearwood, a provocação não caíra tão bem com a mãe. Lavínia suspirou, derrotada.

— Eu não sei. Nós dois estávamos fingindo ser nossas fantasias e não nos apresentamos da maneira adequada.

— Eu não o vi descendo a escada. E ele não se apresentou para mim. Vou alertar o lacaio...

— Não, ele tinha convite. Tenho certeza disso. Ele mostrou para mim.

A mãe estreitou os olhos, e Lavínia temeu que ela tivesse detectado a mentira ousada.

— Ou talvez não tenha, mas veio com alguém. Um primo, pelo que disse. Ele é novo na cidade. Acredito que seja seu primeiro baile. Ele talvez não conheça o protocolo. Se encontrá-lo de novo, trago-o para uma apresentação apropriada. Ele é fascinante.

A última afirmação devia ter sido a frase mais sincera que dissera à mãe durante a horrenda inquisição.

— Você não deve dançar com ele novamente.

— Não vou.

A mãe olhou em volta, e Lavínia temeu que expulsaria Finn da festa se o visse, arrastando-o para fora pela orelha.

— Vou começar a investigar e pedir a seu pai que fique de olho. Se ele não é versado na etiqueta, muito provável que seja um impostor. Eu deveria insistir para todos removerem as máscaras.

— Não estrague a diversão. Ele foi muito gentil... Ah, e ele é filho de algum lorde. Pelo que disse.

A verdade daquelas palavras se traduziu em sua voz, e a mãe deve ter percebido, porque recuou um pouco, a cabeça indo para trás como uma galinha andando pelo galinheiro em busca de grãos.

— Que lorde?

— Um conde, acho, mas não consigo lembrar qual. Um dos menores... Pouco conhecido.

A mãe franziu os lábios e arqueou a sobrancelha.

— Traga-o para se apresentar, mas não fique mais sozinha com ele. Não até que eu tenha certeza de que é de uma família honrada.

Existiria alguma família honrada? Lavínia tinha certeza de que tanto o irmão quanto o pai mantinham amantes. Talvez até sua mãe tivesse também, pois passava muitas noites fora.

— Sim, mamãe.

Ficou vendo a mãe se afastar. Não era tão interessante quanto observar Finn, mas trazia um grande alívio. Para o inferno com tudo aquilo! Andando casualmente para o terraço, enfim compreendeu que não poderia mais valsar com Finn. Seria imprudente até que ele voltasse ao salão de baile. Teriam que se despedir nos jardins.

Alguns casais andavam pelo terraço, conversando e bebendo champanhe, sem dúvida querendo escapar do calor sufocante do salão. Lavínia desceu os degraus que levavam ao jardim. O sapato mal tocara o chão quando sentiu uma mão ao redor de seu braço puxando-a gentilmente contra um peito largo.

— Estava começando a achar que você não viria — sussurrou Finn, a voz abafada.

— Minha mãe me interrompeu. Ela está desconfiada. — Ergueu os olhos, encarando-o. — Você não pode voltar ao salão.

Ele praguejou baixinho — pelo menos, Lavínia supôs que fosse uma profanação. Não conhecia a palavra, mas não soara nada bom. A princípio, pensou que ele falara "lerda", então percebeu que não estava se referindo a uma pessoa lenta... Apesar de não saber ao que ele se referia, entendia que era algo que uma dama de boa criação não deveria saber.

— Ainda temos tempo de passear pelo jardim — garantiu.

Finn não lhe ofereceu o braço e simplesmente pegou sua mão. Entretanto, ainda estavam em uma parte muito iluminada do jardim, com as lâmpadas a gás os expondo às pessoas que passeavam, e ela não podia permitir que a vissem tão íntima de algum homem. Separou as mãos dos dois e segurou o cotovelo dele.

— Pelos bons costumes — murmurou.

Finn não se opôs, só saiu andando pela trilha serpenteante de paralelepípedos, passando pelos vários canteiros de flores.

— Minha mãe é incrivelmente chata, não gosta de nada misturado, então lá estão as rosas, lá os lírios, lá os narcisos, com os delfinos ao lado...

— Então ela pensa nas flores como pensa nas pessoas. Deus impeça um plebeu de amar alguém da nobreza.

Lavínia sentiu a respiração prender no peito ao ouvir a declaração. Já suspeitava do amor dele, claro, mas Finn nunca o admitira.

— E você ama alguém da nobreza, Finn?

Ele passou o braço pelas costas dela, fechando a mão sobre a cintura delicada, e a puxou para fora do caminho de pedras, abrindo caminho entre cercas vivas e treliças até chegaram à parte mais escura do jardim. Estavam longe das lâmpadas, dos postes e de outros casais errantes. Segurando o rosto dela entre as mãos, Finn sussurrou, muito sério:

— Como pode duvidar do meu amor, Vivi?

Finn tomou seus lábios no beijo mais doce que já tinham trocado. Se já não estivesse apaixonada, Lavínia teria caído de amores ali mesmo. Os lábios dele reivindicaram os seus com verdade, paixão e desejo. Finn a queria tão desesperadamente quanto ela o desejava. O sentimento estava evidente na tensão do corpo dele enquanto deslizava os dedos sobre seus ombros nus e delicados. Em como a boca seguia os dedos, arrastando-se por seu pescoço e colo.

— Este vestido está me deixando louco — murmurou.

Ele abaixou a cabeça para o decote, os seios elevados prontos para serem saboreados. E Finn se deleitou: beijou, lambeu e enterrou o rosto no vale de seus seios, inspirando fundo.

— Você é má. Passou perfume aqui.

Lavínia riu baixinho. Tinha passado mesmo. Escolhera aquele vestido porque era ousado, porque daria acesso a partes de seu corpo que sempre estiveram escondidas dele por uma camada de tecido. Provocá-lo tinha sido seu maior propósito na escolha da vestimenta.

— Eu poderia possuir você aqui mesmo — afirmou ele, rouco. — Contra a parede, contra uma treliça, no chão...

— Mas se fôssemos vistos...

Não podia sequer imaginar as consequências terríveis. Se Finn fosse um nobre, teria que se casar com ele, mesmo estando prometida a Thornley. O pai insistiria. Mas Finn não era da nobreza, e ela não suportava pensar no que o pai poderia fazer. A única certeza que tinha era a de que ele seria expulso, e que Lavínia seria trancada em seu quarto. Quase riu. Os pais não eram vilões de conto de fadas. Iriam apenas expressar sua decepção e desagrado e a proibiriam de vê-lo outra vez. O pai não iria socá-lo, mas talvez pedisse a um lacaio que o fizesse.

A descoberta seria o fim de seu tempo juntos, o fim do sentimento maravilhoso e empolgante que a dominava sempre que estava com ele.

— Não seria nada bom — completou ele, se inclinando para tomar seus lábios outra vez.

Não, não seria. Mas como sua família poderia se opor a um homem que a deixava tão feliz, a quem ela contava os minutos para ver de novo, um sujeito que nunca se aproveitara dela?

E, caso se aproveitasse… bem, não poderiam apagar o relacionamento se ele a arruinasse.

Quando a boca de Finn começou mais um passeio lento e sensual ao longo de seu pescoço, Lavínia sussurrou:

— Não quero contra uma parede, uma treliça ou no chão. Quero fazer isso em uma cama.

Ele ficou imóvel, tão imóvel que, se não estivesse de pé, Lavínia teria pensado que estava morto. Afastando-se, Finn segurou-a pelos braços.

— O que está dizendo, Vivi?

— Eu quero você, Finn. Amo você. Amo com tudo que sou. E já faz tanto tempo… Quero ser sua esta noite. — Soltando-se do aperto, envolveu o pescoço dele com os braços e mordiscou seu queixo forte. — Quero que me deixe arruinada para qualquer outro homem… — Mais uma mordida. — Entre escondido no meu quarto depois do baile. — Mordiscou a pele macia do pescoço dele. Finn gemeu baixo. — Quero ser sua de verdade.

— Está louca? Seus pais vão nos pegar.

— Não vão, não. Meu quarto fica no fim do corredor. Não vou fazer barulho. — Roçou os lábios nos dele. — Eu quero ser sua, somente sua. Não quero outro.

Ela a envolveu com os braços, apertando-a, achatando seus seios contra o peitoral enquanto a beijava com tanta fome e urgência que Lavínia sentiu que se tornara mais mulher. Era o que desejava: o fogo e a paixão, o "não consigo viver sem". Não sentia nada daquilo com Thornley. Sentia tudo com Finn.

Ele tomaria sua inocência e a faria mulher.

Ao longe, ouviu a música que acompanharia uma valsa à deriva, carregada pela brisa. Seu tempo juntos no jardim havia terminado. Com um lamento, interrompeu o beijo.

— Este é o começo da última valsa, a que prometi a você. Tenho que voltar ao salão de baile logo para encontrar meu próximo parceiro de dança, quando essa música terminar. Me desculpe por não termos outra valsa.

— Eu não consigo negar nada a você, Vivi.

Finn pegou sua mão, passando o braço por suas costas, e a rodopiou pela a grama.

Lavínia teria gargalhado se não estivesse com medo de que alguém ouvisse, de ser descoberta naquela situação comprometedora. Assim que perdesse a virgindade, nada mais importaria. Mas, naquele momento, ainda não era assim.

Só dançaram metade da melodia, para que ela tivesse tempo de voltar ao salão antes que o próximo parceiro de dança notasse sua falta. Finn a conduziu até a residência, parando onde as sombras ainda eram densas.

— Tem certeza, Vivi?

— Tenho. Venha mais tarde.

Erguendo as saias, subiu correndo os degraus do terraço que a levariam de volta ao salão, onde começaria a contar os minutos para vê-lo outra vez.

Capítulo 8

Finn ficou agachado na parte de trás do jardim, observando a residência enquanto aguardava o timbre final da última música. Era um idiota por estar considerando se esgueirar até o quarto de Lavínia e levá-la para cama. Mas seria melhor ali; não queria que ela visse a casa miserável que dividia com os irmãos. Seu quarto de solteiro era pequeno, a cama apertada, as paredes tão finas que dava para ouvir o casal da casa ao lado roncando — ou pior, engajados em outras atividades. Eram muito barulhentos. A mulher sempre usava o nome do senhor em vão, e o homem grunhia e resfolegava como um javali no cio. Ao fim, suspiravam e riam alto, sempre proclamando que o sexo nunca fora tão bom.

Lavínia estava certa. Poderiam se deitar sem fazer barulho, sem serem descobertos. Romeu não entrara na casa dos pais de Julieta? Finn sairia com o primeiro trinado da cotovia.

A música deu lugar ao silêncio. Os poucos convidados ainda no jardim entraram no casarão. Uma hora mais tarde, o salão de baile mergulhou na escuridão. Finn observou as luzes dos outros cômodos se apagarem, uma a uma, até a residência ser engolida pelo breu.

Ainda assim, esperou até ter certeza de que não havia nenhum som, nenhum movimento, nenhuma agitação.

Bem devagar, saiu do esconderijo e tirou as botas, as meias, o sobretudo e o chapéu. Não estava mais fingindo ser um ladrão de estradas. A partir dali, seria apenas ele mesmo. Finn Trewlove, que nunca se deitara com uma mulher porque, desde o momento em que conhecera lady Lavínia Kent, sentira a necessidade de permanecer fiel a ela, mesmo sabendo que provavelmente nunca a teria.

Já estava apaixonado havia muito tempo. Naquela noite, descobriria se a espera valera a pena.

Deitada na cama, Lavínia sentia que estava flutuando no plano dos sonhos, mas se recusava a dormir. Pedira a Miriam que a preparasse para dormir. Uma coisa era contar à criada que fugiria para visitar uma taverna, mas outra, completamente diferente, era confessar que estava prestes a se tornar mulher.

O quarto estava iluminado apenas pela lamparina acesa na mesa ao lado da cama, pois não teve coragem de deixar as lâmpadas a gás acesas. Sofrendo um pouco por antecipação, sentiu que precisava de um pouco de privacidade... Queria luz suficiente para ver Finn, mas não a ponto de iluminar tudo o que aconteceria.

Não ouviu a porta do quarto se abrir, mas sentiu um leve toque de dedos em seu cabelo. Miriam prendera as mechas em tranças, mas Lavínia desmanchara o penteado depois que ela saíra, achando que Finn gostaria de ver sua longa cabeleira solta.

Abrindo os olhos, o viu de pé ao lado da cama. O rosto transbordava ternura, e o sorriso era incerto, como se temesse que ela de repente decidisse privá-lo daquele momento. Mas não mudaria de ideia. Lavínia o amava. E já fazia muito tempo.

Jogando as cobertas para o lado, ajoelhou-se na cama, encarando-o, e deslizou os dedos pelo rosto de Finn.

— Mal posso acreditar que você está aqui — sussurrou.

— Tive que esperar até ter certeza de que não havia mais ninguém acordado. E, se estiver tão nervosa quanto eu, acho que talvez goste de um pouco disso.

Ele tirou a outra mão das costas, mostrando uma garrafa de uísque. Só então ela notou os dois copos descansando na mesa de cabeceira.

— Onde você conseguiu isso?

— No escritório do seu pai. — Ele abriu a garrafa e despejou parte do conteúdo nos copos. — Tive que explorar um pouco para encontrar.

— Você é terrivelmente ardiloso, Finn Trewlove.

Ele lhe entregou um copo.

— Não com você, Vivi. Com você, sou sempre honesto.

Mantendo o olhar fixo no dela, Finn tomou um gole. Lavínia imitou.

— Ai, queima!

Experimentara uísque na taverna da irmã de Finn, mas já se esquecera do sabor.

— Mas, conforme for fazendo efeito, vai deixá-la quente e letárgica.

Lavínia tomou um gole maior e acabou engasgando.

— Não precisa ter pressa — alertou ele. — Temos a noite toda.

Ela inclinou a cabeça, pensativa.

— Por que você está nervoso?

— Porque quero que seja bom para você, e não sei se estou pronto para a tarefa.

Finalizando a bebida, Finn colocou o copo na mesa, ao lado do copo vazio de Lavínia, e pousou o olhar sobre ela.

— Seu cabelo é tão longo...

Ela sorriu.

— Chega quase até meu quadril.

Finn deslizou a mão pelos fios, seguindo o caminho dos que estavam caídos sobre seu braço.

— É tão bonito. — Os olhos castanhos voltaram para seu rosto. — *Você* é tão bonita.

— Você também. Sempre achei isso. — Inclinando-se um pouco para a frente, Lavínia pressionou o rosto contra o peito dele. — Não sei o que fazer, Finn.

— Eu também não sou versado na arte de fazer amor — revelou ele, baixinho.

Ela recuou, surpresa:

— Está me dizendo que é virgem?

— Nunca quis ninguém além de você. — Ele acariciou seu rosto, sua bochecha. —Tenho uma boa ideia de como se faz, mas nunca coloquei o conhecimento em prática. Vamos descobrir juntos.

Gostava de saber que seria a primeira, que ele não tocara nenhuma outra mulher tão intimamente quanto a tocaria.

— Por onde começamos?

— Acho que começamos nos despindo.

Ela se ajoelhou na cama.

— Você primeiro.

Finn sorriu.

— Certo... Por que você não abre os botões da minha camisa?

Erguendo um pouco o corpo, chegou mais perto dele e começou a abrir os botões, os dedos trêmulos dificultando a tarefa. Até que abriu todos. Finn puxou a camisa por cima da cabeça, revelando um peitoral largo. Lavínia dedilhou os pelos escassos. Então, deslizou as mãos para cima e para baixo. Era tão firme, tão quente...

Os músculos dos braços dele eram definidos, sem dúvida forjados pelo trabalho. Duvidava que qualquer nobre tivesse um corpo tão bem esculpido. Finn poderia ser usado em aulas de medicina para ensinar como os músculos se conectavam, entrelaçando-se para criar um único ser, completo e magnífico.

Baixou o olhar para o cós da calça dele, onde identificou uma protuberância.

— Você tem algum conhecimento do físico de um homem? — perguntou ele.

Lavínia assentiu.

— Já vi estátuas...

— Não tenha medo.

Ela assentiu.

— Não terei.

Finn abriu a calça bem devagar, como que para provocá-la. A mãe, é claro, nunca lhe dissera nada sobre o que se passava na cama entre um homem e uma mulher. Aquela conversa não aconteceria até a noite antes do casamento. Como se a ignorância fosse impedi-la de fazer o que as mulheres não deveriam... Mas Lavínia já vira cães e cavalos acasalando, então tinha alguma ideia.

Ele terminou de tirar a calça e a jogou para o lado. Ficou parado diante dela, magnífico e orgulhoso, a masculinidade dura e ereta. Era tão assustadoramente grande, maior do que ela esperava.

— Você vai colocar isso em mim?

— Sim.

Ergueu os olhos para ele.

— Não vai caber.

Finn abriu um sorriso carinhoso, quente e jocoso.

— Vai, sim.

— Como sabe, se nunca fez isso antes?

— Porque já conversei com quem fez.

Lavínia passou a língua pela boca, então mordeu o lábio.

— Posso tocar?

— Ainda não. Estou a ponto de explodir.

Ele inclinou a cabeça para ela.

— Tire a camisola.

De repente, Lavínia se sentiu ousada.

— Você vai precisar abrir os botões.

Ficou deliciada ao ver como os dedos dele tremiam enquanto se aproximavam do tecido. As mãos fortes abriam os botões, seguindo de um para o outro, os olhos castanhos concentrados na tarefa, no tecido que se desprendia, revelando a pele. Quando terminou, Lavínia ficou de pé em cima da cama, assomando-se a ele. Segurou a barra da camisola e puxou, passando pelos joelhos, pelos quadris, pela cintura, pelos seios e, finalmente, pela cabeça, então atirou-a para o lado.

— Meu Deus, Vivi — murmurou Finn, engolindo em seco. — Você é perfeita.

Ela desabou, deitou-se no colchão e estendeu os braços.

— Venha até mim.

A cama afundou um pouco quando ele se deitou ao seu lado. Passando a mão por seu corpo delicado, Finn pegou seu braço esquerdo e o levou à boca, beijando a cicatriz no interior de seu pulso.

— Se não fosse isso, nunca teríamos nos conhecido.

Finn virou o rosto para encará-la, soltou seu braço e segurou o rosto.

— Eu também fico muito feliz por ter caído.

Então, como se qualquer amarra que o segurasse tivesse finalmente soltado, Finn ergueu parte do corpo sobre o dela, deslizou o joelho entre suas coxas e se apoiou nos cotovelos, querendo evitar que seu peso a esmagasse. Em seguida, segurou o rosto dela.

— Eu amo você, Vivi. E vou amar para sempre.

Ficou emocionada com a declaração sincera, assim como com o beijo, que reivindicava posse sobre seus lábios. Ele a reivindicava por inteiro com toques e carícias.

E Lavínia retribuiu, arriscando como uma exploradora descobrindo uma terra desconhecida. Testou a firmeza de todos os músculos definidos, deslizando os dedos sobre eles e apertando. Finn era tão forte, tão magnífico... E era dela por inteiro. Podia se regozijar com olhos e lábios, apreciá-lo e tocá-lo o tanto que desejasse.

Finn apalpou um de seus seios, apertando um pouco antes de descer a boca, dando beijinhos a caminho do mamilo. A língua aveludada circulou a auréola, que enrijeceu. Ele pegou o mamilo com a boca e chupou. A lascívia causava uma reação tão obscena em seu corpo que ela quis gritar por mais, sentindo o prazer percorrê-la por inteiro.

Mas não podia gritar. Tinham que ser discretos, tão quietos quanto o êxtase que crescia dentro dela, tão secretos quanto o ponto entre suas pernas que já começava a pulsar, exigindo atenção. Como se sentisse o chamado, Finn deslizou a mão para o meio de suas pernas. O calor a dominou.

Lavínia, por sua vez, tocou o ponto entre os dois, envolvendo os dedos ao redor da virilidade dele. Finn arquejou e gemeu baixo. Ele era quente, tão quente... Como veludo sobre aço.

Ele se mexeu até ficar entre suas coxas. Lavínia sentia o toque de suas partes. Controlando-se com dificuldade, Finn esfregou a ponta do membro sem parar entre as pernas dela, levando-a à loucura. Então, penetrou devagar. Ela enrijeceu.

— Relaxe — falou ele.

— Está doendo.

Finn encheu seu pescoço delicado de lambidas, até que ela só conseguisse pensar nos lábios dele, na trilha molhada que deixavam em seu rastro. Então, ele a penetrou mais fundo.

Lavínia mordeu o lábio, contendo um grito. Finn ergueu um pouco o tronco, encarando os olhos verdes dela.

— Não sei como evitar essa dor. Quer que eu pare?

Ela fez que não.

— Quero ser sua.

Finn segurou a cintura dela, erguendo um pouco seus quadris magros, mudando de ângulo, então mergulhou, profundamente e com convicção, cobrindo sua boca, absorvendo seu grito. Agora era dele. Apesar da dor, estava feliz.

Aos poucos, Finn começou a se mover, até que o corpo dela o acomodasse melhor, até que a dor diminuísse, até que ela estivesse perdida na sensação maravilhosa de estarem verdadeiramente unidos, dois se tornando um.

O prazer que sentira mais cedo começou a voltar, só que com mais intensidade, mais propósito. Fincou as unhas nas nádegas dele, guiando-o enquanto o movimento dos corpos se acelerava. Lavínia sentiu o corpo formigar, os seios pesarem, a feminilidade pulsar com força, explodindo em sensações que a fizeram ofegar e gemer. Mais uma vez, Finn cobriu sua boca com a dele, silenciando-a com a língua e as carícias.

Até que tudo desmoronou e algo completamente inesperado irrompeu por seu corpo. Fogos de artifício estouraram ao redor, explodindo dentro dela. Finn continuou se movendo sem parar até que soltou um grunhido rouco. Ficou rígido e imóvel, mas Lavínia sentia os tremores que percorriam o corpo dele, vibrando nela.

Finn se abaixou, com o corpo mole, enterrando a boca em seu pescoço. Os dois ficaram deitados, a respiração pesada, e ela sentiu seu amor por ele crescer com uma emoção avassaladora.

Com dificuldade, Finn se levantou e encarou seus olhos verdes, acariciando sua bochecha com o polegar.

— Você está bem?

Ela abriu um sorriso doce e assentiu.

— Não deve doer tanto da próxima vez.

— Não importa se doer.

— Claro que importa. Não quero machucar você. Eu te amo, Vivi. Amo com todo o meu ser.

Capítulo 9

1871

EU TE AMO. AS palavras tinham saído tão facilmente... duvidava que algum dia fosse dizê-las outra vez.

Sentado no quarto escuro, Finn esperou, esforçando-se para ignorar o perfume excessivamente doce que enchia o ambiente. Por que algum homem usaria um cheiro que lembrava uma rosa desabrochada? Talvez o conde de Dearwood mantivesse o perfume à disposição para suas amantes.

O nome era familiar, mas Finn não lembrava de onde o conhecera. Deveria estar concentrado nas memórias do sujeito, mas lady Lavínia Kent não parava de se intrometer em sua mente, exigindo atenção. Vivi. Relembrou a época em que apenas murmurar o nome dela era um bálsamo para sua alma.

Por que ainda se sentia atraído por ela, depois de todos aqueles anos e de toda a dor que ela causara? Queria beijá-la, passar as mãos por cada centímetro da pele sedosa, emaranhar os dedos no cabelo loiro, enfiar-se dentro de sua apertada feminilidade — onde, uma vez, ela o recebera com tanto carinho que ele não tivera vontade de sair.

Não conseguiu evitar as dúvidas que surgiam. Se nunca tivesse conhecido Lavínia, se não tivessem um passado juntos, se a tivesse conhecido pela primeira vez naquela noite... teria ficado tão intrigado? Teria desejado aprender tudo o que podia sobre ela? Sim, e o problema era justamente esse. Ficaria ainda mais curioso, já que não teria nada para nublar seus pensamentos, seu julgamento.

O que acontecera para transformá-la em uma mulher que arriscava tanto para garantir a segurança de crianças bastardas? Era impossível esquecer quão acolhedora Lavínia fora ao descobrir a verdade sobre sua origem. Ela não se afastara, como ele esperava. Então por que o abandonara depois?

Em retrospecto, o que sabia dela e o que sentira por ela, era pouco mais que uma paixão de juventude. Sabia pouco sobre as opiniões políticas dela, sobre qual era sua religião, o que ela valorizava, o quanto estaria disposta a sacrificar para alcançar seus sonhos. Finn não podia sequer afirmar que sabia exatamente quais eram os sonhos dela — ou quais tinham sido.

Achara que Lavínia estava disposta a desistir da vida aristocrática por ele, mas ela não aparecera no encontro. O conde tinha ido no lugar, informando que a filha não iria. Será que a jovem tinha mudado de ideia sobre a vida que ele lhe oferecera?

Mas, então, por que estava vivendo o que parecia ser uma vida muito mais dura, com menos privilégios, e sem ele? O que a fizera levar tanto tempo para optar por aquele caminho? O que a levara a escolhê-lo agora? Eram muitas perguntas que rodopiavam sem parar em sua mente, tão rápidas e mordazes que Finn achava que enlouqueceria se não obtivesse as respostas. E Lavínia era a única que poderia sanar suas dúvidas.

Era melhor encerrar de uma vez por todas aquela história com ela, esquecer que a encontrara. Melhor ainda seria levá-la de volta ao irmão, reivindicando as quinhentas libras. Ah, que ironia... Tinha ido para a cadeia a mando do pai e do irmão dela, só porque a queria. Anos mais tarde, os dois pagariam uma recompensa porque ele não a queria mais e a estaria devolvendo ao lugar que pertencia. Só não tinha muita certeza de que ela de fato pertencia àquele lugar, e não gostou muito da ideia de devolvê-la à vida aristocrática.

Tinha sentido tanta falta dela! Inferno! Lavínia fora sua primeira, mas não a última. Houver outras mulheres desde então, mas nenhuma delas conseguira penetrar sua alma. O sexo era sempre superficial, apenas um ato, peles se tocando, quadris se movendo até o ápice — que era sempre insatisfatório e decepcionante. Só com Lavínia é que chegara perto do céu.

Ouvindo o eco de passos distantes na escada, Finn afastou todos os pensamentos inquietantes e perguntas sobre Vivi. Respirando fundo, trouxe à tona um aspecto de si que não gostava muito, mas que servia para um propósito. Não se importava muito, já que era por um bem maior. A porta se abriu, e um cavalheiro entrou, cambaleante, carregando uma lamparina. Finn ficou surpreso de ver que o homem não tinha tocado fogo na casa no caminho até o quarto. Esperou até que a lamparina estivesse em segurança na cabeceira, com o cavalheiro afastado. Paciência era uma das virtudes que o tornavam tão bom no que fazia.

— Meu Senhor.

O conde de Dearwood gritou como um cachorro chutado e cambaleou para trás, agarrando um dos postes da cama.

— Meu Deus! Como você entrou aqui!?

— Segredo. O senhor tem evitado o estabelecimento do meu irmão...

— Tenho jogado em outro lugar.

— Seja como for, meu irmão se cansou de esperar o pagamento da dívida. Cinco mil libras é uma quantia bem grande.

— Sei bem disso. Infelizmente, ainda não recuperei minha sorte ainda, como *ele sabe*. Não tenho como pagar o que devo nesse momento.

O conde soltou o poste e endireitou as costas, mesmo cambaleando um pouco, como se a sala continuasse a girar.

— Pagarei assim que puder.

— Meu irmão vai precisar de alguma garantia.

— Veja bem...

— Seu relógio, o anel e o alfinete de lenço devem bastar.

— Não vou entregar nada. Saia da minha casa.

Finn se levantou bem devagar. Tinha alguns centímetros e alguns quilos a mais que o conde. Estalou os dedos e ouviu o eco sinistro reverberando pelo quarto. Mesmo na penumbra, deu para ver que o homem empalideceu.

— Não vamos nos precipitar — falou Dearwood, soltando a corrente do relógio do botão do colete.

Finn se aproximou com passos silenciosos, deixando o lorde ainda mais nervoso, e estendeu a mão. De repente, lembrou onde seus caminhos tinham se cruzado. Um salão de festas. Não tinha gostado do sujeito na época, e gostava menos ainda naquela situação. Evitando o olhar dele, Dearwood colocou o relógio, o anel de diamante centro e o alfinete, também com um diamante, na palma da mão de Finn.

— Você é destro ou canhoto?

O conde recuou a cabeça, como se tivesse levado um soco — sem dúvida resultado do tom ameaçador na voz de Finn.

— O que importa?

— Qual braço? — repetiu, em um tom que não admitiria desobediência.

— Direito — respondeu o conde, hesitante.

— Passe as próximas seis semanas de tala.

— Mas não está quebrado...

— Vai ficar, se eu o vir sem tala. Eu deveria lhe causar um pouco de dor, um lembrete para não contrariar o dono do Clube Cerberus. Não gostaria que ele descobrisse que não segui as ordens.

Era mentira. Contanto que recebesse o dinheiro, Aiden não se importava com os pormenores.

— Será um prazer usar a tala.

Finn sorriu.

— Seria ainda mais sensato parar de pedir dinheiro emprestado para jogar.

Apoiando-se em uma das colunas que sustentavam o teto do andar acima, Finn examinou o salão de jogos à frente, no térreo, imerso em escuridão. Passara no Cerberus para entregar a garantia que coletara, então fora até o próprio clube. O Elysium.

O clube de Aiden era cheio de homens jogando cartas, bebendo e xingando enquanto perdiam dinheiro, mas o de Finn já estava fechado para a noite. Tinha poucos membros, ainda não começara a promover o lugar — antes queria que ficasse perfeito. *Precisava* que ficasse perfeito.

Passara os três anos desde que saíra da prisão trabalhando para Aiden, aprendendo a administrar um estabelecimento de jogos. Na ocasião, servira como intimidador e coletor de dinheiro ou de garantia daqueles que deviam mais do que o irmão suspeitava que podiam pagar. Durante as horas de folga, tinha aulas com Gillie sobre como armazenar e servir bebidas alcóolicas, quais eram as melhores e quais as mulheres preferiam. E passara muito tempo estudando o hotel de luxo de Mick. Ao contrário do estabelecimento escuro e lúgubre de Aiden, que combinava com o lado mais sombrio de Londres, Finn queria que seu clube refletisse o gosto de uma dama, porque sua clientela seria de mulheres. Queria que seu clube fosse um lugar secreto onde as damas da nobreza pudessem se engajar em todos os tipos de atividade supostamente proibidas.

O plano tinha sido adotar o esquema de Aiden de manter o mistério sobre o lugar, para que o fascínio fosse justamente o fato de que nem todo mundo sabia a respeito, e muitos que ouvissem falar não saberiam onde encontrá-lo. O apelo dependia da clandestinidade. Mas queria que o local fosse reluzente e chique como o hotel de Mick. Queria servir os melhores licores. E que tudo fosse feito com elegância.

Estava criando uma teia de muitos fios, e seu principal objetivo era atrair lady Lavínia Kent. Não queria ir até ela, mas se pudesse fazê-la ir até ele...

Ao sair da prisão, precisara se recuperar da provação do cativeiro e não tivera condições de confrontá-la. Na verdade, não queria saber dela. Evitara os tabloides e não perguntara nada aos irmãos. Não queria saber se estava noiva ou casada, ou se já era mãe de uma horda de filhos. Não queria saber se ela estava feliz, triste ou arrependida. Não queria saber se ela teria mudado para melhor ou para pior. Precisava manter inalterado o que sabia sobre a mulher que o traíra, a fim de sustentar a raiva que sentia e inibir a necessidade de voltar para seus braços.

Criara o clube para ela, por vingança, como uma aranha criando sua teia. Pretendia atraí-la, embora não tivesse certeza do que faria quando conseguisse. Talvez a fizesse perder todo o dinheiro enquanto assistia das sombras, relatando seu comportamento infame aos jornais e tabloides.

Enquanto trabalhava para Aiden, ajudando-o a gerir o clube e, ocasionalmente, incitando o "medo dos Trewlove" nos sujeitos endividados que não pareciam ter pressa em pagar, Finn poupara dinheiro para comprar um edifício e tudo o que precisava para transformá-lo no que sonhava. Mesmo Aiden dizendo que a ideia era mais uma de suas loucuras, estava determinado a não desistir.

Todas as tardes, levava Sophie para passear no parque, para deixá-la esticar as pernas e impedir que ficasse rebelde. Um lorde viu a égua e negociou o acasalamento com seu garanhão, e a taxa cobrada foi o suficiente para que Finn iniciasse seus planos mais cedo.

Então, para sua desgraça, vira Vivi abraçando três crianças na madrugada da semana anterior, e todo o planejamento cuidadoso pareceu em vão. Ela não era a mesma garota de oito anos antes. A mulher que encontrara naquela noite era quase uma estranha.

No entanto, ainda se sentia atraído por ela, com a mesma curiosidade, como se não tivesse passado nem um ano desde a última vez que se viram. Quem era aquela moça que passava as madrugadas correndo pelas ruas de Whitechapel como se fosse a dona do lugar? O que acontecera com a garota com quem quisera se casar?

Capítulo 10

1863
Caindo eternamente

Finn ficou esperando na segurança das sombras, o coração descompassado, preocupado com a possibilidade de Vivi não aparecer. Que talvez, à luz do dia, ela tivesse se enchido de arrependimentos. Fora embora logo ao amanhecer, deixando a promessa de esperar por ela à meia-noite. Depois de fazerem amor, depois de segurá-la em seus braços, sabia que seria impossível esperar até terça-feira. Já estava até pensando em invadir a residência...

Até que a porta se abriu um pouco, e ela passou pela abertura estreita. Antes que se fechasse, Finn já estava ao lado dela, inspirando seu doce perfume, deliciando-se com seu sorriso.

— Olá — cumprimentou ela.

— Olá.

Então, incapaz de resistir a qualquer coisa relacionada a ela, Finn a beijou, amando como Lavínia respondia com tanta ansiedade, os braços finos envolvendo o seu pescoço, os seios pressionados contra o seu peito, enquanto a boca se unia entusiasticamente à sua. Sentiu o pênis endurecer e forçar o tecido da calça. Perversa como era, Vivi subiu e desceu da ponta dos pés várias vezes, esfregando a barriga em seu membro, levando-o às nuvens. Pensou que poderiam ser cercados pelo exército britânico, que não notaria.

Interrompendo o beijo, agarrou a mão dela e a puxou para os estábulos, onde Sophie estava selada e à espera.

— Você a trouxe! — exclamou Lavínia, surpresa.

Assumira o risco, já que os pequenos encontros não tinham sido descobertos.

— Não queria ir à fábrica do meu irmão hoje à noite, e sabia que você sentiria falta dela.

Vivi se virou para ele, colocou as mãos em seus ombros e o encarou.

— Você me conhece tão bem…

Ele a conhecia quase tão bem quanto a si mesmo.

— Para onde vamos? — perguntou ela.

— É surpresa.

Colocou-a sobre a égua. Com um pé no estribo, passou a perna por cima do traseiro de Sophie e se acomodou atrás de Vivi. Tomando as rédeas em uma das mãos e passando o outro braço ao redor da cintura dela, fez a égua andar.

Vivi se aconchegou contra ele.

— Amo quando cavalgamos juntos.

— O que mais você gosta de fazer juntos?

Ela o encarou. Sob o luar, dava para ver que ela mordera o lábio.

— Coisas perversas, do tipo que não deveríamos fazer…

— Você se arrependeu, Vivi?

Tocou o rosto dela.

— Não. Foi maravilhoso, Finn. Agora sou mulher. Mas, para ser franca, não me sinto diferente. Mesmo assim, fiquei com medo de meus pais perceberem alguma mudança. É mesmo notável que uma mulher possa se entregar a um homem e ninguém saber.

— Eu sei…

Rindo, ela se virou de volta e se aconchegou melhor nele.

— Sabe do quê?

— Sei que seus mamilos são rosa bem claros e que enrijecem se assopro neles.

Ela riu de novo.

— E o que mais?

— Que entre suas pernas é rosa-escuro e que você fica molhada quando me deseja.

— Acha que estou molhada agora?

Por Deus, esperava que sim. Encostou a boca na orelha dela.

— Não sei. Está?

— Talvez…

Ele a queria tanto que achou que fosse explodir.

— Está doendo, por causa de ontem à noite?

— Eu estava um pouco dolorida de manhã, mas passou. Finn, o que vamos fazer? Sei que você não pode entrar escondido no meu quarto todas as noites.

— E não posso levar você em casa. Divido o quarto com Fera.

Sabia que o irmão dormiria fora se pedisse, mas Vivi era uma dama do mais alto calibre e ninguém podia suspeitar do que acontecera ou questionar a reputação dela. Não queria desonrá-la.

— E os quartos que posso pagar por uma noite não são bons o suficiente para uma dama de verdade.

— São bons o suficiente para você?

— Claro.

— Então são bons o suficiente para mim.

E ali estava uma das razões por que a amava tanto. Lavínia não o considerava inferior. Lutara a vida inteira para não deixar as circunstâncias de seu nascimento influenciá-lo, mas, quando a conheceu, percebeu que nunca acreditara de fato que sua origem não importava. Abraçou-a mais forte, querendo mantê-la perto, aninhada contra seu corpo enquanto respirava fundo.

Deixaram as casas, lojas e outros edifícios para trás até chegarem a uma colina, a lua cheia guiando o caminho. Finn parou Sophie, desmontou e segurou a cintura de Lavínia para ajudá-la a descer, como se ela fosse uma porcelana delicada e precisasse ser tratada com extremo cuidado. Guiando-a para que apoiasse as costas contra seu peito, ele a abraçou, o queixo descansando no topo do cabelo loiro. Abaixo, as luzes de Londres brilhavam tão vivas quanto as estrelas no céu.

— Um dia — murmurou —, quero morar em uma casa com uma vista dessas. Longe das multidões, do barulho, do fedor de gente demais espremida em um espaço tão pequeno. Mas vai demorar um pouco para isso.

— E vai ser maravilhoso. — Lavínia queria estar lá com ele, compartilhando sua casa, sua cama. — Seu irmão vai construir para você?

— Eu teria que pagar pelos materiais e a mão de obra, mas acho que ele faria um bom preço.

Lavínia se virou dentro de seu abraço. Por mais que fosse uma delícia observar a metrópole ao longe, sempre preferia olhar para Finn e para seus olhos castanhos.

— O que você vai fazer quando esse dia chegar? Quando escapar da cidade?

— Criar cavalos de raça, treiná-los, dar aulas para as pessoas sobre como cuidar deles, como montá-los. — Ele deu de ombros, como se tivesse ficado constrangido, mas continuou: — Eu não sei os detalhes, mas sei que quero trabalhar com cavalos. Às vezes fico tão triste quando saio do abatedouro. Desprezo o que faço, mesmo quando me convenço de que é necessário.

Lavínia entrelaçou os dedos nas mechas de seu cabelo grosso.

— Sabe, acho que você tem um coração muito gentil. Percebi naquele primeiro dia. Acho que é por isso que aceitei acompanhá-lo de bom grado. Você não gosta de causar dor.

— Eu lhe causei dor, na noite passada.

Ela se levantou na ponta dos pés e mordiscou seu queixo.

— Não foi você quem causou a dor. Foi a mãe natureza. Também doeu para você?

Finn riu baixinho.

— Não.

Embora não quisesse que ele sentisse qualquer desconforto, era um tanto irritante que só as mulheres sofressem.

— Isso não é justo. Por que o mundo não pode ser justo?

Finn beijou o topo de sua cabeça, a testa, a ponta do nariz.

— Eu não sei, Vivi. Mas o que sei é que quero fazer amor com a lua brilhando sobre nós. Aqui, onde não tem ninguém para ver. Só nós, a brisa e o céu.

— E Sophie.

Ele gargalhou.

— E Sophie. Mas ela prometeu que não vai olhar.

— Você discutiu o assunto com ela?

— Eu discuto tudo com ela. Você a ama muito, então sinto como se estivesse conversando com você.

— Ah, Finn...

Enrolando os dedos no cabelo dele, Lavínia puxou seu rosto até que pudesse beijá-lo. Ela o queria por inteiro. Pensou em como deveria ser raro poder se abrir tanto para uma pessoa, oferecer o coração e a alma com completo abandono, sem temer nada, porque a confiança era absoluta.

Despiram a roupa um do outro com pressa, até que cada centímetro dos corpos estivesse banhado pelo luar, como se aquele brilho os acariciasse. Ali, entre as sombras e luzes, o corpo de Finn era a imagem mais sensual e linda que ela já vira, infinitas vezes mais artística do que qualquer pintura ou escultura.

Quando ele a deitou no amontoado de roupas e se acomodou entre suas coxas, Lavínia estava mais que pronta para recebê-lo. Era impossível não acreditar que seu corpo tinha sido feito para abraçar e abrigar o dele, e o de mais ninguém. Estavam igualmente ávidos, as mãos acariciando em desalento, as bocas se provando, palavras carinhosas reverberando na noite.

— Tão linda.

— Tão bonito.

— Tão macia.

— Tão forte.

— Eu amo a maciez da sua pele.

— Eu adoro a dureza dos seus músculos… e de outras coisas.

Os risos saíram baixos e profundos, sensuais e pervertidos.

— Vamos, Vivi. Diga "pênis".

Ela gargalhou.

— Não consigo.

— Diga, ou não vou dar o que você quer.

— Você não faria isso.

— Não mesmo. Por que eu negaria o prazer a nós dois?

Então, foi tomada pelo diabo que existia dentro dela.

— Pênis.

Finn soltou um grunhido de vitória e redenção enquanto a penetrava fundo, decidido. Ela gritou com a alegria absoluta de senti-lo abrindo e preenchendo seu interior.

Moveram-se juntos, em um ritmo perfeito que acelerou até ambos começarem a uivar para a lua, dominados pelo prazer. Ela só conseguiu pensar em como queria aquilo para sempre.

Tinha visto Lavínia todas as noites durante duas semanas, mesmo tendo menos tempo quando ela precisava comparecer a algum baile. Mas não era o suficiente. Nunca seria.

Sempre que falavam do futuro, era sobre os planos dele, sobre o que ele queria fazer da vida… Nunca sobre os dela, porque ambos sabiam o que o futuro dela reservava: um casamento com um lorde e a obrigação de gerar um herdeiro. Só de pensar em outro homem a tocando, ficava tão aflito que não sabia como sobreviveria, quando a hora chegasse. Impossível não se perguntar se também seria tão horrível para ela, se Lavínia fecharia os olhos e fingiria que era Finn entre suas pernas, unindo o corpo ao dela, penetrando-a e derramando sua semente em seu íntimo.

Não conseguia imaginar como era ter a vida planejada desde o momento em que nascera. Se o pai não o tivesse levado para Ettie Trewlove, talvez sua vida fosse como a dela. De muitas maneiras, apesar de sua existência humilde, era muito mais livre que Lavínia. Podia fazer o que bem quisesse, e o que queria era pedir a ela para fazer o mesmo, para se libertar e agir de forma independente.

O pensamento o apavorava. O que planejara para aquela noite mudaria tudo entre os dois, para melhor ou para pior. Mas não podia continuar daquele jeito por muito mais tempo.

Enquanto esperava, esfregou a palma das mãos suadas na roupa. Era a primeira vez que desejava um bom par de luvas de cavalheiro. Mas tudo o que ele tinha eram as luvas com as quais trabalhava, e nunca a tocaria com aquilo. Andou de um lado para o outro, respirando fundo.

Quando ela deslizou para fora da casa, o nervosismo aumentou. Lavínia era tão bonita, tão refinada e tão superior... mesmo que não se visse assim. Ele a amava com todo seu ser, de todo o coração. Pertencia a ela, como se tivesse marcado com o toque de ferro daquelas mãos delicadas.

Ela se afastou da casa.

— Finn?

Notou a preocupação e a dúvida ecoarem no sussurro dela, e só então percebeu que ainda estava parado. Sentia como se os pés estivessem enraizados no chão.

— Aqui — chamou, em voz baixa.

Foi andando depressa até ela, alcançando-a antes das próprias palavras.

A alegria no rosto dela causou uma pontada em seu peito. Não conseguia imaginar outra pessoa que o olharia daquele jeito.

Naquela noite, Sophie era novamente o meio de transporte. Mas, como estava na fase da lua nova, tinha trazido uma lamparina.

— Para onde vamos? — sussurrou ela.

Toda noite a levava para algum lugar diferente: outra colina, um vale, algum jardim perto de alguma vila.

A resposta para a pergunta era sempre a mesma.

— Você vai ver.

A conversa se tornara mais um de seus rituais nos últimos dois anos.

Não cavalgaram por muito tempo até Finn parar com Sophie nos estábulos atrás de uma residência enorme. Ele desceu da égua, aterrissando no chão sem fazer barulho. Passou as mãos pela cintura de Vivi para ajudá-la a descer, outro ritual. Nos últimos tempos, sua vida era guiada por aqueles rituais.

— Onde estamos? — perguntou ela, assim que seus pés tocaram o chão.

— Não importa, mas tem o jardim mais bonito que já vi.

Mexeu na sela e pegou a lamparina usada para roubos, com os três lados fechados, então acendeu a vela lá dentro e a ergueu bem alto.

— Você não está pensando em entrar na casa, está?

— O dono não está. Só tem alguns servos e todos já estão na cama. Não vamos demorar.

Queria um lugar especial, que fosse agradar uma mulher e que embelezasse a lembrança. Tinha pensado em algum parque, mas muitos eram trancados depois da meia-noite e não havia garantia de que não seriam perturbados se conseguissem entrar. Além disso, dera alguns xelins ao mordomo para garantir que o portão estivesse destrancado e que nenhum dos funcionários ficasse curioso se visse a luz no jardim.

Segurou a mão dela e tentou puxá-la, mas Lavínia resistiu.

— Finn…

— Vivi, eu tenho permissão.

— Por que não disse antes?

— Achei que a adrenalina fosse tornar a noite mais inesquecível.

Ela sorriu.

— Toda noite com você é inesquecível.

Apertando a mão dele, permitiu que Finn a conduzisse para o jardim exuberante e verdejante.

— Acho que conheço este lugar — comentou ela. — É a mansão de um lorde?

— Um duque, na verdade, mas, como ele é solteiro, acho que não recebe muitas visitas. Tive que abater um de seus cavalos recentemente.

— Você conhece todo o tipo de pessoa em seu trabalho, não é?

— Se têm cavalo, eventualmente nossos serviços serão necessários. Mas não vamos discutir isso hoje.

Deslizando o braço ao redor da cintura fina dela, Finn a guiou na direção do lugar que originalmente capturara sua atenção e imaginação.

— Ó, meu Deus! Um lindo lago com uma ponte. É maravilhoso!

A fragrância das inúmeras flores ainda pairava no ar. Finn também notara aquilo quando visitara o local pela primeira vez. Aromas como aquele eram difíceis de encontrar em Whitechapel.

Caminhou com ela até a ponte e colocou a lamparina perto de seus pés. Queria envolvê-la em seus braços, mas, em vez disso, ficou ao lado dela, examinando o rosto de Lavínia.

— Acha que tem peixes no lago? — perguntou ela.

— Acho que sim. Mas não do tipo que se come.

Ela riu baixinho.

— Não, suspeito que não sejam para pesca.

Finn fechou os olhos por um minuto, reunindo coragem. Quando os abriu, percebeu que toda a coragem de que precisava estava parada bem ao lado dele.

— Provavelmente nunca terei nada tão chique quanto tudo isso — murmurou.

Lavínia desviou a atenção do lago, abriu um sorriso caloroso e estendeu a mão para afastar uma mecha de cabelo da testa dele.

— Não, mas vai ter seu lugar longe da cidade, de onde poderá olhar para Londres.

Ele engoliu em seco.

— A residência não será tão chique como esta mansão, e os jardins não serão tão elaborados, mas, se você estivesse lá comigo, não importa quão pequeno ou insignificante possa ser para os outros... para mim seria o palácio mais grandioso do mundo.

Ela pestanejou. A boca se abriu em um pequeno "O".

Finn se ajoelhou, tomando a mão dela.

— Eu amo você, Vivi, e sei que não tenho o direito de pedir, mas se me desse a honra de ser minha esposa, juro que trabalharei como o diabo para que você nunca se arrependa da decisão.

Lavínia levou a mão aos lábios. A luz da lamparina refletiu nas lágrimas de seus olhos verdes.

— Eu não posso mais continuar com isso, compartilhando planos para o meu futuro, quando tudo que quero é compartilhar planos para o *nosso* futuro.

— Ah, Finn...

Lavínia meneou a cabeça, e ele sentiu uma pequena rachadura se formar em seu coração.

— Eu sei o que estou pedindo, Vivi. Estou pedindo para você abandonar tudo o que conhece, porque não acho que eu seria bem-vindo ou aceito pela nobreza. Sei que sou um bastardo egoísta...

— Não, não, Finn!

A rachadura aumentou.

— Se você é egoísta, então eu também sou, porque você é tudo que eu quero — afirmou ela. — Sim, eu aceito me casar com você. Sim! Sim!

A rachadura se curou num passe de mágica, como se nunca tivesse existido. Ele se levantou e a tomou nos braços, dando-lhe um beijo intenso e ávido. Então, recuou.

— Vou comprar um anel. Vai ser simples...

— Pode ser um pedaço de linha. Eu não me importo. Quando?

— Vou falar com seu pai amanhã.

Os olhos verdes se encheram de uma tristeza tão imensa que o coração de Finn quase se partiu.

— Acho que meus pais não vão permitir, e muito menos aceitarão você, mesmo se eu confessar que já nos deitamos juntos.

— Então fuja comigo. Hoje à noite, agora.

Lavínia passou suas mãos pelo rosto dele e, quando a encarou nos olhos, Finn se deu conta de que olharia para aquelas esmeraldas pelo resto da vida, até seu último suspiro.

— Eu não trouxe nada comigo.

— Eu compro o que você precisar.

— Suas moedas são preciosas e tenho algumas coisas que prefiro não abandonar. Precisamos ser adultos, responsáveis. E tenho que escrever uma carta para meus pais, para que não se preocupem comigo nem procurem por nós. Amanhã à noite, à meia-noite. O que acha?

— Eu estarei lá, esperando.

Capítulo 11

1871

De braços cruzados, envolto pelas sombras da meia-noite, Finn estava recostado na parede de um prédio em frente ao orfanato da igreja, observando. Era a terceira noite seguida em vigília, e se esforçava para não pensar em como aquilo lhe era familiar, evocando as muitas horas que esperara por ela quando jovem e apaixonado. E fazia o esforço ainda maior de não lembrar como era estar apaixonado, levantar todos os dias com otimismo e esperança, acreditar que o mundo estava cheio de coisas boas esperando para acontecer, sonhar que ela andaria ao seu lado — que, juntos, conquistariam o mundo.

Finn nem sabia por que estava fazendo aquilo, por que sentia a necessidade de protegê-la. Era tolice ficar ali, noite após noite, sem saber se Lavínia tinha marcado de encontrar alguém. Talvez ela tivesse desistido da missão. Talvez tivesse voltado para casa, onde era o seu lugar.

Mas, se não voltara para casa em três meses, por que voltaria agora? Se a mulher tinha ido a Whitechapel em busca de aventura, já deveria estar cansada. A garota que conhecera não teria ficado mais que algumas horas ali, não quando percebesse as dificuldades que a esperavam. Porém, a mulher que ela se tornara parecia decidida a permanecer. Estava perplexo e intrigado, e ambos os sentimentos o irritavam. Mas a irritação maior era consigo mesmo, por estar de vigília com a neblina a rodeá-lo, trazendo umidade e frio.

Era um tolo ainda maior do que fora oito anos antes. Deveria deixar a empreitada de lado e resolver os próprios compromissos da noite. Até que ouviu passos abafados de saltos batendo na pedra, ecoando do outro lado do portão de ferro. Seu coração acelerou, descontrolado, enquanto todos os músculos feitos para lutar e proteger, para golpear e ser golpeado, endureciam em preparação para atacar, se fosse preciso.

Até que viu Lavínia, o capuz da capa sobre a cabeça, ocultando o rosto. Finn não precisava ver suas feições para saber que era ela. Reconhecia o contorno do corpo, as curvas que tanto acariciara... A memória lembrava que antes havia mais curvas. Ela estava mais magra, mas ainda tinha a mesma silhueta.

Lavínia saiu, fechou o portão e seguiu pela rua a passos firmes, sem nem hesitar.

— Tolinha... — sussurrou, antes de se afastar da parede e segui-la.

Ela andava a passos tão silenciosos quanto os dele, ciente de cada som que perturbava a noite, sempre olhando ao redor e prestando atenção em cada detalhe.

Por que Lavínia se importava com aquelas crianças que nem eram dela? Por que estava vivendo quase na pobreza? Por que não se casara com um dos duques mais poderosos da Inglaterra? Thornley, com seu dinheiro, poder e influência, poderia ajudá-la na missão de fazer o bem. O casamento teria tornado a vida dela muito mais fácil. Por que Lavínia escolhera o caminho mais complicado?

Ela virou uma esquina, e Finn acelerou o passo. A rua estava movimentada com o povo que saía das tavernas e bares, cambaleando a caminho de casa ou oferecendo seus serviços. O riso de Ribald reverberou pelo ar. Ele se perguntou se Lavínia tinha ideia de onde estava indo.

Um homem agarrou o braço dela, e Finn quase tropeçou com a intensidade da fúria que o arrebatou. Lavínia se soltou e empurrou o sujeito com tanta força que ele cambaleou alguns passos, então seguiu em frente. O troglodita se endireitou e fez menção de segui-la.

Finn agarrou o maldito, derrubando-o com um soco. Metendo o dedo na cara dele, mandou:

— Some daqui.

Endireitou-se e se preparou para seguir Lavínia, já acelerando o passo. Até que olhou em volta, tentando avistá-la entre a multidão cada vez mais densa, uma angústia crescente apertando seu peito.

Onde ela estava? Onde?

Finn empurrou as pessoas para fora do caminho, avançando como um louco, e se forçou a correr mais rápido, como se o problema fosse sua lerdeza.

Não estava correndo o suficiente. Deixou qualquer tentativa de discrição para trás. Seus passos já não eram mais silenciosos. Até que voltou uma sensação que desconhecia já fazia oito anos: pânico.

Lavínia tinha desaparecido.

Eram três homens imensos, com rostos tão medonhos que até as sombras os evitavam. Lavínia suspeitava que poderiam ter sido belos se a vida tivesse sido melhor com eles, mas o desencanto, a ganância e o desejo de ferir tinham moldado as feições para refletir o interior da alma. Um deles a agarrara e arrastara para o beco entre os dois prédios, os outros seguiram, as risadas ecoando pelas paredes de tijolos. Não tivera a chance de desembainhar o espadim antes de ter os braços imobilizados atrás das costas, mãos musculosas contendo seus pulsos, à guisa de algemas.

Sabendo que Finn a seguia — avistara-o logo ao sair pelos portões do orfanato —, ficara irritada e distraída e não prestara tanta atenção como deveria. Com isso, acabara naquela situação complicada. Bem, ainda estava longe de entrar em pânico. Contanto que não perdesse o controle dos pensamentos, teria uma boa chance de sair daquela enrascada.

— Ora, não é que você é gracinha? — zombou o menor do grupo.

— Eu tenho dinheiro — anunciou, com firmeza.

— Quer nos pagar para usar seu corpo? — perguntou o sujeito que segurava suas mãos.

Lavínia quase engasgou com o fedor do hálito dele.

— Pago para que me deixem em paz.

— Ah, menina idiota... Vamos pegar seu dinheiro, mas antes...

O troglodita a segurava perto demais, de forma que Lavínia não conseguiria acertá-lo com uma joelhada, então teve que se contentar em pisar com força no pé dele, cravando o salto na carne. Com um berro de dor, o sujeito a soltou apenas o suficiente para que ela escapasse e sacasse a lâmina escondida na bota. O menor dos três avançou em sua direção, mas Lavínia abriu um talho na mão dele com um golpe vertical. O homem recuou, uivando de dor. O terceiro se posicionou para atacar, mudando o peso de uma perna para a outra, como um lutador de boxe.

O rosnado de uma besta selvagem ecoou ao redor deles, e o homem desabou no chão tão rápido que Lavínia mal conseguia registrar que alguém estava em cima dele.

Até que o sujeito com bafo se recuperou do pisão e partiu de novo para cima dela. Lavínia ergueu a faca, preparada para afundá-la no homem.

De repente, o sujeito foi puxado para trás. O "creck" de um osso sendo quebrado retumbou no ar pouco antes de o troglodita ser atirado para o lado como um saco de lixo. O menor dos captores saiu correndo. Lavínia, ofegante, se deu conta de que estava acabado.

De repente, viu alguém de pé diante dela, estendendo a mão, tocando sua bochecha.

— Vivi!

A palavra solitária saiu em um tom tão carregado de preocupação que sua mente foi jogada de volta para oito anos antes, quando acreditava que seus dias e noites seriam preenchidos com o som daquela voz.

— Finn!

Sem pensar nem se importar, caiu nos braços dele, que se inclinou sobre ela. O abraço foi tão apertado que Lavínia conseguiu enterrar o nariz na pele macia do pescoço dele, inspirando o cheiro reconfortante de couro e de cavalo — o cheiro *dele*. Finn ainda tinha o mesmo perfume de quando o conhecera. Saber que aquela característica dele permanecera imutável durante todos aqueles anos a deixou ao mesmo tempo feliz e irritada.

Finn esfregou o queixo ao longo de sua testa, e Lavínia sentiu a barba espessa que cobria o rosto dele, se enroscando no cabelo. Finn agora tinha barba de homem, não os escassos e macios pelos da juventude. Ele mudara durante os anos em que ficaram separados, e ficou grata ao perceber que restava pouco do rapaz de antes; assim ainda podia pensar no garoto sem ver o homem. Podia separar os dois, refletir sobre as lembranças doces, ter um *antes* e um *depois* de quando fora abandonada.

O *depois* era aquele momento. Mesmo que Finn já tivesse vindo ao seu resgate em duas ocasiões. As memórias se assentaram, e Lavínia o empurrou para sair do abraço.

— Obrigada pela ajuda.

Tentou se afastar, mas seus joelhos quase cederam. Amaldiçoou os membros fracos, que tinham decidido amolecer como geleia. Ele agarrou seu braço com a mão enorme, ajudando-a a ficar de pé. Como podia estar tão calmo, tão inabalável?

— Você se machucou? — perguntou Finn.

— Não, eu estou bem.

Estava em choque, tremendo como vara verde, mas, tirando isso, estava bem. Com delicadeza, afastou-se do toque dele.

— Eu tenho que ir. Estão me esperando.

Pegou a bengala do chão e voltou para a rua principal, feliz por estar em um lugar mais movimentado — e por ele voltar a segui-la. Não seria dissuadida de sua tarefa, mas estava incrivelmente tentada a voltar para o orfanato.

— Vivi, o que você está fazendo é loucura.

— Você me pegou em duas noites ruins. Eu nunca tinha tido problemas.

— Mas mesmo assim carregava armas, então sabia da possibilidade.

— Sim, é uma possibilidade. Sempre é. Mas estou preparada. Eu sei lutar, Finn.

Ele deu um suspiro tão forte que, se não estivesse de capuz, Lavínia teria sentido seu cabelo se agitando, fazendo calafrios deliciosos descerem por suas costas. Mas não ia pensar nisso.

— Você não precisa me seguir.

— Eu não tenho mais nada para fazer no momento.

Com o caminho já memorizado, Lavínia continuou pela rua tortuosa. Visitara o local mais cedo, naquele dia, procurando por áreas de possíveis perigos, mas não pensara que o local poderia estar atulhado com a escória da sociedade. Nunca visitara aquela parte de Whitechapel, não conhecia o lugar, por isso que o investigara antes. Quanto mais andava, mais casebres e pessoas em condição de extrema pobreza surgiam. Os cortiços. A mãe ficaria chocada se a visse ali.

— Você cresceu em uma área como esta?

— Não tão ruim assim.

Lavínia assentiu, então continuou até chegar ao beco certo. Estava atrasada, e ficou desapontada por não encontrar a mulher esperando por ela. Andando pelo caminho que levava à escuridão, só podia torcer para que a mulher também estivesse atrasada.

— Você deveria ter trazido uma lâmpada — comentou ele.

— Isso não iluminaria apenas os cantos escuros, mas também meu rosto. Acredite ou não, eu me esforço para não chamar atenção. Mesmo achando improvável encontrar com alguém de minha antiga vida por aqui, os homens que meu irmão contratou espalharam panfletos com a minha imagem. Prefiro não arriscar ser reconhecida. Como você mesmo mencionou na outra noite, quinhentas libras é uma bela grana.

— Talvez você devesse dizer ao seu irmão para desistir.

Ela quase sorriu.

— Já fiz isso. Não exatamente com estas palavras, mas escrevo para ele toda semana assegurando-lhe que estou bem e pedindo que pare de me procurar. Mas, como sempre, desde o momento em que nasci, meus desejos dificilmente são atendidos.

Encostado na parede, com o brilho da lâmpada da rua iluminando apenas um lado de seu corpo, um pé cruzado sobre o outro e os braços cruzados, Finn parecia incrivelmente masculino.

— Qual é o propósito disso tudo?

— Eu já disse. Não suporto a ideia de essas crianças serem assassinadas.

— Nem todas as mulheres matam as crianças sob seus cuidados. Minha mãe não matou.

— Mas muitas matam. E as que não fazem isso... quantas amam de verdade as crianças? Você viu aquelas mulheres, na outra noite. Não poderia haver exemplo tão oposto ao ideal de maternidade.

— Pareciam estar lutando para continuar recebendo crianças.

Lavínia soltou uma risada irônica.

— Estavam lutando para continuar recebendo moedas, não pelas crianças que são colocadas sob seus cuidados. Elas medem o valor de um bebê com base em quantos xelins conseguem, não pela alegria que vai trazer.

— Você vê isso tudo com muita amargura.

— Você me ensinou isso. E li alguns artigos sobre essa prática. É medonho o que acontece com algumas dessas crianças.

— Você não pode salvar todas.

— Mas posso salvar algumas. Prefiro isso a não salvar nenhuma.

Finn sentiu a determinação na voz dela, e foi impossível não admirá-la. Contrariando a sensatez, ele se acomodou e ficou olhando enquanto ela andava em círculos, três passos para um lado e três para o outro. Deveria ir embora. Tinha negócios a fazer. Mas fora tão bom segurá-la em seus braços, inspirar seu perfume doce. Lavínia podia não ter mais dinheiro para comprar o perfume caro de antes, mas, de tanto usá-lo, o aroma já devia estar entranhado na pele; tinha se tornado parte dela — a parte que ainda permanecia a mesma. Ou, talvez, fosse alguma falha na memória se empolgando com a sua presença.

Finn ouviu um sino soar duas vezes ao longe. Duas da manhã. Por que ela não aceitava a realidade? Por que estava sendo tão teimosa?

— Quanto tempo você vai esperar?

— O tempo que for preciso.

— Você disse que estava atrasada. Ela já deve ter vindo e foi embora.

Cerrando as mãos em punhos, Lavínia se virou de frente para ele e avançou, saindo das sombras, a luz distante iluminando suas feições adoráveis.

— Está falando por experiência própria? É assim que lida com as coisas? Aparece para um encontro, mas vai embora quando a pessoa se atrasa um pouco?

— Como assim?

Impulsionada por uma força sobre a qual não tinha controle, Lavínia avançou com uma velocidade que o pegou de surpresa.

— Eu fiquei esperando você! Esperei até o dia amanhecer. — Finn via claramente a angústia no rosto dela. Nunca a vira tão aflita. — Sei que estava vinte minutos atrasada. Mas eu não valia alguns minutos de preocupação, de paciência? Não achou que talvez algo estivesse me atrasando? Quantos minutos você esperou antes de decidir me abandonar?

Cada palavra que Lavínia lançava era um golpe em sua cabeça, seu coração, seu peito.

— Você esperou?

— Achei que sua carroça tivesse quebrado, ou talvez que o cavalo tivesse se machucado, algo do tipo... mas você não apareceu e nem me mandou uma só mensagem. Simplesmente me abandonou. Ou será que apenas não se deu ao trabalho de aparecer? Era tudo brincadeira? Depois que tomou a única coisa minha de valor, deixei de ter serventia? Foi isso? O humilde bastardo conseguiu deflorar a filha do conde. Foi o que contou aos seus companheiros? Isso fez de você mais homem?

Ele se desencostou da parede.

— Eu estava lá, Vivi. Cheguei ao toque da meia-noite, como prometi.

— Então, por Deus, por que não esperou por mim?

— Porque seu pai estava lá. E ele me levou preso.

Capítulo 12

Se algum dia pensara que seu coração não era mais que cacos, as palavras dele provaram que dava para destruir tudo ainda mais. Não conseguia nem respirar de tanta dor.

— Não... — sussurrou, horrorizada. — Não é possível.

— Eu tinha acabado de entrar no jardim quando fui abordado por policiais e amarrado como um peru de Natal. Então, seu pai saiu das sombras. Eu me lembro do que ele disse. Aquelas palavras ficaram gravadas na minha mente, repetindo sem parar. "Minha filha não quer mais nada com você." Achei que você tivesse contado sobre mim, sobre nossos planos.

Cada palavra era um golpe que ameaçava deixá-la de joelhos. Lavínia estendeu a mão para ele, mas então recuou, sem saber se Finn aceitaria seu toque.

— Não, Finn. Eu não contei a ninguém.

— Não sei como, Vivi, mas ele sabia. E fez questão de me levar preso.

— Ai, meu Deus!

As lágrimas arderam em seus olhos. Não se importava mais se ele queria ou não seu toque. Simplesmente encostou a palma na bochecha dele.

— Meu pobre Finn...

Mas aquele toque não era o suficiente. Deslizou os braços ao redor do pescoço dele e o abraçou.

— Eu sinto muito. Eu não sabia. Ele nunca me disse uma só palavra.

Finn retribuiu o abraço, agarrando-se a ela como se tivesse passado esse tempo todo à deriva e alguém finalmente lhe jogasse uma corda.

— Achei que você sabia — explicou, rouco. — Achei que fosse culpa sua.

— Não, meu amor.

O carinho inesperado, proferido em um soluço, veio das profundezas de sua alma, e ela sentiu uma necessidade repentina de consolar a pessoa que outrora fora dona de seu coração.

— Deve ter sido horrível!

Agarrou-se a ele, tentando compreender as mudanças em suas emoções. Ia sumindo o ódio que nutrira, a decepção que sofrera, o despedaçar de seu coração, que de alguma forma sobrevivera àquilo tudo. Achava que sofria sozinha, mas Finn vivera seus próprios tormentos.

— Quanto tempo? — quis saber, a voz carregada de dor por tudo o que ele sofrera. — Quanto tempo você ficou preso?

— Cinco anos.

As palavras cortaram sua alma.

— Não, não, não...

Lavínia não conseguia encontrar palavras fortes o suficiente para transmitir a intensidade de seu desespero pelo que Finn sofrera nas mãos de seu pai, pelo desejo de fugirem juntos ter custado tanto.

Recuando, Finn segurou o rosto dela, encarando-a nos olhos verdes, os polegares gentilmente limpando as lágrimas que escorriam pelas bochechas delicadas dela.

— Não chore. Foi há muito tempo.

Lavínia balançou a cabeça.

— Não é tanto tempo, Finn. Por que você não me mandou nenhuma mensagem?

— Achei que fosse o que você queria. Que esperava se livrar de mim. Que, quando chegou a hora, decidiu que não queria ficar com um bastardo.

— Ah, Finn! — Lavínia passou os dedos pelo cabelo dele. — Eu não queria mais nada além de estar com você. Miriam tinha conseguido empacotar tanta coisa...

Lavínia ficou muda, cogitando a possibilidade que surgia em sua mente.

— Ai, meu Deus! Ela sabia! Será que contou ao meu pai?

Finn meneou a cabeça.

— Não sei, Vivi. Foi descuido meu levar Sophie depois... Foi logo depois...

— Depois de terem feito amor pela primeira vez. — Talvez algum menino do estábulo tenha nos visto.

— O menino do estábulo não sabia que iríamos fugir à meia-noite. Miriam sabia. Eu confiei nela, contei tudo. E isso custou muito caro a você.

— A nós — corrigiu ele, sombrio.

E como custara… Lavínia nem sequer podia revelar a extensão do preço que tinham pagado, não naquele momento, não quando sabia o quanto Finn sofrera por amá-la. Ele olhou em volta.

— A pessoa que você veio encontrar não vai aparecer. E você está tremendo de frio. Vamos para algum lugar mais quente.

Mais uma vez, Finn fez seu coração doer. Depois de tudo o que sofrera, tudo o que revelara, ainda estava preocupado por ela estar tomando friagem. Lavínia de fato tremia, mas não pelo frio da madrugada, e sim pela devastação de descobrir o que acontecera naquela fatídica noite.

Finn passou o braço pela cintura dela, apertando-a junto ao corpo enquanto a conduzia para fora do beco e para a rua. Tinha menos gente agora, e a folia diminuíra. A quietude combinava com o humor dela. Seu mundo já tinha sido feliz e colorido, animado por uma promessa, mas, naquele momento, estava condenado a ser cinzento para sempre. O mundo de Finn deveria ser muito mais escuro...

— Oi! — gritou ele, soltando sua mão e saltando para o meio da rua, barrando o caminho de uma carruagem.

O cocheiro parou. Finn recitou o endereço do orfanato da igreja enquanto a colocava no coche e subiu atrás dela. Sua mão, tão quente, tão forte, deslizou pela dela, parando na coxa, como se ele precisasse de algum contato, qualquer que fosse.

— Eu fui tão idiota, Finn. Só pode ter sido Miriam.

— Por que ela trairia sua confiança?

Lavínia queria se sentar no colo dele e abraçá-lo com força, protegê-lo de tudo o que ele devia ter sofrido.

— Se eu fugisse, ela perderia a posição de criada da filha de um conde, prestes a se tornar duquesa. Miriam voltaria a ser uma simples criada. Ela estava pensando no próprio futuro. Eu fui tão burra...

— Você não foi burra.

— Então fui o quê? Estava tão preocupada comigo mesma que nem considerei que Miriam pudesse ver minha felicidade como um risco. E foi você quem pagou por isso. Meu Deus. Meu Deus…

As lágrimas retornaram com mais força quando o imaginou trancado em uma cela, longe da família.

— O quanto você deve ter me odiado... — A raiva dele deve ter sido muito maior que o desprezo que ela sentira. Deixou escapar uma risada embargada antes de completar: — Ainda assim, depois de tudo isso, você veio em meu socorro duas vezes. — Acariciou o queixo dele com a mão livre. — Essa sua gentileza... Que bom que não acabaram com isso.

Pelo menos não completamente. Lavínia não podia negar que Finn tinha um ar mais severo do que quando jovem.

— Sinto muito por ter batido em você, na outra noite.

Finn pegou a mão e virou-a, dando um beijo no centro da palma, os olhos castanhos vidrado nos dela.

— Você pensou que eu tinha te abandonado. Eu teria entendido se tivesse me furado com o espadim.

Lavínia enterrou o rosto no ombro dele e aceitou de bom grado os braços que a envolveram dentro da carruagem apertada. O silêncio caiu ao redor deles, reconfortante. Quantas vezes estiveram juntos sem precisar de palavras? Ali, na carruagem, era como se cada um estivesse viajando através das próprias lembranças, esforçando-se para ver aquela última noite de forma diferente, como se por um caleidoscópio, transformando tudo, de modo que as peças se encaixassem em uma coisa completamente diferente. O que ela sempre soubera, o que sempre acreditara, não era verdade.

Finalmente, chegaram ao destino e desembarcaram. Com a mão aninhada na dele, Lavínia o conduziu pelo portão — as irmãs nunca trancavam; eram muito otimistas — e deu a volta na casa até a entrada da cozinha, onde deixara uma lamparina solitária na mesa, usada principalmente para preparar comida. As irmãs não tinham empregados e cuidavam de tudo sozinhas.

Quando fechou a porta, em vez de soltar a mão dela, Finn a puxou para si como se estivessem prestes a valsar. As mãos pousaram de leve na lombar dela, que agarrou seus braços fortes. Lavínia teve que inclinar a cabeça ligeiramente para trás para encará-lo, para ver aqueles olhos castanhos que lembravam chocolate quente.

— Posso botar água para ferver — sussurrou. — Chá sempre melhora tudo.

— É o que minha mãe diz, mas acho que uísque funciona melhor.

— Infelizmente não temos muito disso por aqui.

Estendendo os dedos trêmulos, Lavínia tocou a ferida no queixo dele, um lembrete de que o machucara.

— Eu sinto muito, Finn.

— Sem mais desculpas, Vivi. Nenhum de nós teve culpa. Fomos enganados.

Não sabia se poderia acreditar naquilo. Se não tivesse contado a Miriam...

— Eu quero saber, quero entender tudo.

Viu uma infinidade de emoções nas profundezas daqueles olhos castanhos e soube que, algumas coisas, ele não compartilharia.

— Vamos nos sentar? — sugeriu.

Ele assentiu e a soltou. Sem se incomodar em tirar o casaco, Lavínia sentou--se em uma cadeira ao lado da mesa, indicando que ele se acomodasse à sua frente. Quando Finn se sentou, ela estendeu as mãos, com as palmas para cima. Foi um alívio quando ele pegou as mãos dela. Fechou os dedos sobre as veias elevadas e os músculos tensos, um indicativo de como ele era forte. Soltou um longo suspiro.

— Mal consigo respirar quando penso em você na prisão.

— Então não pense. Não contei para que você ficasse imaginando os horrores que passei. Você só precisa entender onde eu estava. Saber por que não apareci.

Ela assentiu.

— Compreendo que a nobreza tem muito poder, mas pedir às autoridades que mandem um homem para a prisão sem motivo...

— Ele me acusou de roubar um cavalo.

Lavínia sentiu o estômago embrulhar.

— Como ele pôde? Como conseguiu mentir?

— Talvez tenha pensado que estava protegendo você.

— A mim? Não. Se meu pai estava protegendo algo, era a própria reputação. Estava se esforçando para manter a imagem intacta. A vergonha que teria sofrido se soubessem que a filha fugira com um plebeu. — Lavínia apertou as mãos dele. — Não vi nada no jornal sobre sua prisão.

— Acho que seu pai garantiu que nada fosse mencionado. Ou talvez meus irmãos tenham cuidado disso. Não seria bom para os negócios da família se corresse a notícia de que um Trewlove era ladrão. Na época, eu não me importava.

Porque achava que era o que ela queria. Lavínia se esforçou para não lamentar a injustiça de tudo aquilo. As lágrimas voltaram a seus olhos.

— Chega de lágrimas, Vivi. Ver você chorar parte meu coração.

— Mas dói, Finn. Dói saber que ele fez isso com você, e eu não soube de nada. Achei que você tivesse me abandonado, mas a verdade é que eu que o abandonei.

— Você não sabia.

— Mas sinto como se deveria ter sabido. Eu estava com raiva, mas era pela pessoa errada. Deveria ter sido dirigida a meu pai, que não está mais aqui para sofrer minha ira.

Desejou poder confrontar o pai, fazê-lo confessar tudo, mas ele falecera alguns anos antes.

— A prisão deve ter sido horrível.

— Foi melhor que o planejado, que era a deportação.

Sabia que criminosos por vezes eram deportados da Inglaterra para a Austrália.

— Como você conseguiu evitar a punição?

— Aiden. Ele conversou com nosso pai, convenceu-o a usar sua influência para que minha sentença fosse alterada, reduzida. Não sei bem como conseguiu, o que ele deve ter negociado em troca do favor. Ele não fala no assunto, não me diz o preço que pagou, mas sei que custou muito caro... E ele não quer que eu me sinta em dívida. — Finn traçou um dedo na palma dela, como se tivesse acabado de descobrir uma nova linha. — Mas, mesmo assim, quero recompensá-lo.

E Lavínia também estava em dívida com Aiden, pelo que ele fizera para poupar o irmão de um destino pior — um destino que era apenas culpa dela.

— Na noite anterior, minha mãe foi ao meu quarto de repente, pouco antes da meia-noite. Ela não pareceu surpresa ao me ver ainda vestida, mas nunca me deu muita atenção, então não desconfiei. Ela queria falar sobre... — Lavínia cravou as unhas na própria testa, forçando-se a pensar com mais clareza, a lembrar exatamente a conversa — um recital para Thornley me ouvir cantar. Fingi que me importava, que era uma ideia esplêndida, mas, no fundo, estava gritando de alegria porque nunca mais teria que ir a nenhum recital. Nunca mais teria que assumir um papel que não queria.

— Você já estava prometida a ele quando concordou em se casar comigo?

Lavínia negou com a cabeça.

— Não. Nossos pais assinaram um acordo, mas o duque ainda precisava pedir minha mão. E não estávamos com pressa. Acho que sabíamos que não combinávamos. No início desse ano, tentamos nos forçar a casar. Oficializamos tudo e ficamos noivos em junho. Mas, no fim das contas, não consegui.

Lavínia o encarou, muito séria, sem se preocupar em disfarçar a fúria.

— Minha mãe deveria estar de conluio com meu pai, deve ter ido ao meu quarto para atrasar minha partida. Como os dois puderam ser tão traiçoeiros, tão cruéis? E esconder tudo de mim... E minha criada também! Tenho certeza de que foi ela. Foi Miriam quem me consolou, quando achei que você não tinha aparecido. Ah, que ousadia! Ela me convenceu de que nenhum cavalheiro compraria a vaca depois de já ter bebido o leite.

— Ah, Vivi. De tudo o que estou lhe contando, só peço que acredite nisso: depois de provar o leite, eu mais que queria a bendita vaca.

Ela deixou escapar uma gargalhada, então cobriu a boca. Não conseguia lembrar a última vez que rira tanto, mas os olhos de Finn brilhavam de alegria, como se estivesse se lembrando de um tempo mais alegre e feliz.

Muito devagar, como se temesse que ela pudesse se afastar, Finn estendeu a mão e tocou os lábios dela com um dedo.

— Sempre amei sua risada.

— Passou um bom tempo trancada.

Ele acariciou seu lábio inferior com o polegar, e Lavínia quase mordeu a ponta, lembrando o gosto salgado da pele dele e o quanto tinha adorado o sabor. Mas não era a hora. Estavam feridos, só tinham descoberto aquela noite que a causa de sua dor era diferente da que passaram anos acreditando que fosse. Finn segurou a mão dela outra vez.

— A prisão foi muito horrível?

— Foi solitária. Fui mandado para Pentonville. Na teoria, é uma prisão modelo, mas, na verdade, é apenas um lugar cruel. Vivíamos em isolamento. Quando saíamos para passear, no pátio, tínhamos de usar capuzes marrons e não podíamos falar uns com os outros. Os homens enlouqueciam, Vivi. Por um tempo, achei que também enlouqueceria.

— Ai, meu Deus!

Lavínia levou a mão dele aos lábios e beijou os dedos. Queria chorar mais uma vez por tudo o que ele havia passado.

— Eu sinto muito, Finn. Se pudesse voltar no tempo, não teria contado a ninguém.

— Mas, então, como teria conseguido se vestir para a nossa visita à taverna de Gillie?

Finn se esforçava para fazê-la se sentir melhor, mas como poderia amenizar a culpa depois de saber o quanto ele sofrera?

— Passei muito tempo pensando sobre aquela noite, em como você estava bonita.

Pelo calor que sentia nas bochechas, Lavínia soube que estava corando.

— Achei que você tivesse gostado mais do meu vestido de baile.

— Aquela noite foi mais um sonho.

Tinha sido, mesmo. Uma noite mágica e fantástica. Quando dançaram juntos. Quando ele a visitou no quarto.

— Estou surpresa por seus irmãos não terem me confrontado — confessou ela.

— Eu os proibi. Convenci a todos de que eu mesmo cuidaria do assunto, quando fosse libertado.

— Mas você não me confrontou quando saiu da prisão.

Finn deu de ombros.

— Depois de cinco anos, eu simplesmente queria esquecer tudo...

— Não posso culpá-lo.

Finn se inclinou para a frente e acariciou sua bochecha.

— Mas, agora, só acho que desperdicei três anos. Se tivesse ido conversar com você e exigido uma explicação, teríamos descoberto a verdade muito mais cedo. E você estaria de volta na minha vida. Poderíamos ter continuado de onde paramos.

Lavínia não estava tão confiante dessa conclusão. Tinha passado por muita coisa durante os cinco anos em que ele estivera na prisão, coisas que a mudaram para sempre. Se ele soubesse de tudo, talvez concluísse que não se importava mais nem um pouco com ela.

— Senhorita Kent?

Lavínia se levantou de um pulo quando ouviu a irmã Theresa e quase derrubou a cadeira. Percebeu que Finn também ficou de pé. Sabia que ele a encarava, mesmo que não pudesse vê-lo. Sentia o olhar dele arrepiando os pelos da sua nuca. Finn com certeza estava confuso com o nome por que Lavínia tinha sido chamada, mas é que nunca revelara às freiras que era da nobreza.

— Ah, irmã. Você me assustou.

— É um pouco tarde para a visita de um cavalheiro.

Com o coração ainda descompassado, Lavínia assentiu, desesperada.

— O sr. Trewlove me resgatou quando fui atacada por alguns bandidos. Eu estava agradecendo com um pouco de chá. — Esperava que a irmã não notasse que não havia chá algum. — Uma oferta insignificante em troca da minha vida, mas é o que pude oferecer.

— Gostaria que você parasse com essas excursões tarde da noite — advertiu a irmã Theresa.

— Vou tomar mais cuidado. Levarei o sr. Trewlove até a saída.

Ela se virou para Finn, indicando a porta.

— Adeus, irmã — despediu-se, categórico.

— Sr. Trewlove, sua família é bem conhecida em Whitechapel. Qual deles é você?

— Finn.

— Já nos encontramos? Tem algo familiar sobre você.

— Não que eu me lembre, irmã.

— Bem, muitas vezes confundo as pessoas. Agradeço por ter salvado a srta. Kent. Ela é muito amada por todos aqui. Boa noite, senhor. Vá com Deus.

Lavínia seguiu Finn até o portão.

— Sinto muito que nossa conversa tenha sido interrompida tão de repente, mas acho que ela não teria ido embora com você ali.

— Pare de se desculpar, Vivi. — Ele sorriu, o sorriso familiar de sua juventude. — E eu sempre posso entrar escondido…

— Eu divido um quarto com uma das irmãs.

— Que pena.

Lavínia passou os dedos pelo cabelo dele.

— Sinto muito pelo que minha família fez a você. E essas palavras parecem tão inúteis, tão inadequadas.

— O que fazemos agora, Vivi?

— Retornamos nossas vidas separadas.

— Você não acha que podemos recomeçar de onde paramos?

— Não. Se você sentiu metade da raiva, do ressentimento e… do ódio que eu senti por você nesses oito anos… se esses sentimentos também infeccionaram dentro de você, como aconteceu comigo, acho que não há mais jeito para nós. Nós mudamos, Finn, você sabe disso. As circunstâncias nos fizeram mudar. Não somos mais aquelas pessoas. Meus pais cuidaram bem disso. Que o diabo os carregue!

Lavínia tocou o rosto dele uma última vez.

— Mas saiba de uma coisa: eu amei você, com todo o meu coração. E, naquela noite, eu queria mesmo fugir com você.

O Clube Cerberus nunca fechava, então Finn sabia que encontraria o irmão em algum lugar ali. Se não no escritório, então no quarto onde ele dormia. Aiden vivia e respirava o clube. Só não estava lá quando visitava a taverna de Gillie para uma cerveja.

Caminhando pelas diversas salas, notou que o local estava cheio — bem, estava sempre assim. O clube atraía plebeus e os menos influentes da nobreza — segundos, terceiros e quartos filhos, bem como aqueles que não tinham mais crédito nos estabelecimentos respeitáveis ou que tinham sido banidos. Havia até algumas mulheres, e tão habilidosas quanto os homens que as cercavam. Para Aiden, moedas não tinham gênero. Não se importava com a mão que as entregava, contanto que fossem entregues.

Avistou o irmão de pé, no patamar superior, olhando para seu domínio, exalando a mesma de confiança e poder que Zeus deveria ter ao observar o mundo do alto do Monte Olimpo. Todos sabiam que Aiden não era um homem a ser contrariado. Algo nele alertava às pessoas que tomassem cuidado. Isso desde quando ele era garoto, quando jogava nas ruas, levando o dinheiro das pessoas que achavam que poderiam adivinhar sob qual das três xícaras Aiden tinha colocado a ervilha. Suas mãos sempre foram rápidas demais — não ao mover as xícaras, mas ao esconder a ervilha sem que percebessem.

Finn subiu a escada escondida que apenas aqueles que trabalhavam para Aiden conheciam e usavam. Quando chegou ao segundo andar, foi até o irmão.

— Boa clientela hoje, e estamos só nas primeiras horas da manhã.

— Vou até tomar um banho de uísque. Como foi a sua noite?

— Esclarecedora. Será que poderíamos conversar?

— Claro.

Finn olhou em volta.

— Eu estava pensando em algum lugar mais privado.

Aiden riu baixo.

— Ninguém pode nos ouvir aqui.

— Não, mas podem ver, e você não é o melhor em controlar o temperamento.

— Não estou gostando nada disso. Não vamos brigar, vamos?

Já tinham resolvido as diferenças com os punhos mais de uma vez.

— Espero que não, mas depende de quão sensato você é.

Aiden sorriu.

— Onde está a graça em ser sensato?

Ainda assim, seguiu até seu escritório e se sentou à sua mesa, enquanto Finn ocupava a cadeira, em frente. O assento era de couro, muito acolchoado e extremamente confortável. Aiden gostava de conforto.

— Você nunca respondeu quando perguntei, mas esta noite eu preciso saber. Que barganha fez com o nosso pai para garantir que eu não fosse deportado?

O irmão franziu o cenho enquanto balançava a mão sobre a mesa, como se enxotasse uma mosca chata.

— Não se preocupe com isso. Eu já disse antes que paguei de bom grado.

— Aiden, esta noite descobri algumas informações de quando fui preso e senti uma necessidade repentina de saber tudo. Na época, não pressionei muito porque a situação era desagradável de encarar, ou ao menos assim eu pensava. Mas tentar deixar as coisas morrerem foi um grande desserviço para muitos. Por favor. Qual foi a barganha que você fez?

Aiden se recostou na cadeira, apoiou a cabeça no encosto e olhou para o teto. Finalmente, expirou pesadamente, abaixou a cabeça e encontrou o olhar de Finn.

— Sessenta por cento dos meus lucros do Clube Cerberus.

— Você não pode estar falando sério. Não pode ter sido tolo a ponto de…

Aiden se levantou como um raio.

— Ele não ia fazer merda nenhuma para ajudar você, não ia levantar nem um maldito dedo! Você é filho dele! Não dou a mínima se nascemos do lado errado do cobertor. Ele não deveria se importar com isso. Ele fodeu nossas mães e pensou que estaria livre de nós largando um pouco de dinheiro na mão de Ettie Trewlove? Não funciona assim. O sangue dele corre em nossas veias.

Aiden estava quase ofegante. Era uma questão em que nunca concordaram. Aiden se ressentia do pai com todos os ossos de seu corpo, enquanto Finn não dava a mínima.

— As autoridades iam mandar você para o outro lado do mundo. Eu não podia permitir uma coisa dessas. — Ele desabou de volta na cadeira. — Eu sabia que ele estava com problemas financeiros, então usei a informação para conseguir o que eu queria. O que eu precisava.

— Mas sessenta por cento...

Aiden deu de ombros.

— Eu ofereci cinquenta. Nosso maldito pai é um negociador difícil, mais bastardo do que qualquer um de nós. Mas valeu a pena, Finn. Eu teria aceitado noventa.

— E me chama de tolo!

— Eu amo você, irmão.

Parecendo constrangido com a última declaração, Aiden se ocupou em servir uísque em dois copos.

— Você é tudo que eu tenho.

— Você tem Mick, Fera e...

— Não é a mesma coisa. — Ele empurrou para Finn. — Não temos o mesmo sangue. Não me entenda mal. Amo todos, morreria por eles. Mas nós dois temos um vínculo muito mais profundo do que qualquer coisa que compartilho com eles.

Depois de engolir um pouco de uísque, Aiden largou o copo na mesa e passou o dedo pela borda de vidro. Finn via as engrenagens girando em sua mente.

— Por que a curiosidade? — perguntou. — Você perguntou quando saiu da prisão, e ficou contente quando não respondi. Por que insistir? Que informação é essa que veio à tona?

— Ela não me traiu, Aiden.

— Ah, meu Deus! Estamos falando do seu casinho? Você encontrou com ela, falou com ela? Que bem pode vir disso? É claro que aquela vadia ardilosa mentiria...

— Ela não mentiria, não para mim. E não a chame dessa forma. Não posso aceitar.

Aiden revirou os olhos.

— Se ela não o traiu, então quem foi?

— Ela acha que pode ter sido sua criada. Era a única outra pessoa que sabia que planejávamos fugir juntos.

— A empregada... — Ele zombou. — Os ricos sempre culpam os trabalhadores.

Era uma coisa estranha que ambos tivessem uma opinião tão baixa sobre a aristocracia, quando dois de seus irmãos tinham se casado com pessoas da nobreza, e Finn tinha se apaixonado por uma dama.

— Talvez eu tenha sido descuidado.

— Impossível, irmão.

— Eu era jovem, Aiden. Não tão cauteloso quanto agora.

— Você sempre foi cauteloso.

Finn não estava com vontade de discutir. Tomando um gole de uísque, tentou se lembrar de como era naquela época, como, na empolgação de ver Vivi, jogara a cautela ao vento. Entretanto, Aiden estava certo. Nunca fora muito imprudente. Mas não tinha certeza se podia dizer o mesmo do irmão. Tomou outro gole lento de uísque e esperou enquanto o líquido queimava na garganta.

— Então, por quanto tempo você tem que dar sessenta por cento de seu lucro ao filho da puta de nosso pai?

— Para sempre.

— Meu Deus, Aiden!

Ele riu.

— Sabe que já pensei em contratar alguns crupiês habilidosos que poderiam garantir prejuízo à casa. Quis perder tudo, só para lhe negar qualquer ganho.

— Mas você ama este lugar.

— Amo.

— Talvez pudéssemos transferir sua dívida para mim.

— Você não dará um único centavo a esse homem. Não vá falar com ele, Finn. Ele vai dar um jeito de fazer você pagar o que não deve. Ele é bom nisso.

Ele assentiu.

— A vida não é justa. O marido da nossa mãe parecia um bom homem e morreu jovem. O conde é um patife de primeira ordem e ainda respira.

— Vou igualar as coisas. Não se preocupe. Só deixe comigo. Você vai se casar com a garota?

Negando, Finn tomou outro gole, a bebida queimando as entranhas, e esperou pela dormência que viria.

— Ela se sente responsável pelo que aconteceu comigo. Diz que nós dois mudamos muito, que não somos mais os mesmos. E está certa. Eu amava a garota que ela era. Não sei como me sinto sobre a mulher que se tornou. Ela está diferente. Mais dura, mas ainda generosa. Não consigo entender... Não entendo por que ela escolheu esse caminho.

— Você fala como um homem apaixonado.

— Intrigado, na verdade. Você precisava ver para entender, Aiden.

— Não quero estar nem a milhares de quilômetros de distância dela.

— Bom, isso é impossível. Ela está morando no orfanato das Irmãs da Misericórdia, não muito longe daqui.

— Ela não pode estar feliz lá.

— Estranhamente, ela parece em paz...

— Apaixonado — resmungou Aiden com desgosto.

— Eu não estou apaixonado.

E não estava, mas não podia negar que fora reconfortante sentar-se com ela à mesa de madeira na cozinha quente, ficar de mãos dadas, conversar. Em outros tempos, imaginara os dois morando juntos, com ela preparando suas refeições. Nunca lhe ocorrera que uma dama da nobreza não sabia cozinhar. Quão jovem e inocente ele tinha sido... Se tivessem casado, sem dúvida teriam morrido de fome. O que estava pensando, achando que ela se contentaria em viver na miséria que ele tinha a oferecer?

Mas acreditara que seria bom, que seriam felizes. Depois de descobrir que Lavínia não o traíra, Finn não podia deixar de lamentar o que poderiam ter vivido. Ele se perguntou se ainda existia alguma parte da garota de antes. Se, juntos, poderiam novamente recuperar o que tinham perdido.

Capítulo 13

Com as mãos entrelaçadas à frente do corpo, para passar a impressão de que estava muito arrependida, Lavínia parou diante da mesa da irmã Theresa. A mulher a estudava com os olhos escuros de corvo. Nunca fora fã de pássaros. Embora tivesse grande estima pela irmã, não gostava de como se sentia insegura sob seu olhar. Era uma mulher adulta, não uma garota de 17 anos que planejava fugir com um plebeu.

— Srta. Kent, tenho que admitir que fiquei um pouco preocupada em encontrar um cavalheiro na cozinha no meio da madrugada.

— Como expliquei, ele me ajudou muito, e pensei que uma xícara de chá fosse uma obrigação. Como agradecimento, sabe?

E porque precisavam discutir assuntos relacionados a um passado que se mostrou diferente do que pensavam.

— Mas, quando cheguei, ele estava aqui tempo o suficiente para beber o chá e você limpar as coisas, e o chá nem chegou a ser servido.

Lavínia apetou os lábios.

— Descobri que ele preferia uísque, então apenas conversamos.

— Entendo. Sei que você sente que tem uma missão, mas esses compromissos tarde da noite não são perigosos apenas para a sua pessoa. Temo que também sejam uma ameaça à sua alma.

A alma dela já estava condenada, mas não confessaria isso à irmã.

— Garanto-lhe que nada de desagradável ocorreu entre mim e o sr. Trewlove ontem à noite.

— Ainda assim, você não deve permitir que ele ou qualquer outro homem entre nesta casa. Não à noite, nem a qualquer hora. Muito menos sem a presença de um acompanhante.

— Não nos veremos novamente. Foi um dos motivos para nossa conversa. Deixamos o passado para trás.

— Entendo. E chegaram a um entendimento?

— Sim.

A irmã Theresa a analisou, e Lavínia teve a incômoda sensação de que a mulher era capaz de adentrar seu corpo e descobrir todas as suas mentiras e segredos — segredos que não compartilhara com Finn, mas que carregaria para sempre.

— Ele é bem bonitão.

Lavínia não acreditou nas palavras daquela mulher sentada tão empertigada e analítica do outro lado da mesa.

— Feche a boca, srta. Kent. Não é lisonjeiro parecer um peixe caído na margem do rio.

Nem percebera que estava de queixo caído, mas obedeceu.

— Desculpe, irmã. Eu só...

— Sou uma irmã da Misericórdia, mas também sou mulher. Eu diria que o sr. Trewlove deve ter levado boa parte do nosso gênero à tentação.

Lavínia não tinha certeza se fora levada à tentação. Diria que encontrara o caminho sozinha e correra por ele até os braços de Finn.

— Não estou interessada nele. Tenho apenas uma preocupação: as crianças.

— Um esforço digno. No entanto, eu me pergunto se você não está se escondendo de alguma coisa.

— Da minha família. Eu disse isso quando vim para cá.

— Temo que você esteja se escondendo de algo mais... pessoal. Algo mais profundo. Talvez precise voltar para casa e resolver essas questões por lá.

— Minha mãe é uma mulher incrivelmente rigorosa.

Mais de uma vez, a mãe a trancara no quarto até que "recuperasse o bom senso".

— A maioria das mães é, mas você não pode se esconder para sempre. Reúna sua coragem e, quando estiver pronta, saiba que estará com Deus.

Lavínia fez uma pequena reverência, em uma rápida flexão dos joelhos.

— Obrigada, irmã.

Saiu do cômodo e foi até a pequena escrivaninha no escritório apertado que as irmãs lhe permitiam usar quando estava trabalhando em sua missão. A única salvação da pequena sala era que a janela dava para os jardins dos fundos, onde as crianças brincavam. As risadas enchiam sua alma.

Com os jornais espalhados à frente, vasculhou os anúncios das viúvas que procuravam crianças de saúde frágil. "Saúde frágil" era uma das frases utilizadas para identificar as mulheres que aceitavam bebês em troca de moedas. Poderiam receber o mais saudável dos bebês, mas, com o tempo, ele pereceria por problemas de "saúde frágil". Era raro provar que a morte fora resultado de negligência. Bebês morriam, e muitos por causas naturais.

Em geral, Lavínia era mais rápida na tarefa de ler e circular os anúncios que chamavam sua atenção, que respondia com uma carta que, se desse certo, resultaria em um encontro. Porém, sua mente não parava de revisitar os acontecimentos e revelações da noite anterior.

Não conseguira dormir, pois todas as lembranças que tinha de Finn voltavam à tona quando fechava os olhos. Lavínia o vira como antes, terno e doce. Então, o homem no qual ele se transformara adentrava sua mente, e não era mais o garoto que ela amava, e sim um adulto que não conhecia. Estava certa em desencorajar qualquer coisa entre os dois. No entanto, de repente, sentia falta dele, queria saber tudo a seu respeito. Tantos arrependimentos, tantos momentos perdidos...

Balançando a cabeça, voltou a atenção para a tarefa e localizou um anúncio que parecia promissor. Fechou os olhos com força. "Promissor" era para coisas maravilhosas, não terríveis. Desejou que não houvesse anúncios, que não houvesse necessidade de mulheres receberem bastardos. Muitos orfanatos recusavam crianças ilegítimas, como se elas fossem responsáveis pela própria condição, então Lavínia entendia a necessidade, mas sem dúvidas havia maneiras melhores de lidar com aquilo. Estava entrevistando mulheres que tinham dado à luz fora do casamento, bem como alguma das viúvas que conhecera, na esperança de escrever uma série de artigos que fariam o Parlamento perceber a urgência de uma reforma na legislação que zelava sobre os mais inocentes.

Ao estender a mão para pegar um pedaço de papel e responder ao anúncio, ouviu risadas mais altas e alegres vindo de fora da janela. O som enchia seu coração de alegria, renovava sua alma e fazia as tarefas que a aguardavam não serem tão horríveis. Sua missão de fazer o bem poderia não apagar todos os seus pecados, mas o riso das crianças resgatadas diminuía um pouco do peso.

Passos em disparada ecoaram pelo corredor, cada vez mais alto, até que a pequena Daisy entrou no escritório.

— Senhorita Kent! Tem um cavalo!

Lavínia franziu a testa.

— Como assim?

— O homem está aí com um cavalo, o mais limpo que já se viu. É todo branco!

O coração de Lavínia bateu com força.

— Um cavalo? — repetiu, como se nem soubesse o que era aquilo.

Daisy balançou a cabeça com tanta força que as tranças loiras bateram em seus ombros.

— Podemos andar nele no jardim!

Empurrou a cadeira para trás, surpresa ao notar que os joelhos quase cederem quando se levantou. Não podia ser o cavalo que estava pensando. Não poderia ser o homem que estava pensando. Mas, quando chegou à janela, descobriu que eram. Sophie e Finn. A graciosa Sophie e o belo Finn. Ele usava roupas casuais e o mesmo chapéu que ela se lembrava da juventude, além de uma jaqueta marrom e simples caindo sobre os ombros largos.

E conduzia a égua pelo jardim com três crianças — uma menina e dois meninos — na garupa, os sorrisos tão radiantes que o coração de Lavínia doeu. Uma coisa tão simples, mas que trazia tanta alegria...

Não gostou muito do prazer que percorreu seu corpo ao ver que ele estava de volta. Esperava nunca mais vê-lo, pensou que tivera sido clara sobre o assunto... mas talvez Finn tivesse detectado a mentira em sua voz. Porque a verdade era que, sentada na cozinha, na noite anterior, sentira, pela primeira vez em anos, uma centelha de felicidade. Finn não a abandonara. A garota ferida dentro dela chorara com a descoberta, enquanto a mulher que se tornara reconhecia que ambos haviam mudado demais para voltar ao que tinham sido.

Dedos minúsculos agarraram os dela.

— Vamos lá, srta. Kent. Ele vai deixar você andar também.

Não, não, ela não podia ir lá, não podia dar a ele a liberdade de derreter seu coração de novo. Não podia arriscar causar ainda mais dor.

Outro puxão.

— Senhorita Kent?

Ela sorriu para a criança preciosa.

— Vá na frente. Eu preciso de um minuto.

Um minuto para erguer um escudo em volta do próprio coração.

Finn não sabia dizer por que tinha ido ao orfanato. Decidira por impulso. Tinha sido uma obsessão que estava corroendo seu intestino e penetrando sua alma — o pensamento de que poderia finalmente vê-la como sempre sonhara: de dia, banhada pela luz do sol. Como planejara fazer no dia seguinte à noite em que teriam fugido juntos.

Naquela manhã, quando acordou de um sono agitado e viu a neblina da madrugada se desvanecendo sob a magia do sol, soube que o dia seria glorioso para passeios no parque e em barcos ao longo do Tâmisa. Um raro dia em que o outono estava determinado a reluzir antes de ceder aos dias mais sombrios do inverno. O ar estava mais fresco, mais fácil de respirar...

Até que Lavínia apareceu no jardim.

Era como se a lua tivesse se esparramado pelo cabelo dela, abrigando-se ali até que a noite chegasse e ela pudesse voltar ao céu. A pele clara irradiava vitalidade. As bochechas estavam coradas. Quando ela se aproximou, viu a felicidade brilhando em seus olhos verdes — não eram tão escuros quanto sempre imaginara. O brilho do sol encolhia as pupilas, e ele se viu mergulhado em um mar esmeralda. Notou uma linha preta que circulava a borda externa da íris verde, algo que nunca reparara antes, nem mesmo quando Lavínia estivera embaixo dele, com os olhos arregalados de prazer enquanto se moviam juntos e criavam faíscas — uma memória que, mesmo anos mais tarde, o deixava perigosamente próximo de uma ereção.

As crianças pulavam ao redor dele, ansiosas para chamar sua atenção, querendo ter sua vez na égua. Mas Finn parecia incapaz de tirar os olhos *dela.*

Lavínia parou a vários centímetros de distância, mas perto o suficiente para que ele pudesse ver as bordas desgastadas de seu colarinho e punhos. Não queria nem pensar em Lavínia vasculhando as roupas descartadas de outra pessoa, procurando algo que pudesse mantê-la aquecida quando os ventos frios do inverno chegassem.

Seus olhares se encontraram, assim como quando ele a deitara de costas e cobrira seu corpo feminino com o dele, quando segurara seu rosto delicado entre as mãos ásperas e dissera que a amava. Que sempre amaria.

— Sophie ainda está com você — disse, numa voz tranquila, quase reverente, como se ele tivesse acabado de realizar algum milagre.

Saber o quanto suas ações a agradavam o deixou sem palavras.

— Fui à fábrica do seu irmão para vê-la, mas ela não estava mais lá.

E Finn podia muito bem imaginar que Lavínia tinha pensado que também perdera a égua.

— Posso?

Ela apontou para o cavalo.

Finn sentia um nó na garganta, dificultando que engolisse e falasse, então apenas assentiu. Ficou olhando Lavínia dar a volta nele, pegar o cabresto e acariciar o focinho da égua.

— Olá, minha querida. Ah, como senti sua falta!

Finn torceu para que tivesse sentido falta dele também.

— Quer montar nela?

Lavínia olhou para as crianças.

— Não quero estragar a diversão. Mas não me importaria de andar ao lado dela.

Finn colocou outras três crianças em Sophie e as conduziu pelo redor do jardim. Vivi andava do outro lado da égua; ele não conseguia vê-la muito bem através da barreira da cabeça de Sophie. Ela com certeza escolhera aquela posição para manter uma distância entre eles.

— Srta. Kent! Srta. Kent! — gritou uma garota pequenina, correndo até ela. — Eu quero fazer carinho nele.

Sem hesitar, Lavínia pegou a menina nos braços.

— É ela.

— Como você sabe?

— Sim, *srta. Kent* — interveio Finn, dando um passo à frente do cavalo para encará-la. — Explique *isso*.

Lavínia corou, e Finn percebeu que nunca tinha visto suas bochechas tão rosadas. Nenhum chapéu protegia o rosto delicado, e ele se perguntou se ela ainda usava algum. Nenhuma luva protegia as mãos delicadas, e ela também não usava luvas nas noites em que ele a vira. Teria aberto mão de todas as suas posses?

— Porque ela me contou que é uma menina — respondeu Lavínia à menina loira de olhos azuis, que não deveria ter mais de quatro anos e era magra como um palito.

Imaginou Vivi com uma filha muito parecida. Ela já deveria ter os próprios filhos, deveria estar casada…

Aceitando a explicação, a garota estendeu a mão e acariciou o focinho de Sophie. Vivi ergueu o nariz, arrogante, e, pela primeira vez em anos, Finn riu com gosto por ter sido derrotado.

— Notei ontem à noite que se referem a você como "srta. Kent".

— Achei melhor ser discreta em relação ao status da minha família.

Finn olhou em volta, examinando o ambiente modesto.

— Está aprendendo os votos para se tornar uma freira?

— Não. Não sou digna dessa vida.

— Isso é besteira, mas fico feliz em ouvir. Você é sensual demais para entregar a vida ao celibato.

— Este não é um assunto apropriado para conversar perto de crianças.

— Essas crianças que você… recolhe. Elas são cuidadas aqui?

— Sim. Mas estamos ficando sem espaço. São tantas crianças, Finn...

— São bem divertidas de fazer. — Ela pareceu chocada com as palavras. — Me desculpe. Eu não queria fazer graça. Sei, por experiência própria, que é um problema. Mas as pessoas não vão contra a natureza.

— Elas precisam ser educadas. Eu deveria escrever panfletos.

— Muitos dos que precisam desses panfletos não sabem ler.

— O que torna tudo um círculo vicioso, não é?

Ele parou a égua perto de uma fila de crianças. Tirou as três que estavam montadas, colocou outras três em cima e voltou a andar com Sophie, feliz por Vivi continuar ao seu lado. Precisava mudar de assunto.

— Por que veio para Whitechapel?

— Porque era muito improvável que encontrasse alguém que conheço. Não é como se duquesas e condessas passeassem por essas ruas.

— E o orfanato da igreja?

— Duas razões. Eu sabia que meu irmão nunca me procuraria entre as freiras. E queria um lugar onde as crianças fossem bem-vindas.

— Você veio aqui com um propósito, sabia o que queria fazer.

— É algo que eu queria fazer há algum tempo, mas demorei para criar coragem. É complicado… Muita coisa aconteceu desde a última vez que nos vimos.

Finn queria saber sobre tudo, assim como, quando jovem, sempre queria saber tudo o que ela fazia no tempo em que passava no interior, longe dele.

— Você assumiu a causa das crianças.

Os olhos verdes o encararam, dominados por uma tristeza profunda.

— Você é responsável por isso. O que me contou naquela noite, no jardim, me tocou profundamente. Nunca esqueci o quanto você parecia envergonhado por algo que não era culpa sua.

As circunstâncias de seu nascimento tinham manchado sua vida. Vivi o fizera se sentir limpo, e imaginou que fazia o mesmo com todas aquelas crianças.

— Você tem algum encontro esta noite?

— Hoje não.

— Então saia comigo.

Viu a batalha que se desenrolava dentro dela entre o desejo de dizer "sim" e a necessidade de dizer "não". Ela negou, hesitante.

— Se os homens que meu irmão contratou...

Ele fez Sophie parar.

— Você não pode passar a vida se escondendo. Eu fui prisioneiro, Vivi. Isso não é jeito de viver. Aposto que nada de ruim vai acontecer, que ninguém vai descobrir que você vale as quinhentas libras mais fáceis do mundo.

— Não será tão fácil. Vou lutar.

— Essa é a minha garota. Então, saia comigo. Vamos passar uma noite agradável, tendo um encontro em um horário razoável, algo que nos foi negado antes. O que você diz?

— Não vai ser a mesma coisa. Não somos mais os mesmos.

— Eu não espero nada de você, Vivi. Vamos só desfrutar da companhia um do outro. Nós dois precisamos de um pouco de diversão.

Ela franziu a testa, e os lábios, sempre curvados num sorriso fácil, se contraíram.

— Fui arruinada por tudo que aconteceu, Finn. Não tenho certeza se você vai gostar da pessoa que me tornei.

— Alguém que luta pelo bem das crianças que muitos veem como dispensáveis? Eu gosto do que estou vendo.

— Não podemos voltar ao que era antes, Finn.

— Não espero por isso. Vamos só passear, dar risadas. Depois, diremos adeus.

— E para onde iríamos?

— É surpresa.

— Finn...

— Você já confiou em mim, Vivi. Confie de novo.

No canto do jardim, junto de madre Margaret, a irmã Theresa observava as crianças correndo ao redor do casal que havia parado o cavalo e parecia estar em uma discussão séria. Havia algo de familiar em Finn Trewlove. O formato do queixo, decidiu. Já tinha segurado um queixinho muito parecido enquanto sussurrava palavras de amor.

— Você conversou com ela? — perguntou madre Margaret, que atribuía as tarefas mais desagradáveis às irmãs, acreditando que a adversidade fortaleceria sua fé.

— Sim. Não posso deixar de acreditar que está se escondendo de alguma coisa...

— Ela está fugindo de alguma coisa, irmã. Talvez, com esse jovem que apareceu de repente, ela finalmente pare de fugir e encontre um rumo.

A irmã Theresa sabia tudo sobre fuga. Às vezes, a pessoa tinha que fugir pelo caminho errado antes de acertar a direção.

Capítulo 14

Dariam um passeio juntos, só para deixar o passado para trás. Embora não considerasse que o convite tivesse uma segunda intenção, desejou ter um vestido mais chique. Só tinha dois, um azul-escuro e outro preto. O azul-escuro foi o escolhido, pois os cantos do colarinho não estavam tão desgastados. Lavínia achava que tinha deixado de lado a vaidade ao escolher uma vida mais simples. Ficou desapontada ao descobrir que tal vaidade estava apenas escondida, e que as atenções de um homem podiam trazê-la de volta à tona.

Esperava que Finn tivesse falado a verdade sobre não ter expectativas em relação àquela noite. Ele devia saber que as estradas que cada um dos dois percorrera os levaram em direções diferentes, que nunca convergiriam.

Recuando do espelho oval pendurado acima do lavatório, tentou olhar melhor para si mesma. Nada de espelhos enormes no orfanato. As irmãs não tinham a necessidade de se verem de corpo inteiro para saber se estavam bem arrumadas. As roupas que utilizavam seguiam um padrão, e não havia muito que pudessem fazer quanto a isso.

— Como vai ajeitar seu cabelo?

Só então notou a irmã Theresa refletida na beira do espelho, próxima à porta. Rindo, um pouco constrangida, Lavínia tocou a trança que enrolara na cabeça.

— Já ajeitei. — E se virou para a irmã. — Não está bom?

— Se eu fosse passar a noite com um cavalheiro, iria querer algo um pouco mais… elaborado. Posso tentar?

Lavínia não conseguiu conter a expressão de surpresa.

— Você precisa aprender a esconder seu choque um pouco melhor, não é nada bonito ficar de boca aberta, feito um peixe. Eu nem sempre usei hábito, sabe? — A irmã entrou no banheiro. — Sente-se.

Lavínia obedeceu e se acomodou na cadeira de madeira. Não havia penteadeira, apenas uma pequena mesa quadrada onde ficava o lavatório. Sentada, não podia se ver no espelho.

Com muita eficiência, a irmã Theresa retirou os grampos e soltou o cabelo loiro. Lavínia quase gemeu de prazer ao sentir alguém passando a escova pelas mechas longas.

— Este jovem é do seu passado — comentou a irmã, tranquila.

— Sim.

— Você o ama?

Aquela era a questão, não era?

— Eu o amei uma vez, mas não somos mais as mesmas pessoas.

— Você não acha que é digna de ser amada?

Desejou ter recusado a oferta de ajuda da irmã; não estava disposta a passar por uma inquisição. No entanto, guardara tudo dentro de si por tanto tempo...

— Nós íamos nos casar, mas não aconteceu, e passei por situações em que fui fraca e covarde. Fiz coisas das quais não me orgulho, irmã.

— E tem medo que ele se decepcione?

— Eu me decepcionaria, se fosse o contrário.

— E vai contar a ele?

— Até quero, mas nada de bom viria disso. Acho que esta noite é apenas uma chance de ter um adeus adequado.

Sentiu a irmã puxar seu cabelo para cima.

— Eu não estaria tão certa disso, srta. Kent. Quando eu era mais jovem, antes mesmo de pensar em fazer meus votos, vendi a alma para que um homem olhasse para mim como o sr. Trewlove olha para você.

O fervor das palavras da irmã a surpreendeu, e Lavínia começou a se virar para encará-la.

— Fique parada — ordenou a irmã Theresa. — Está quase pronto. — Então, a voz se suavizou. — Todos cometemos erros, srta. Kent. O segredo é não deixá-los nos dominarem. Prontinho. Espero que goste.

Lavínia se levantou bem devagar para ver seu reflexo no espelho. O cabelo estava arrumado em um penteado alto, elegante, com cachinhos balançando, soltos, ao redor de seu rosto e pescoço.

— Está muito lindo.

— Ficaria mais bonito com pentes de pérola, mas não temos nenhum.

Lavínia se virou.

— Você já foi a empregada de uma dama?

— Não, srta. Kent. — A irmã Theresa abriu um sorriso melancólico. — Eu já fui uma dama.

— Da nobreza?

A mulher soltou uma risada.

— E existe outro tipo? Ouso dizer que não. Ah, ouvi a aldrava. Acho que seu jovem cavalheiro chegou. Não se feche para as possibilidades, srta. Kent.

Antes que pudesse questionar a irmã sobre essas tais possibilidades, Lavínia foi deixada a sós com seu nervosismo. O amor que sentira por Finn custara cinco anos de vida a ele. O amor que sentira por Finn lhe custara...

Ela se recusava a pensar sobre aquilo. Aproveitaria a noite. Talvez, com um pouco de encorajamento, Finn lhe contaria tudo o que fizera durante os três anos após sua libertação.

Quando pisou no saguão e o viu parado, esperando, percebeu que o que mais queria era saber da vida dele. O que estaria fazendo? Como passava os dias e noites quando não estava atrás dela?

Ele estava bem vestido, com jaqueta, colete, camisa e lenço no pescoço. Não tão chique quanto o que um cavalheiro usaria à noite, mais o tipo de roupa para passear no parque. Na mão, segurava um chapéu.

— E não é que você está adorável? — comentou.

Por que o coração dela precisava ficar descompassado com um simples elogio?

— Vamos?

Ele arqueou a sobrancelha.

— Nenhuma acompanhante?

— Não tenho mais necessidade disso. — Não era uma jovem que precisava ter a inocência protegida. — As irmãs se ofereceram para me acompanhar, mas confio que você não fará nada de mal comigo.

— Ah, Vivi, quando você vai aprender? — Ele deu um sorriso que ameaçou mandar seu coração para oito anos antes. — Um patife como eu não tem conserto.

— A carruagem é sua? — perguntou, quando Finn a ajudou a subir no veículo que esperava por eles na rua.

— De Mick. — Ele se sentou na frente dela, recostado nas almofadas.

— Seu irmão está bem de vida, não é?

— Ele fez por merecer. Trabalhou muito por cada centavo que pesa em seus bolsos.

E estava demolindo e reconstruindo partes mais pobre de Londres. Construíra um hotel enorme que estava ficando bem falado na cidade e se casara com uma jovem aristocrata — embora permanecesse sem título.

— O que você faz, Finn? Ainda trabalha no abatedouro?

— Ir para a prisão por roubo de cavalos pôs fim a essa carreira.

Ela fechou os olhos com força.

— Ah, eu sinto muito...

Finn se inclinou para a frente e pegou a mão dela, desejou que tivesse levado um par de luvas para ela, ficou feliz por não ter feito e apertou os dedos dela.

— Você não tem culpa. Não quero ficar pensando nisso hoje.

Lavínia abriu os olhos. A tristeza neles o teria feito cair de joelhos, se estivesse de pé.

— O que você quer?

Não fazia ideia. Queria voltar no tempo para oito anos atrás. Recomeçar tudo. Mas isso significaria esquecer todos os momentos maravilhosos que tinham passado. Será que conseguiriam retomar o romance, depois de tanto tempo? Para isso, precisariam enfrentar a dor de frente.

— Conversar um pouco, dar risada, beber cerveja, comer... Tudo isso acompanhado de uma bela dama.

Lavínia abriu um meio sorriso.

— Nada de flertes.

— Veremos...

Ela suspirou, e Finn pensou tê-la ouvido se render.

— Se você não trabalha mais em um abatedouro, o que anda fazendo?

— Um pouco disso, um pouco daquilo.

— Que homem misterioso...

Mas, se Finn queria que ela contasse tudo, não poderia esconder a própria história.

— Eu trabalho para Aiden.

— No estabelecimento de jogos?

— Faço diversos trabalhos por lá, mas quase tudo envolve amedrontar as pessoas que lhe devem dinheiro e não parecem dispostas a pagar. Visitei Dearwood recentemente. Cobrei uma garantia dele e ameacei quebrar seu braço se ele não usasse uma tala por algumas semanas.

— É isso o que você faz? Quebra braços?

Ela não parecia horrorizada, e sim triste por a vida dele ter chegado a um ponto nada atraente.

— Precisei socar alguns homens, mas só porque vieram para cima de mim. Ou porque não me levaram a sério. Um nariz ensanguentado passa a mensagem de que não estou para brincadeiras. Eles devem dinheiro ao meu irmão. E têm que pagar. E, de vez em quando, se algum não entende a gravidade da questão, ameaço quebrar o braço dele se não usar uma tala por seis semanas e informar às pessoas que sou o responsável pela suposta fratura. Ajuda minha reputação de um homem que não se deve contrariar.

— Então, Dearwood não entendeu a gravidade das coisas...

Ele deu de ombros.

— Até que entendeu. Então lembrei que não gostei muito dele quando o conheci, anos atrás... — Claro que o fato de ele ter dançado com Lavínia no baile era uma das principais razões para o desafeto. — Então quis zombar um pouco.

Ela abriu um sorrisinho, mas era um começo.

— Nunca gostei de Dearwood. Tem algo de... errado com ele.

— Ele é um palerma.

O sorriso de Lavínia aumentou, e Finn sentiu um gostinho de vitória e gratidão por ainda conseguir fazê-la rir, por Vivi ainda conseguir sentir alegria.

— Como você ganha seu sustento, Vivi?

— Dou aula para as crianças, pela manhã, em troca da minha estadia no orfanato. Ensino leitura, escrita, matemática... O restante do dia, limpo o chão, arrumo as camas, faço o que for preciso. Não que eu esteja reclamando, claro, mas estou procurando uma ocupação que me proporcione um pouco mais que isso. Dinheiro, por exemplo, pois desejo abrir mais abrigos para crianças. São tantas crianças indesejadas, Finn...

O sorriso de antes sumiu, voltando a tristeza.

— Eu sei.

Lavínia fizera daquelas crianças a sua causa, e Finn não pôde deixar de se perguntar se isso teria acontecido se tivessem se casado, anos antes. Provavelmente não. Ela teria uma ninhada de filhos dos dois para criar.

Vivi olhou pela janela.

— Parece que saímos de Londres. Para onde vamos?

— Não muito longe. Fiquei sabendo de uma festa em uma aldeia próxima. Pouco provável que alguém nos reconheça.

Certamente não haveria lordes ou damas presentes para avistá-la ou interrogá-la. A maioria estava longe naquela época, nas casas no interior, a não ser pelos jovens, que preferiam as aventuras na cidade, muitos no estabelecimento de jogos de seu irmão.

Lavínia examinou as mãos, cerradas sobre o colo.

— E tem alguém especial em sua vida?

— Tenho muitas pessoas especiais na minha vida.

Lavínia ergueu a cabeça, abrindo um sorriso fraco.

— Fico feliz.

Então voltou a atenção para a paisagem lá fora.

As coisas entre eles estavam frágeis demais, e o medo de afastá-la o impediu de confessar que, naquele momento, estava olhando para uma dessas pessoas.

Uma onda de prazer a tomou assim que saíram da carruagem, o que só aumentou depois que Finn ofereceu o braço e a conduziu até o centro do festival. Não tinha percebido o quanto precisava daquilo, de se cercar de alegria e felicidade. Nem mesmo o vento frio da noite afetava seu bom humor.

— Eu não vou a um festival desde... minha nossa! Acho que a última vez foi no interior, antes daquele nosso verão fatídico.

Depois daquela noite, quando pensou que Finn a abandonara, começou a se referir ao fato como "verão fatídico" ou "noite fatídica". Depois das descobertas da outra noite, sabia que os termos pertenciam tanto a ela quanto a Finn.

— Quando você me contava sobre sua estadia no campo, nunca mencionou festivais.

— Eu não queria que você pensasse que eu estava me divertindo sem você.

— Vivi, eu não queria que você fosse infeliz quando não estivéssemos juntos. Que bom que você se divertia.

— Eu não disse isso. Eu sempre senti que faltava alguma coisa naqueles festivais, que eles teriam sido muito mais agradáveis com você lá. Você ia a festas como essa enquanto eu estava fora?

— Às vezes.

Ela abriu um sorriso e pressionou a cabeça no ombro dele.

— E não me contou nada.

— Eu ia com meus irmãos. Aiden sempre conseguia encontrar uma moça atrevida para sair com ele.

— E você?

Os olhos castanhos ficaram quentes quando ele a encarou.

— Eu só estava interessado em você, Vivi. Falei isso na época. Mas, se eu tivesse seguido o exemplo de Aiden, talvez nossa primeira vez tivesse sido mais agradável.

— Não achei nossa primeira vez nem um pouco ruim. Bem, acho que você não manteve o celibato depois de mim…

Ele negou antes de voltar a atenção para a multidão.

— Não.

— Estou aliviada por isso, Finn. Não queria que você tivesse passado todos esses anos sozinhos. Você devia estar ansiando por companhia, quando saiu da prisão.

— Eu ansiava por muitas coisas. Nem todas eram boas.

Lavínia desconfiou que ele estava se referindo à vingança, mas, em vez de machucá-la, Finn se mantivera longe.

Um homem saltou de repente na frente deles e começou a fazer malabarismos. Finn jogou uma moeda para ele, e o sujeito a pegou no ar sem soltar uma única bolinha.

— Obrigado, chefia.

Balançando a cabeça enquanto as esferas davam voltas e mais voltas, o malabarista se afastou, chamando atenção das crianças, fazendo-as rir.

— As crianças do orfanato adorariam ver isso — afirmou Lavínia, enquanto Finn a guiava para uma área mais cheia.

Viram dois homens fazendo acrobacias. Um pisava na palma das mãos do outro e era jogado no ar, então dava uma cambalhota antes de aterrissar de pé, e logo repetia o processo. Em seguida, observaram um homem engolindo chamas.

— Por que alguém faria uma coisa dessas? — indagou ela.

— Para ganhar dinheiro.

— Mas é perigoso...

— Acho que tem algum truque.

— Não posso nem imaginar a primeira pessoa que, de repente, pensou: *Seria muito divertido colocar fogo na minha própria boca.*

— Acho que essa pessoa ficaria igualmente perplexa ao ver uma dama da nobreza decidir que é uma grande ideia sair na calada da noite para resgatar crianças.

Não havia censura na voz dele, mas a sobrancelha arqueada deixou Lavínia intrigada. Finn não estava zombando dela. Pelo contrário. Deu a entender que admirava seus esforços. Não fazia aquilo para ser admirada, mas ficou feliz com a aprovação dele.

Um macaco dançando ao som do acordeão do dono chamou sua atenção. De repente, o animalzinho correu até ela e puxou a sua saia enquanto tirava o pequeno chapéu. Finn entregou-lhe um xelim, e Lavínia deixou a moeda cair no chapeuzinho, de onde foi prontamente recuperada. O macaco correu de volta para o dono, escalando-o como se ele fosse uma árvore, e se empoleirou no seu ombro.

— Queria comer alguma coisa e tomar uma cerveja — comentou Finn. — Vamos?

Ele comprou tortas de carne de uma senhora de uma barraca e duas canecas de cerveja de um cavalheiro em outra, então pagou três centavos no aluguel de uma manta de uma jovem sentada perto de uma pequena colina, junto a uma pilha de tecidos. Depois de se acomodarem por cima da manta, Lavínia olhou para a festa, para as tochas que se esforçavam para conter a escuridão. Sentia--se quase livre, sem preocupações, sem problemas.

— Teria sido bom fazer isso quando éramos mais jovens — comentou ele, tranquilo.

Meneando a cabeça, Lavínia deu uma mordida na torta.

— Eu teria pelo menos uma acompanhante.

— Eu poderia ter acertado algumas bolas em garrafas e ganhado algo para você.

Lavínia olhou para ele. Tão masculino e corajoso, sentado com uma perna dobrada à frente, o pulso sobre o joelho, a caneca presa na mão forte. Ele tomou um gole longo e lento de cerveja, e Lavínia ficou muito tentada a remover o lenço de seu pescoço para observar os músculos trabalhando em saciar sua sede.

— Você me deu Sophie. Foi um presente para toda a vida. Não preciso de mais nada.

— Mas eu queria dar mais.

Finn lhe dera muito mais do que podia imaginar.

— Não tenho certeza se é bom relembrar o passado. Éramos tão jovens, tão ingênuos. Eu nunca teria imaginado que a felicidade que compartilhamos poderia trazer tamanha dor. Não consigo parar de pensar em como tudo isso foi horrível para você.

— Poderia ter sido pior.

Ele falava como se amá-la não tivesse lhe custado tudo.

Ficaram um bom tempo em silêncio, comendo a torta de carne e tomando cerveja. Finn tivera que pagar a mais pelo empréstimo das canecas, mas recuperaria o dinheiro assim que fossem devolvidas. Lavínia nunca pensara em como essas coisas eram gerenciadas. Só aproveitava tudo.

— Por que você não volta para casa? — perguntou ele. — Você teria uma vida melhor.

Como fazê-lo entender? Finn compartilhara os horrores de sua vida com ela. Será que Lavínia conseguiria retribuir o gesto?

— Sei que você tem medo de ser forçada a se casar com alguém que não deseja, mas você não é mais criança.

— É mais que isso, Finn. Minha mãe é incrivelmente determinada. Eu não tinha percebido o quanto até...

Fechou os olhos com força, tentando conter as lágrimas cálidas. O peito apertou, o estômago deu um nó. Abrindo os olhos, tomou um gole grande de cerveja, gesto nada digno de uma dama, imaginando se encontraria consolo na bebida, se aquilo a ajudaria a relaxar, a se abrir.

— Se eu lhe contar uma coisa, você tem que me dar a sua palavra de que não vai confrontar a minha mãe.

Finn estreitou os olhos.

— Por que eu iria querer confrontá-la?

— Só prometa. Nem você, nem seus irmãos, nem suas irmãs. Ninguém da sua família pode se aproximar da minha mãe.

Não estava disposta a arriscar a liberdade de Finn, e temia que ele ficasse irritado o suficiente para fazer algo estúpido.

— Eu dou a minha palavra.

— Não se esqueça disso.

Ele assentiu.

Tomando outro gole de cerveja, Lavínia começou a botar tudo em palavras.

— Cerca de um ano depois que nós dois tínhamos planejado fugir, eu me vi incapaz de permanecer naquela casa. Minha mãe e eu vivíamos discutindo, sabe? Certa noite, perdi o controle e dei um tapa nela, bem forte. Comecei a fazer as malas para ir embora, e ela pediu que alguns lacaios me impedissem. Meus pais decidiram que eu havia me tornado indisciplinada demais, selvagem demais. Eu precisava ser castigada, precisava aprender que eles não tolerariam aquele mau comportamento. Então, me mandaram para um sanatório.

A raiva o deixou sem fôlego e sem palavras. Mal notou que derrubara a caneca no chão, na ânsia de abraçar Vivi. Apertou-a como se pudesse protegê-la daquilo, mesmo já sendo tarde demais…

— Meu Deus, Vivi!

Esfregou a bochecha na dela, ciente do leve tremor que percorreu o corpo delicado de Lavínia, agarrada à barra de seu casaco.

— Está tudo bem, Finn — sussurrou. — Assim como o seu tempo na prisão, já é passado.

— Mas as lembranças nunca vão embora, não por completo. Meu Deus, Vivi!

Parecia que usar o nome do Senhor em vão era tudo o que ele conseguia fazer no momento. Até que pensou em outra coisa, então se afastou um pouco, observando o rosto dela enquanto perguntava:

— E Thornley? Onde ele estava durante isso tudo? Por que não impediu sua família?

Teria uma conversa discreta com o cunhado. Uma conversa discreta que envolveria um soco bem forte.

— Ele não sabia. Ninguém soube. Nem meu irmão. Minha mãe disse que eu estava viajando pelo continente com uma tia. Não seria bom que descobrissem que a filha estava louca. E Thorne não era responsável por mim, Finn. Você não pode culpá-lo.

— Por quanto tempo?

— Três anos.

Três anos. Meu Deus! Sabia exatamente quanto valiam três anos sem liberdade. Se o pai dela já não estivesse morto, Finn o mataria.

— Thornley não achou estranho você ficar longe por três anos?

— Ele não tinha pressa em se casar, estava aproveitando a vida. Deve ter ficado aliviado por não precisar me cortejar.

— Se eu soubesse…

— O que você faria, Finn? Da prisão?

Teria dado um jeito de escapar, de salvá-la. Nunca se sentira tão impotente em toda a sua vida… Roçou os dedos ao longo da bochecha suave dela, buscando consolo para os dois.

— Como você sobreviveu a isso?

— Não foi tão ruim quanto poderia. Ah, sofri com banhos de gelo e até fui amarrada vez ou outra. Mas, contanto que eu ficasse quieta e calma, os médicos me deixavam em paz, só ficavam intrigados por não conseguirem determinar o que havia de errado comigo. Foi lá que aprendi a lutar. Embora eu tentasse me manter dócil, nem todos por lá eram gentis.

Finn não podia imaginar o terror que ela devia ter sentido, os horrores que tinha passado.

— É um mundo estranho, Finn. Tinha uma garota que não gostava de mim. Ela me atacava sem motivo. Puxava meu cabelo ou me dava socos na barriga. Me chamava de demônio. Não sei… Talvez, em sua mente, ela visse monstros.

Depois de uma pausa, Lavínia continuou:

— Também tinha um sujeito chamado d'Artagnan. Nunca descobri seu nome verdadeiro. Foi ele que me ensinou a usar o espadim. Só que treinávamos com cabos de vassoura. E ele me ensinou a usar os punhos, a lutar sujo. Fora o fato de acreditar que era o capitão dos mosqueteiros, nunca vi nenhum indício de loucura nele. Depois que fui liberada, voltei ao sanatório para visitá-lo, mas fui informada de que ele tinha voltado para a sua família. Não quiseram me dizer quem ele era. Às vezes, gosto de imaginar que precisaram da ajuda dele na França.

Finn sentiu seu coração dilacerado pelas palavras corajosas, ao ver Lavínia se esforçar tanto para fazer tudo parecer normal. Tocou sua bochecha.

— Quero cometer um assassinato.

Ela abriu um sorriso compreensivo.

— Eu sei. Por isso fiz você prometer que não machucaria minha mãe. — Lavínia colocou a mão sobre o coração dele. — De vez em quando, vejo pedaços do garoto que você era, do garoto que amei tão desesperadamente. Eu sabia que parte de você não aceitaria bem essa notícia.

— Você acha que, se for para casa, sua mãe a mandará de volta para o hospício?

— Para ser sincera, não sei o que ela faria. Mas estou cansada de brigar. Quero viver minha vida de acordo com meus próprios termos. É o que tenho feito nos últimos três meses, desde que abandonei o pobre do Thornley no altar. Ele está loucamente apaixonado pela sua irmã, sabia?

— E deveria estar mesmo. Gillie é uma joia rara.

Lavínia sorriu, e Finn desejou que pudesse manter aquele sorriso no rosto dela para sempre.

— Mas você está feliz, Vivi?

— Tão feliz quanto posso estar, depois de tudo o que aconteceu nos últimos oito anos. Sim, uso roupas de segunda mão... E algumas estão um pouco desgastadas e esfarrapadas e foram remendadas inúmeras vezes. Tenho que me vestir e me banhar sozinha. Tenho menos conforto. Quase nenhum, na verdade. Mas ninguém me diz o que posso ou não fazer. Tomo todas as decisões sobre a minha vida. Pode parecer bobo, Finn, mas o que sinto é... liberdade. — Ela revirou os olhos. — Até certo ponto. Ainda não sei como convencer meu irmão a parar de me procurar. E preciso encontrar um emprego que me permita fazer mais do que estou fazendo. Mas tudo a seu tempo. — Lavínia colocou a mão sobre a dele, ainda em seu rosto. — Diga-me que você está feliz.

Finn não queria mentir. Como poderia estar feliz quando ela era tudo o que sempre quisera, e quando tudo que ela desejava era a liberdade de fazer o que quisesse? Ficara preso por apenas cinco anos, mas começava a entender que Vivi fora prisioneira a vida inteira. Puxou-a para mais perto e beijou sua testa.

— Estou chegando lá.

Capítulo 15

Foi a mão cobrindo a boca do conde de Collinsworth que o acordou de um sono profundo. A pequena pontada de dor na parte inferior do maxilar o manteve imóvel enquanto abria os olhos lentamente. O homem que o encarava ergueu a adaga, pressionou um dedo estendido da mão que segurava a arma sobre os lábios fechados, inclinando a cabeça de leve na direção da condessa, que dormia um sono tranquilo, completamente ignorante do drama que se desenrolava a seu lado.

A mensagem do intruso era clara: coopere, ou ela vai sofrer.

Collinsworth assentiu, num movimento quase imperceptível. Achava que o homem podia sentir o barulho de seu coração reverberando pelo corpo. O intruso ergueu a mão da boca do conde e recuou. O sujeito gesticulou para que Collinsworth saísse da cama.

Desejou que tivesse colocado o pijama depois de fazer amor com a esposa, mas adorava a sensação de sua pele nua contra a dela enquanto dormiam. Por outro lado, sabia que era um espécime impressionante de masculinidade. Talvez aquilo intimidasse o sujeito. Com cuidado, saiu de debaixo das cobertas, tentando não acordar o amor de sua vida. Só se levantou de vez quando pousou os pés no chão acarpetado.

O intruso não pareceu nem um pouco impressionado, mal olhando na direção do orgulho do conde. Em vez disso, pegou o roupão do pé da cama e o jogou para Collinsworth antes de sinalizar que o conde o seguisse para fora do quarto.

Já no corredor, adequadamente coberto, com a porta fechada, Collinsworth se dirigiu ao intruso:

— O que significa isso?

— Quero ter uma conversa — informou o malandro, em um tom casual, como se pedisse que lhe passassem o saleiro. — Vamos à biblioteca.

Collinsworth já atendera ao máximo de ordens que pretendia.

— Este cômodo vai bastar.

Abriu a porta do quarto de dormir em frente ao dele, acendeu as lâmpadas a gás e ficou no centro da sala, os braços cruzados, esperando que o intruso o seguisse e fechasse a porta. Então, estreitou os olhos.

— Você é um Trewlove, não é? Vi você no casamento de sua irmã, mas acho que não fomos apresentados.

— Finn.

Dificilmente uma introdução adequada, mas seu coração voltara a bater normalmente. O sujeito era de uma família que tentava ser aceita pela nobreza, então não se arriscaria a matar um aristocrata.

— E por que invadir minha residência, meu quarto?

— Quero que você dispense seus cães.

— Meus cães? — Aquilo não fazia sentido. — Não tenho cães em Londres.

Finn suspirou e revirou os olhos.

— Os cães que contratou para encontrar lady Lavínia.

Collinsworth gesticulou, impaciente, como se espantasse uma mosca irritante.

— Já os dispensei semanas atrás, a pedido de Thornley.

O duque tinha encontrado com sua irmã e lhe assegurara que ela estava bem, vivendo a vida que desejava. Não fazia sentido para Collinsworth, mas dispensara os homens que contratara para encontrá-la.

— Você a informou disso?

A raiva no tom de Finn fez Collinsworth recuar um passo, com medo de se tornar íntimo do punho dele.

— Eu não tenho ideia de onde ela está, para enviar uma carta. — Então estreitou os olhos novamente, parecendo compreender alguma coisa. — É você... Você é o garoto com quem ela se engraçou, quando era moça.

Sabia apenas que, aos 17 anos, durante sua primeira temporada, Lavínia se envolvera com alguém inadequado. O pai fizera algo para garantir que o canalha — como o conde anterior se referira à pessoa — nunca mais incomodasse Lavínia ou a família. Collinsworth não sabia dos detalhes, só que seu pai providenciara a deportação do sujeito. Depois disso, Collinsworth fora enviado para uma propriedade remota durante um ano, para testar suas capacidades de administrá-la. Quando voltou a Londres, descobriu que a irmã estava viajando pelo continente. Os pais esperavam que o tempo a fizesse esquecer do jovem e a tornasse mais disposta a cumprir com seu dever de casar-se com Thorne. Só que ela viajou por mais três anos, voltando só depois que o pai morreu. Thorne, naturalmente, nunca soubera do jovem. Mas, como na época ainda estava aproveitando a vida, sem pressa de se casar, tudo dera certo. Ou era o que todos pensavam, até Lavínia fugir no dia do casamento.

Em vez de reconhecer o óbvio, Finn disse:

— Você vai escrever uma carta para ela. Eu entrego.

— Você sabe onde ela está?

Trewlove o encarou, e Collinsworth soltou um suspiro.

— Claro que sabe. Ela está bem? Diga pelo menos isso.

— Na medida do possível. Vai ficar melhor quando souber que ninguém está tentando encontrá-la.

— Diga a ela para voltar para casa. Tudo será perdoado.

Finn o encarou com nojo e fúria.

— Ela não fez nada de errado para precisar de perdão.

Ah, sim, aquele com certeza era o rapaz da juventude da irmã — ou talvez fosse um namoro recente. Mas era óbvio que o homem se importava muito com Lavínia. Neville Collinsworth ficou aliviado ao saber que alguém estava cuidando da irmã.

— Não viajaremos para o campo até ela voltar ao seio da família. Achamos que uma hora ela vai recuperar o bom senso…

— Não há nada de errado com ela. Agora escreva a maldita carta.

Uma hora mais tarde, Finn ficou parado no quarto de Vivi, observando-a dormir. Ao contrário da sua companheira de quarto, que roncava alto como uma buzina de trem, Lavínia dormia em silêncio. Durante o sono, parecia quase tão jovem e inocente quanto da primeira vez que a conhecera — só que, depois de tantos anos, uma leve ruga já surgia em sua testa como se, mesmo em sonhos, ela se preocupasse com as crianças ou estivesse revivendo a temporada no hospício. Desejou poder apagar cada momento de dor que ela vivera.

Olhou em volta, examinando o mobiliário escasso. Duas camas que mais pareciam berços, pequenas e estreitas, com estrados de madeira simples de cada lado e colchões finos. Uma mesinha de madeira ao lado de cada cama. Um lavatório, espelho e uma cadeira, também de madeira. Cortinas simplórias na janela. Um quarto deprimente.

Colocou a carta do irmão dela na cabeceira, com a certeza de que, sabendo que estava livre para ir e vir como desejava, Lavínia encontraria emprego em outro lugar e em breve poderia se mudar para acomodações mais confortáveis. Ela não precisava mais ter medo de ser arrastada de volta para a mãe que lhe tratara com tanta crueldade. Se ela não tivesse forçado a promessa dele, mais cedo naquela noite, Finn teria feito uma visitinha à mãe dela também. Ouviu um choramingo quando se virou para sair. Ele congelou e esperou.

Lavínia soltou outro gemido, mais desesperado e alarmante. Olhou para ela. Lavínia remexia a cabeça, agarrando os lençóis, deixando escapar pequenos gemidos. Finn conhecia aqueles barulhos. Fizera-os muitas vezes na prisão, quando tinha pesadelos nos quais o perigo estava sempre à espreita. Na escuridão do sonho, ele se esforçava para gritar por ajuda, mas era como se as cordas vocais estivessem congeladas, como se não funcionassem direito, e ninguém jamais ouviria suas súplicas por socorro.

Colocou a mão no ombro dela, dando uma suave sacudida, inclinou-se para a frente e sussurrou em seu ouvido:

— Shh, está tudo bem. Você está segura. Ninguém mais vai lhe machucar.

Lavínia se acalmou, parou de se debater, e Finn deixou a mão pousada em seu ombro até que a respiração dela voltasse ao normal. Então, pressionou o polegar nas rugas entre as sobrancelhas finas, esfregando-as até que desaparecessem. Com um último olhar para Vivi, mergulhada outra vez em um sono pacífico, ele saiu do quarto com passos silenciosos, imaginando como poderia garantir que suas palavras fossem uma promessa.

Lavínia acordou com um suspiro. Não conseguia se lembrar da última vez em que dormira tão bem ou que se sentira tão descansada ao abrir os olhos. Talvez devesse frequentar festivais toda noite. Ainda estava escuro, mas sabia que o sol nasceria em breve, porque a irmã Bernadette acendera a lamparina e fazia seu ritual matinal na pia.

Permaneceu debaixo das cobertas, preparando-se para o frio que a saudaria, temendo o momento em que colocaria os pés no chão gelado. Se algum dia arranjasse moedas sobrando, compraria tapetes para cada uma das irmãs, para facilitar o início do dia. Tantas coisas que não dera valor… como nunca sentir frio nos pés, por exemplo.

Respirando fundo, ela se preparou para o choque e se sentou, mas parou a meio caminho de se levantar. Encarou uma carta em sua cabeceira, e o envelope tinha o nome dela. Reconheceu a caligrafia do irmão, e seu coração parou por um instante.

— Foi a irmã Theresa que deixou esta carta aqui? — perguntou, pegando o envelope com cuidado, como se fosse uma aranha horrível prestes escapar e atacá-la.

— Creio que não — respondeu a irmã Bernadette. — Estava aí quando acendi a lamparina. Aliás, bom dia.

— Bom dia.

Ela se recostou contra o travesseiro e examinou a carta, um sorrisinho começando a se formar. Tinha a forte suspeita de que sabia como chegara até ali. Finn ainda era muito hábil em invadir quartos.

Virando o papel, deslizou o polegar pelo lacre de cera com o brasão de sua família e o abriu. Desdobrou o papel e leu as palavras.

Minha querida Lavínia,

Dispensei os cães — os dois senhores que contratei para encontrá-la. Na verdade, fiz isso semanas atrás, mas não sabia como avisar até seu amigo me fazer uma visita e se oferecer gentilmente para lhe entregar esta carta. Você está livre para viver como quiser, sem se preocupar em ser capturada.

No entanto, espero que considere voltar para casa. Eu e mamãe estamos muito preocupados. Não sei que objeção você teve a Thornley — sempre achei a companhia dele de primeira linha —, mas, seja como for, com certeza encontraremos alguém que lhe agrade. Permaneceremos na cidade até você voltar para casa.

Com amor,
Neville

Apertando a carta junto ao peito, Lavínia sentiu como se um grande peso tivesse sido tirado de suas costas. Poderia flutuar até o teto, se quisesse. Abençoado seja Finn! Que presente glorioso ele lhe dera, quase tão grandioso quanto Sophie. Estava livre.

Mais tarde, naquela mesma manhã, depois de terminar as lições diárias, Lavínia dobrava a carta que escrevera para Finn, perguntando-se como a entregaria. Não tinha ideia de onde encontrá-lo. Supôs que poderia levá-la para a irmã dele na taverna, e pedir a ela que lhe entregasse. Mas, na verdade, não queria mandar uma carta expressando gratidão pelo que ele fizera. Queria agradecer pessoalmente — e era justamente o que a carta indicava.

Preciso ver você. — V.

Simples e doce.

Queria ter perguntado onde ele morava. Ouviu passos leves pouco antes de Daisy invadir seu escritório. A menina parou de repente, pulando de um pé para outro, como se precisasse ser levada ao banheiro. Seus olhos brilhavam, e um sorriso travesso preenchia seu rosto.

— O cavalo veio de novo, srta. Kent! E agora com sela!

Não deveria ter se animado tanto com aquelas palavras, mas não conseguiu conter a emoção. Será que Finn a convidaria para outro passeio? Dessa vez, pelas ruas de Whitechapel. Mesmo querendo falar mais com ele, sabia que precisavam dar um fim à relação. A separação seria difícil depois de terem retomado a amizade, a despeito do passado.

Seguiu Daisy até o jardim, onde descobriu que ele trouxera outro cavalo além de Sophie, um belo garanhão castanho. Não ficou surpresa por alguém que trabalhara acalmando cavalos ser dono de um bom animal.

Ele ergueu o chapéu, em um cumprimento exagerado.

— Srta. Kent.

— Sr. Trewlove.

Sem conseguir se conter, foi até Sophie para cumprimentá-la com um carinho no pescoço e um beijo no focinho.

— Você trouxe Sophie de novo, para a alegria das crianças.

— Está encantada pelas minhas ações?

— Você sabe que sempre fico feliz em ver Sophie — respondeu, abrindo um sorrisinho provocante. — Mas, com essa sela, você vai passar a manhã quase toda levando as crianças para passear.

— A sela é para você. Quer dar uma volta comigo?

— Sair durante o dia é um pouco arriscado. Ou pelo menos era. Recebi uma carta do meu irmão. Parece que não tem mais ninguém atrás de mim.

— Mas que sorte!

Ela inclinou a cabeça, pensativa.

— Você me prometeu que não incomodaria a minha família.

— Eu prometi não incomodar a sua mãe. Você nunca saberá o quanto foi difícil manter essa promessa.

Ela estreitou os olhos.

— O que você fez ao meu irmão para que ele escrevesse a carta?

— Só o acordei durante o sono.

— Ele agora está andando pela cidade usando uma tala?

Finn sorriu. Lavínia amava tanto os sorrisos dele...

— Não, pois ele é inocente de tudo o que você me contou.

— Sim, é. Ele está bem?

— Estava um pouco bravo por ter sido acordado, mas parece preocupado com você. Eu o assegurei de que você estava onde queria, fazendo o que deseja. — Ele inclinou a cabeça para o lado. — E então, quer dar uma volta em Sophie?

Queria. Desesperadamente.

— Você sabe que ela é meu ponto fraco.

O ar parecia um pouco mais limpo naquele dia, o sol, um pouco mais brilhante, enquanto cavalgava com Sophie pelas ruas de Londres. Era maravilhoso montá-la outra vez.

— As irmãs estavam me olhando de um jeito... Parece que acham que tenho segundas intenções — comentou Finn.

— E você tem?

Ele deu um meio-sorriso. Lavínia nunca o vira cavalgar; Finn montava com confiança, mas isso nunca lhe faltara.

— Você ficaria desapontada se eu tivesse?

Ficou desapontada consigo mesma ao perceber que a resposta seria negativa, mas não falou nada. Não adiantava confirmar o que ele sem dúvida já suspeitava.

— Como conseguiu manter Sophie por todos esses anos, enquanto esteve na prisão?

— Aiden foi me visitar quando me prenderam. Todos os meus irmãos foram, mas Aiden foi o primeiro, então pedi que tirasse Sophie da fábrica de Mick e cuidasse dela por mim. Temia que seu pai soubesse que ela estava viva, que poderia descobrir onde eu a estava mantendo.

Lavínia franziu a testa.

— Eu me pergunto de onde meu pai tirou a ideia de que você a roubou. Nunca contei a ninguém que ela estava viva, nem mesmo a Miriam.

— Não tenho certeza se ele sabia. Só alegou que eu tinha roubado um cavalo, sem dar detalhes. Não precisou apresentar nenhuma prova, já que era conde. Acreditaram na palavra dele.

Lavínia ficou horrorizada ao pensar que o pai usara o poder de sua posição para tamanha injustiça.

— Fico enojada só de pensar nesse comportamento dele. Sei que você não quer que eu peça desculpas, mas minha família deve muitas desculpas a você. Meu pai o tratou de forma repugnante, e eu não fazia ideia. Se meu pai ainda estivesse vivo, eu não aguentaria nem olhar na cara dele.

— Vamos falar sobre algo mais agradável.

Não podia culpá-lo por querer superar tudo aquilo.

— Vou resgatar mais crianças esta noite, se a mulher com quem me comuniquei cumprir a promessa de me encontrar. Mas, como mencionei ontem, preciso encontrar uma fonte de renda o mais rápido possível. Tenho usado o dinheiro que recebi da venda do meu vestido de noiva e das joias do casamento para comprar as crianças, mas está quase acabando.

— Você poderia ganhar mais caso se anunciasse como uma pessoa que aceita bebês por dinheiro. Assim, conseguiria as crianças sem precisar de intermediário. Pelo menos algumas.

Lavínia se virou para ele. Não ficou surpresa ao encontrar os olhos castanhos fixos nela.

— Que ideia genial, Finn! Eu não tinha pensado nisso. Um anúncio sem dúvida sairia mais barato do que o que tenho pagado a essas mulheres, e as crianças seriam entregues diretamente para mim.

Ele deu de ombros.

— Fui ladrão durante uma boa época de minha juventude. Considerar todos os ângulos da situação é um dos meus fortes. Mas é provável que você descubra que algumas dessas crianças pertencem a pessoas que você conhece. Como se sentiria a respeito?

— Não vou julgá-las. E posso assegurar que o bebê será bem tratado. Espero que encontrem algum conforto nisso.

— E quando o orfanato ficar sem vagas?

Ela suspirou e revirou os olhos.

— Ainda estou pensando em como resolver isso.

Com a liberdade que ganhara naquela manhã, as oportunidades eram muitas. Só precisava se sentar e explorá-las. Talvez pudesse encontrar mais pessoas — talvez até algumas da nobreza — dispostas a apoiar sua causa.

— Aqui estamos — anunciou Finn, de repente.

Parou diante de um prédio grande de tijolos com três fileiras de janelas. Lavínia não prestara muita atenção ao caminho, então não sabia onde estavam. Finn desceu do cavalo, foi até ela e segurou sua cintura com as mãos grandes. Lavínia teve que ignorar a sensação de familiaridade que a invadiu enquanto Finn a colocava no chão. Ele amarrou os cavalos em um poste e jogou uma moeda para um rapaz ansioso.

— Fique de olho neles.

— Pode deixar, chefia.

Então, conduziu Lavínia até a entrada do edifício.

— O que é este lugar?

— O Clube Elysium — respondeu ele, como se o nome explicasse tudo.

— Desculpe a ignorância, mas nunca ouvi falar daqui. É um estabelecimento de jogos?

— Sim. — Finn se virou para ela com um brilho travesso nos olhos. — Para mulheres.

Finn destrancou a porta e guiou Vivi para dentro do prédio. As manhãs eram tranquilas, sua parte favorita do dia, quando as possibilidades surgiam diante dele. No silêncio da inatividade, todos os sonhos pareciam ao alcance das mãos.

Entraram em um pequeno saguão onde as clientes podiam deixar capas e casacos com uma jovem que os penduraria no quartinho logo atrás, e as damas poderiam recolhê-los quando estivessem prontas para ir embora. Então, entraram na sala principal. Todas as lâmpadas de gás estavam acesas, banhando a sala em um brilho dourado. Lavínia perdeu o fôlego, o que o encantou mais que tudo.

— Então é assim que é um estabelecimento de jogos… — comentou ela, impressionada. — É do seu irmão?

— É meu.

Ela se virou, surpresa e admiração trazendo de volta os anos perdidos em suas feições, lembrando-o da garota que Lavínia tinha sido.

— Mas achei que você trabalhasse no clube de Aiden.

— Eu trabalho, mas com menos frequência desde que comecei a administrar esse lugar.

Lavínia observou o ambiente, e Finn se perguntou se ela via o mesmo potencial que ele.

— É incrível, Finn! Qual é o propósito das várias mesas?

— Temos faro, roleta, jogos de dados e, naturalmente, jogos de cartas. Temos até um livro aqui, parecido com o do clube White's, onde as mulheres podem apostar em qualquer coisa que desejarem.

Ela folheou as páginas.

— Estão em branco. Você ainda não abriu?

— Abri. — Ele deu de ombros. — Só que ainda não temos muitas clientes.

— Você anunciou o clube no *Times*?

Lavínia rolou um par de dados na mesa.

— Não. Quero manter o clube mais exclusivo. É aí que você entra.

Lavínia o encarou, intrigada.

— Como assim?

— Não se pode entrar em um clube de cavalheiros sem que alguém ateste sobre seu caráter. — Ele balançou a cabeça. — Exceto o de Aiden, claro. Se tiver dinheiro o suficiente, ele o receberá de braços abertos. Mas eu quero que você me ajude a escolher quem convidar. Vou pagar pelo serviço.

— Este clube é para as mulheres da nobreza?

— É. E para algumas plebeias cujos maridos ganham bem. O que vocês, damas, fazem quando os homens saem durante a noite?

— Bordamos. — Ela começou a explorar os arredores, abrindo caminho por entre as mesas. — Por que chamar de Clube Elysium?

— Aiden deu ao clube dele o nome do cão de três cabeças que guarda o inferno de Hades. Achei que seria melhor nomear o meu como os céus onde os deuses viviam. Quero que as damas se sintam como deusas.

Lavínia passou os dedos sobre o feltro verde de uma mesa de cartas, e ele se lembrou de como tinha sido sentir os dedos dela correndo sobre seu peito, pensou no quanto queria que roçassem sua pele naquele exato momento.

— Há dois tipos de mulheres que podem procurar refúgio aqui. — Ela o encarou. — E não tenha dúvidas de que estarão buscando refúgio. Um dos tipos é o das garotas mais ousadas, as que os lordes não consideram apropriadas para o casamento. O outro, será as garotas tímidas. São os tipos que ficam sentadas nos bailes, morrendo de tédio, se sentindo... inferiores. Julgadas. Embora por razões totalmente opostas.

— Você diz como se as entendesse, como se tivesse passado por isso. Eu vi você em um baile... Você não é nada sem graça, e certamente nunca deu a impressão de que não seria uma boa esposa.

— Eu mudei um pouco depois daquele baile de máscaras. Tive que me forçar a parecer animada por certas coisas, mas descobri que não me encaixava mais ali. Eu ridicularizava essas meninas, mas as conheci melhor depois.

Depois que pensou que Finn a abandonara. Pena que o pai estava morto. Finn também tinha mudado. O conde não teria mais o poder de intimidá-lo — e teria aprendido quando Finn enfiasse o punho na cara dele.

— Mas são as mulheres que você vai querer convidar. Pelo menos no começo. — Lavínia ergueu os olhos, soltando um suspiro de admiração. — Você pintou nuvens no teto. Que lindo! Deve ter lhe custado uma fortuna.

— Dei à esposa do pintor uma filiação vitalícia ao clube. Ele vai gostar de ter algumas noites de paz para sair com os amigos e ir aos clubes de homens.

— Uma boa maneira de poupar dinheiro.

— Tive muito tempo para determinar a melhor forma de fazer deste lugar o que sempre imaginei que ele poderia ser.

Tinha começado o planejamento na prisão. Fora forçado a manter tudo na cabeça, porque não lhe davam papel para anotações.

— Tem uma sala de jantar e um bar, mas ainda falta algo...

— Um salão de baile — respondeu ela, sem hesitar.

— As mulheres gostam de dançar umas com as outras?

— Lembre-se, você começará tendo "papéis de parede" como clientes, e elas raramente dançam em bailes, normal para as damas mais sem graça. Mas, se contratasse homens para dançar com elas...

— Isso soa muito devasso, srta. Kent.

— As mulheres também têm fantasias. Querem ser desejadas. E a verdade é que poucas são. Podem ser cortejadas, mas só são consideradas pelo que podem acrescentar em um casamento.

— O que você acrescentaria a Thornley?

Finn odiou-se por ter perguntado. Embora soubesse que o homem estava loucamente apaixonado por Gillie, não conseguia superar a ideia de que ele já tivera planos de se casar com Vivi.

— Terras. — A resposta foi curta e grossa. — Era loucura, Finn. Quando nasci, nossos pais concordaram em nos casar porque havia um pequeno terreno que o pai dele queria. E não foi incômodo algum para meu pai assinar o acordo, em vez de entrevistar jovens pretendentes e garantir que eu tivesse um bom casamento.

— Você não o amava nem um pouco?

— Eu me importava com ele. Thornley era meu amigo. Mas nunca o amei como amei você.

Finn não deixou de notar que o verbo "amar" estava no passado.

— O que você sente por mim agora?

— Tristeza, porque roubaram tanto de nós... momentos que nunca poderemos recuperar. E culpa. Sua vida foi arruinada por minha causa.

Finn mal notara os passos que dera na direção dela. Envolveu a bochecha de Lavínia na mão e percebeu que o rosto dela não era mais tão rechonchudo. Ela estava mais magra. Nada preocupante, só não tinha mais o vigor de seus 17 anos. Encarou os olhos verdes que o assombraram por tanto tempo.

— Não foi por sua causa. Nunca foi por sua causa.

Então a beijou. E sentiu que, depois de oito longos anos, finalmente estava em casa.

Corresponder o beijo era loucura, mas Lavínia o fizera mesmo assim. Passara anos sem sentir nada, fria, até fugir do casamento e abraçar a missão de resgatar crianças. Por conta dos riscos que corria, sentia uma pitada de emoção e ansiedade explodindo em seu peito cada vez que recebia a carta de uma mulher concordando em encontrá-la. A alegria aumentava quando andava pelas ruas em direção ao local do encontro. A satisfação era imensa quando resgatava as crianças. Mas tudo o que sentira durante aqueles momentos não chegaram aos pés da euforia que corria por seu corpo durante o beijo, fazendo o coração bater ferozmente, a pele formigar, os dedos dos pés se contorcerem.

Não queria se importar com aquele homem; queria deixar o passado para trás, deixar *Finn* para trás. A culpa que sentia em relação a ele era esmagadora. E, ainda assim, enquanto saboreava seu gosto depois de um longo jejum, enquanto ele a envolvia nos braços e a puxava mais para perto, até que estivesse com o corpo colado no seu, Lavínia se sentiu quase inteira depois de tanto tempo despedaçada.

Queria chorar de alegria... de terror. Se arriscasse ver o desgosto no rosto dele quando contasse toda a verdade...

Se contasse, Finn iria parar de querer acariciar a língua dela com a sua, de gemer baixo, de abraçá-la com cada vez mais força. Dispensaria Lavínia, condenando-a à vida de isolamento que ela merecia. Descobriria que, no fundo, ela era uma covarde. Que, no momento mais importante, recuara com medo e vergonha. Que, quando a coragem começara a aparecer, tinha sido punida sem piedade até a covardia retornar. Ao contrário dele, Lavínia ainda precisava se esforçar para ser forte, para não recuar. O caminho com Finn era em terreno instável. Mas talvez seus pecados pudessem ser perdoados, talvez ela merecesse ser feliz.

Parte dela — uma parte perversa — não deixava de pensar que, de todos os lugares da Inglaterra aonde poderia ter ido, optara por Whitechapel porque havia uma chance de vê-lo novamente, mesmo que de passagem, sem qualquer interação. Queria um vislumbre dele, queria saber que ele estava bem. Mas, naquele momento, ver não parecia suficiente. De repente, queria mais, queria o que não podia ter, o que não merecia.

Ele se afastou um pouco, passando os dedos ao longo da sua bochecha delicada.

— Você tem o mesmo gosto.

— O seu gosto está mais forte, mais complexo.

Mais masculino, mais maduro, mais homem. Simplesmente *mais*. Como explicaria aquilo sem soar como uma tola? Oito anos antes, pensara que estavam crescidos. Mas, ali, no estabelecimento de jogos dele, percebeu que eram apenas crianças. Não tinha certeza de que teriam sobrevivido a todos os desafios que encontrariam. Lavínia recuou, precisando colocar distância entre eles, olhando com pesar para as mãos dele longe da sua cintura, enquanto uma tristeza se apoderava dos olhos castanhos.

— Bem… — Precisando de um terreno mais firme para depositar as emoções, Lavínia olhou ao redor. — Seu clube é mesmo muito elegante. Acho que você terá muito sucesso.

— Quero que você seja minha sócia.

Lavínia o encarou como se ele estivesse louco. Talvez estivesse. Ela sabia que Finn tinha desejos, mas era mais que aquilo. Queria a oportunidade de conhecê-la novamente, e apenas segui-la em suas excursões noturnas não seria o suficiente. Também não tinha certeza de que poderia convencê-la a dar mais passeios em sua companhia.

Até que ela piscou, balançou a cabeça e soltou uma gargalhada.

— Você deve estar brincando.

— Eu nunca falei tão sério. Você sabe quem devo convidar para o clube. Sabe como falar com essas mulheres. Sabe o que lhes daria prazer, o que as faria voltar. E quero lhe mostrar outra coisa.

Pegou a mão dela, feliz por não ter sido afastado — Lavínia devia estar em choque — e a guiou de volta à entrada, em direção a uma pequena alcova. Dentro, um lance de escada levava a um segundo andar. Finn liderou o caminho por um longo corredor. De um lado, havia diversas portas. Do outro, um corrimão adornado dava visão ao andar inferior.

— Os escritórios — explicou, antes de direcioná-la para uma porta no centro. — Este é o meu.

Ele entrou, e não ficou surpreso quando ela o seguiu. Uma sala ampla, com uma enorme escrivaninha diante das janelas. Desde que saíra da prisão, Finn não suportava quartos pequenos e apertados.

— Tem espaço para outra escrivaninha, assim você teria um lugar para trabalhar.

Lavínia foi até a estante de livros em uma das paredes. Finn tinha muitos volumes. Alguns eram sobre gestão de negócios, mais a maioria servia apenas como uma fuga da realidade. Queria armazenar os livros de contabilidade ali, mas, no momento, havia apenas um. O primeiro do que esperava que seriam muitos. E estava na escrivaninha.

— Enviarei convites para essas pessoas que você conhece. Se estiver com medo de saberem que você está envolvida no empreendimento, tem uma saída na parte de trás do prédio, pelo beco. Ninguém nunca veria você nem saberia que esteve aqui. Você nunca teria que ir ao salão... a menos que quisesse.

Ela balançou a cabeça e o encarou.

— Posso dar uma lista de nomes...

— Quero mais que isso. Quero seu conhecimento. Se algo não estiver indo bem, vou precisar que me diga por quê, já que você sabe o que as damas acham ruim. Vou fazer de você uma sócia com direitos iguais. Cinquenta por cento dos lucros.

— Finn, não. Eu não mereço isso.

— Você disse que precisa de um emprego. Estou oferecendo isso. E tem mais.

Ele gesticulou para que voltassem ao corredor. Lavínia saiu do escritório, e ele a seguiu.

— Tem alojamentos em cada ponta do corredor.

Lavínia foi atrás dele até a última porta. Finn a abriu e se afastou para que ela entrasse primeiro. Era um aposento grande, com quarto e sala de estar, no momento escassamente mobiliada, com apenas um sofá e uma mesa baixa de centro.

— Ainda precisa de alguns móveis.

Finn se encostou na parede e observou enquanto ela ia até as janelas e olhava para a rua em frente ao prédio. Os outros aposentos davam vista para os estábulos.

Ela andou pelo quarto, mas Finn continuou parado. Havia uma grande cama no quarto, e imaginou Lavínia deitada ali, os olhos verdes e o corpo feminino convidando-o. Ficou ereto com o pensamento, e começou a sonhar, a antecipar lucros.

Finalmente, Lavínia se aproximou dele com uma expressão muito séria.

— Estes aqui são os seus aposentos. Têm o seu cheiro. Couro, cavalos, terra. Requintado e denso.

— Agora são meus, mas seriam seus. Têm uma vista mais agradável, certamente melhor do que a que de agora. E você não precisaria compartilhar o quarto com aquele motor de trem. Não sei como consegue dormir com aquele barulho. Você ainda poderia ensinar as crianças pela manhã, se quisesse, mas não precisaria limpar o chão em troca de cama e refeições. Aqui, teria a liberdade pela qual tanto anseia. Poderia fazer o que quisesse.

— Você está sendo muito generoso, Finn. Por quê?

— Sua Sophie foi essencial para que eu conseguisse comprar este local. — Ele contou sobre o lorde que lhe fizera a oferta de acasalamento. — Isso não teria acontecido se você não tivesse me implorado para salvar a vida dela. Então, Vivi, você *tem direito* a parte do lugar.

— Estou feliz que algo bom aconteceu por você cuidar de Sophie, mas temo que esteja me dando mais crédito do que mereço.

Finn também queria uma chance de conhecê-la novamente.

— Quatro dos meus irmãos têm negócios de sucesso. Estou um pouco atrás. Quero fazer isso aqui dar certo depressa. Acho que você pode me ajudar nisso. Trabalhar aqui não vai interferir no seu projeto de ajudar as crianças. Como parceira, você poderia trabalhar só quando fosse conveniente. E duvido que vá negligenciar o clube, já que sua renda seria baseada no lucro.

Ela assentiu e olhou em volta, então o encarou outra vez com os olhos verdes.

— Trinta por cento.

Finn a encarou.

— Como assim?

— Minha parte. Trinta por cento.

Finn riu.

— Nunca conheci ninguém que barganhasse para algo desfavorável.

— Não mereço cinquenta por cento. O clube foi ideia sua, e você já investiu uma boa quantia. Vamos fazer um cronograma de pagamentos até que eu tenha reembolsado metade do que você já investiu. E quero os outros aposentos.

Finn cogitou discutir a proposta, mas sentia a determinação na voz dela. Eram aqueles termos ou nada.

— Sua oferta é muito difícil… — respondeu, com ironia. — Mas aceito. Pedirei ao meu advogado que faça um acordo.

— Isso é mesmo necessário?

— Para lhe proteger, caso eu tire vantagem da situação.

— Tudo bem, então. Eu tenho um encontro hoje à noite. Posso começar a trabalhar amanhã.

— Você não vai trabalhar para mim, Vivi. Trabalharemos juntos. Como *sócios*.

Enfatizou a última palavra porque precisava que ela entendesse que não lhe devia nada. Estavam entrando naquele acordo como iguais. Não como a filha de um conde e o bastardo de um conde, mas como duas pessoas que trabalhariam pelo sucesso do clube.

— Sócios — repetiu ela, estendendo a mão.

Finn queria beijar os dedos finos, virar a mão delicada para encostar os lábios na palma. Em vez disso, aceitou a oferta de um aperto de mãos.

— Sócios.

Capítulo 16

Lavínia não ficou surpresa ao descobrir que Finn a esperava quando saiu do orfanato, horas mais tarde. Quando se despediram, naquela manhã, ele perguntara casualmente qual o horário de seu compromisso. E Lavínia respondera sem pensar duas vezes. Tudo indicava que se tornariam parceiros em todos os empreendimentos...

Mas, naquela noite, Finn a aguardava ao lado da carruagem do irmão.

— Assim não teremos problemas com trombadinhas — explicou.

Ela deu o endereço ao cocheiro, de pé ao lado dos dois cavalos, e permitiu que Finn a ajudasse a subir na carruagem. Enquanto se acomodava nas almofadas do banco virado para a frente do veículo, Finn subiu e se sentou no outro, de frente para ela.

— Eu fui ao casamento do seu irmão. Vi você lá. — Lavínia olhou pela janela. Tinha ficado furiosa e magoada quando o viu, mas não havia por que mencionar aquela parte, agora que sabia de toda a verdade. — Se eu não tivesse visto você, talvez tivesse me casado com Thornley. Mas vê-lo trouxe de volta todas as lembranças de nosso tempo juntos, e senti que estava seguindo o caminho errado.

Tivera medo da vida miserável como esposa de Thornley, não importava quão bom marido ele fosse.

— Gillie ficou bem feliz por você não ter se casado com o duque.

Lavínia encarou a silhueta de Finn na carruagem escura, feliz por nenhuma lamparina estar lançando luz sobre eles. Era sempre mais fácil falar na segurança das sombras.

— Ela está feliz?

— Extremamente. Precisamos tomar uma caneca de cerveja na taverna dela, qualquer dia desses.

— Duvido que ela vá me receber tão bem como no passado.

— Ela vai, se você estiver comigo.

Não mereço ser bem recebida...

— Como as irmãs reagiram, ao saber que vai se mudar? — perguntou ele.

— Acho que ficaram bastante surpresas com a rapidez da partida, mas a irmã Theresa afirmou que Deus provê. Vão continuar recebendo as crianças até não terem mais leitos. A irmã Bernadette assumirá meu posto de professora.

Se tudo desse certo, em pouco tempo Lavínia conseguiria comprar uma casa com muitos quartos onde ela mesma poderia abrigar crianças. Contrataria pessoas para cuidar dos pequenos e atender às suas necessidades e garantiria que todos fossem educados e tivessem vidas melhores. De repente, as possibilidades pareciam infinitas, e imaginar todas as maneiras de que podia fazer a diferença deixaram seu corpo extasiado, cheio de uma esperança que não sentia desde a noite em que concordara em fugir com Finn.

— Vai ser difícil dizer adeus às crianças — confessou. — Mas vou visitá-las com frequência. Não é como se você fosse me trancar no clube.

— Eu nunca faria isso, Vivi. Você é livre para ir e vir. Os cavalos são mantidos em um pequeno estábulo próximo ao clube. Você pode pedir que Sophie seja selada sempre que quiser dar um passeio.

— Você está sendo muito bom comigo, Finn. Eu não mereço isso.

— Eu já disse. Não a culpo pelo que seu pai fez.

— O beijo dessa manhã... antes de assinar qualquer acordo com você, devemos chegar ao entendimento de que essa parceria é apenas de negócios. Não podemos retomar o que tivemos.

— Eu sei disso, Vivi.

Lavínia sentiu uma mistura de alívio e decepção. Finn não era mais o garoto que amara, e sim um homem a ser levado a sério. E as palpitações em seu coração eram indício de que deveria temer o progresso daquele relacionamento.

— Mas isso não significa... — adicionou Finn, hesitante — que não podemos começar algo ainda melhor.

Na escuridão, Finn sentiu quando Lavínia prendeu a respiração. Ah, sim, ela se transformara mais uma vez em seu "casinho". Ainda acreditava que havia uma chance de existir mais entre eles do que apenas discussões sobre quem deveria receber um convite para o clube e o que fazer com as várias salas ainda vazias. Quem sabe, a proximidade do trabalho poderia estimular a necessidade de beijos, carícias, sussurros...

Estava na vantagem, já que os dois morariam no mesmo edifício, e veria Lavínia todos os dias e noites. Quando jovens, o tempo que podiam passar juntos era precioso, uma alegria passageira, algo especial a ser antecipado. Talvez, a raridade dos encontros os fizera acreditar que seu amor nunca acabaria. Mas Finn tinha a intenção de testar os limites daquele amor. Não para recuperar o que tiveram, mas para construir algo novo.

Estava intrigado por aquela nova Lavínia, queria saber tudo sobre ela, dos gostos às opiniões. Ficara empolgado ao observá-la considerando as características das damas que frequentariam o clube. Tudo era empolgante e excitante. Sempre. Até a fantasia que tivera de beijá-la assim que a conheceu, ainda criança, tinha sido inapropriada. Meu deus! Parecia que Lavínia nunca chegaria à idade apropriada para que ele pudesse derrubar as defesas erguidas com as próprias mãos para protegê-la dos desejos que sentia por ela.

Até que a tal idade *chegara* — ou melhor, apenas tinha considerado que chegara. Olhando para trás, reconheceu que ambos eram muito jovens e inexperientes. No entanto, seu anseio fora tão forte que bloqueara qualquer bom senso. Ansiava pelas noites em que não conseguia dormir por sentir falta dela.

— Se você pensa em tirar proveito desta parceria...

— Eu estava disposto a dar cinquenta por cento — interrompeu Finn. — Não chamaria isso de "tirar proveito".

— Não estou me referindo aos aspectos financeiros. E sim dos físicos.

Ficou surpreso ao ouvi-la sendo tão direta, mas estava descobrindo que aquela Lavínia era mais corajosa. Em vez de perder a calma, como antigamente, ela se mantinha centrada e deixava o tom de voz ainda mais incisivo, um método mais eficiente de expressar o seu ponto de vista.

— Eu notei várias portas — comentou ela. — Talvez atrás de uma delas exista um cômodo que posso usar como escritório.

— Para que eu tenha que levantar da minha mesa e ir procurá-la sempre que tiver uma dúvida? Dividir o escritório será mais conveniente para discutirmos os assuntos relacionados ao clube.

— Finn, eu não sou capaz de amar outra vez.

— Isso não é verdade, Vivi. Você ama as crianças.

— É diferente. Elas são diferentes. Estou falando de paixão...

— Você não impediu meu beijo, mais cedo. Do que tem medo? De descobrir algo ainda melhor do que o que tínhamos? Ou talvez de descobrir que pagamos um preço alto demais por algo que não valia a pena...

Ela soltou um longo suspiro.

— Talvez. Não sei. Só quero ter certeza de que estamos sendo realistas em relação ao acordo. Não sei se fomos realistas antes, então é imperativo que sejamos agora, para evitar mais sofrimento.

— Sem nunca experimentar a dor, Vivi, como é possível apreciar a alegria quando não se está sofrendo?

As palavras de Finn, mesmo simples, tocaram o fundo de seu coração. Lavínia nunca passara necessidade na vida antes daqueles três meses vivendo com moedas contadas, e, de fato, estava feliz em saber que as dificuldades logo ficariam para trás. Não dera importância às coisas da vida, quando as tivera, mas não cometeria o mesmo erro.

Mais importante que tudo: teria sua liberdade. Com a ajuda de Finn, ganharia as próprias moedas e seria independente. Desde que fugira, tomara decisões por si mesma, mas muitas de suas ações eram afetadas pela falta de dinheiro. A oferta de Finn abria um mundo completamente diferente de possibilidades. Poderia cuidar das próprias necessidades, de si mesma. Era poder demais não depender de ninguém — mesmo que dependendo da generosidade dele. Mas, logo que assinassem o contrato, quando se tornassem sócios, Lavínia faria por merecer e se tornaria indispensável para o clube. Finn lhe dera uma oportunidade que ela não tinha intenção de desperdiçar.

Sempre seguira o caminho que lhe fora imposto, mas, com a sociedade, tinha os meios para forjar o próprio caminho, determinar o próprio destino. Queria aproveitar essa liberdade ao máximo.

Finn não tinha ideia do quanto ela fora despedaçada, e, se a escolha fosse sua, nunca saberia toda a verdade. Estava se recuperando, sentia-se cada vez mais forte. Uma xícara de chá destroçada e com as peças coladas podia não ser tão bonita quanto uma novinha em folha, mas, se caíssem ao chão, a despedaçada teria menos chance de quebrar, por já estar reforçada com cola. O pensamento era reconfortante.

Optou por não responder. Finn perguntara para fazê-la pensar, não querendo resposta. E não a pressionou. A tranquilidade dele era quase palpável, e Lavínia ficou maravilhada com tamanha calma. Notara o mesmo na primeira noite, no beco, quando as mulheres a ameaçaram. Finn não temia a escuridão nem qualquer um dos malfeitores que espreitavam. Podia cuidar de si mesmo, aprendera a confiar em todas as suas habilidades.

Aquilo era algo que ela ainda estava começando a compreender sobre si mesma: tinha o poder de se virar sozinha. Qualquer vitória ou derrota eram resultado das próprias ações, das próprias decisões, da própria determinação.

A carruagem parou. Finn abriu a porta e saltou antes de ajudá-la a descer.

— Continue andando por estas ruas — instruiu ao motorista. — Passe aqui de vez em quando. Estaremos aqui quando acabar o compromisso.

A carruagem seguiu viagem, e Finn se virou para ela.

— Vá na frente.

O local não era muito longe, e estavam um pouco adiantados. Lavínia ficou grata pela carruagem. Um vento forte soprou no ar, causando-lhe um calafrio. Apertou o casaco contra o corpo para se aquecer enquanto relembrava o caminho que deveria seguir a partir daquele ponto. Atravessaram o que parecia um labirinto de muros antes de chegar ao prédio escuro com uma longa faixa amarrada na maçaneta. Ela não deveria entrar. A reunião não aconteceria lá dentro; a faixa apenas marcava o local.

— Quantos? — questionou Finn.

Abrindo mais os olhos, virada para a direção de onde viera a voz dele, Lavínia percebeu que ele estava completamente oculto nas sombras.

— Oi?

— Quantas crianças esta noite?

— Três.

Mas, quando uma mulher se aproximou, quase invisível na rua parcamente iluminada por um poste ao longe, vinha com três crianças agarradas à saia, tropeçando bastante, com dificuldade de acompanhar seu passo acelerado, e um bebê aninhado nos braços.

— É você a dona que vai me dar uma grana por esses pestinhas?

Lavínia deu um passo à frente, já estendendo a mão para pegar o bebê.

— Sim, sou eu.

— Dez libras.

Lavínia parou de repente, como se a carruagem tivesse retornado, estacionando entre ela e os pequenos.

— Você disse cinco.

A mulher sacudiu o bebê.

— Isso foi antes de eu receber esse aqui, na noite passada. Fresquinho do útero, hein. Se for querer, vai pagar dez libras.

As três crianças piscaram para ela com olhos enormes e redondos, grandes demais para os rostos finos. Lavínia se virou para as sombras.

— Você tem algum dinheiro?

— Tenho. — Finn saiu para a luz. — Mas não vai precisar.

A mulher guinchou como um rato acuado por um gato.

— Quem é você?

— Trewlove. Talvez você tenha ouvido falar da minha família.

A mulher deu um passo para trás.

— Já ouvi.

— Então deve saber que não toleramos pessoas que gostam de tirar vantagem — alertou Finn. — Você acabou de receber o bebê. Duvido que tenha gastado um só centavo para cuidar dele até agora, então o valor que recebeu na noite passada é puro lucro. Contente-se com isso. Senão talvez me veja invadindo e roubando sua residência, alguma noite dessas.

Ele completou com um sorriso que fez Lavínia sentir calafrios.

— Toma.

A mulher quase jogou o bebê nos braços de Lavínia, então forçou os pequenos a soltarem sua saia e agarrarem o casaco de Lavínia. Enquanto embalava o bebê, Lavínia notou que Finn pagara à mulher, que saiu correndo assim que pegou o dinheiro. As crianças, que até então estavam em silêncio, começaram a berrar.

— Quem quer subir nas minhas costas? — sugeriu Finn.

— Eu! — proclamou o mais alto, um menino.

Os outros ficaram quietos quando Finn agarrou o garoto e o girou como se fosse um macaquinho. E talvez fosse mesmo, porque escalou as costas dele com muita destreza, passando os braços em volta do pescoço e as pernas por cima da barriga. Finn se ajoelhou e deu um tapinha em cada coxa.

— Agora vocês duas podem subir nos meus braços. Aposto que nunca viram o mundo daqui de cima.

E Lavínia também apostava, pois as crianças correram para os braços compridos e fortes de Finn. Sentiu o estômago dar uma cambalhota ao vê-lo esperando pacientemente enquanto as crianças se ajeitavam. Não queria pensar no pai maravilhoso que ele teria sido se tivessem fugido juntos, em como ele brincaria com os próprios filhos.

Lavínia nunca havia brincado com o pai, um conde respeitoso. Ele sempre fora alguém para obedecer sem questionar; não se recordava de ter rido uma única vez com ele. Finn faria cócegas nos filhos até estarem todos rindo juntos.

— Vamos — chamou ele. — Segurem firme.

Sentiu um impulso ridículo de também se agarrar a ele. Começaram a voltar pelo caminho de antes. As ruas estavam calmas, escuras, abandonadas. Supôs que a mulher não queria testemunhas. Por fim, chegaram ao ponto em que encontrariam a carruagem, que apareceu em menos de um minuto. Todos se acomodaram lá dentro, com as garotinhas sentadas de cada lado de Lavínia, e o menino junto de Finn. Pelo tamanho, nenhum deveria ter mais de quatro anos, embora o crescimento pudesse ter sido prejudicado pela falta de alimento e cuidados.

— Você estava planejando lidar sozinha com esse lote? — perguntou Finn.

— Seria um desafio, mas eu daria um jeito.

— E quando ela pediu mais dinheiro?

— Eu pediria para encontrá-la amanhã ou talvez tentasse blefar.

Sentiu as meninas começarem a relaxar e presumiu que o balanço da carruagem estava quase as ninando.

— De agora em diante, Vivi, vou com você nesses encontros.

Era inútil discutir, sabia que Finn iria mesmo que se opusesse. Além disso, gostava de saber que ele estava por perto, caso algo inesperado acontecesse. Mas precisou perguntar, mesmo que receosa:

— Parece que o trabalho que você faz para o seu irmão rendeu uma boa reputação.

— Não é só eu, somos todos nós. Meus irmãos, Gillie... Sempre ajudamos pessoas a saírem de uma enrascada ou de outra.

— Bem, você me ajudou. E não só com as crianças, mas com sua oferta tão generosa. E eu aqui pensando que era especial... — brincou.

— Você é.

O tom não indicava qualquer tipo de provocação, e Lavínia ficou constrangida com a sinceridade da declaração. Sentiu como se estivesse buscando por algum tipo de garantia, mesmo que os atos de Finn fossem provas da veracidade da afirmação.

A carruagem parou em frente ao orfanato. Era perto, então as crianças andaram até o portão. Finn foi atrás enquanto Lavínia as levava para os fundos da residência. Depois de colocar todas para dentro, ela se virou para Finn.

— Vou acordar uma das irmãs para me ajudar. Elas não ficam muito confortáveis com a presença de um homem na casa.

— Vai precisar de ajuda para se mudar amanhã?

Lavínia negou.

— Não tenho muito para empacotar.

— Pegue um cabriolé. Se não tiver dinheiro, eu pago pelo serviço assim que você chegar ao clube.

— Preferia que você não fosse tão generoso, Finn...

Ele sorriu.

— Você reclama de umas coisas estranhas.

Então, saltou do degrau e desapareceu na escuridão.

Lavínia virou-se de volta para a casa e levou um susto ao ver a irmã Theresa parada na soleira da porta. Achou que Finn tinha visto a freira, por isso não se demorara.

— Esse seu cavalheiro parece bem persistente — comentou a irmã, entrando na cozinha, onde as crianças esperavam pacientemente.

Apertando o bebê nos braços, Lavínia a seguiu.

— Ele não é *meu* cavalheiro.

Não ficou feliz ao notar a falta de convicção na própria voz.

A irmã Theresa abriu um sorriso complacente antes de perguntar:

— O que vai ser primeiro? Banho ou comida?

— Acho que comida.

Capítulo 17

Na manhã seguinte, com todos os poucos pertences embrulhados em um saco de estopa, Lavínia subiu em um cabriolé e foi até o Clube Elysium. Dizer adeus às crianças tinha sido incrivelmente difícil, mas prometera voltar no dia seguinte para uma breve visita. Os que resgatara na noite anterior tinham se acomodado bem. Sabia que as irmãs cuidariam bem de todos.

Levaria doces na próxima visita. Depois, sapatos. Quando as finanças permitissem, compraria roupas — algo novo e especial para usarem na igreja aos domingos. Um dia, compraria um casarão para cuidar de mais crianças. Moraria com os pequenos e iria até o clube todos os dias. Sua sociedade com Finn proporcionaria os meios para fazer as coisas que desejava, mas não seria o foco de sua vida — o lugar estava reservado às crianças que precisavam de amor e carinho.

A ansiedade daquele exato momento era muito maior que a de quando fugira do casamento em busca de uma vida mais cheia de significado. O potencial para a felicidade era extraordinário. Sua imaginação não era suficiente para todas as possibilidades, mas seria uma mulher independente, livre para fazer o que quisesse. Vivera certa liberdade durante os três meses no orfanato, mas não era completa, devido às circunstâncias limitadas. Mas, com o clube, pela bondade de Finn, logo teria liberdade financeira, e a ideia era empolgante. Pagaria trabalhando diligentemente para ajudar a garantir que o negócio se tornasse o sucesso que ele imaginava. Realizar o sonho de Finn permitiria a realização do seu.

Se os pais não tivessem interferido naquela noite fatídica, será que ela e Finn estariam trabalhando juntos para alcançar seus sonhos? Ou teriam apenas se acomodado em uma vida onde ela aprenderia a lavar meias enquanto ele trabalhava no abatedouro? Seus desejos de outrora pareciam tão pequenos em relação ao presente... Satisfeita por estar com ele, Lavínia não pensara no que teria acontecido depois que se casassem, em como teriam garantido sua sobrevivência, em como continuariam juntos. Tinha sido muito ingênua, mas só se dera conta disso depois daqueles três meses longe da vida aristocrática. Não sabia o que esperar. Será que a Lavínia do passado ficaria desapontada com a realidade dessa nova, do futuro? Preferia não pensar naquilo, acreditar que teria abraçado a nova vida e se esforçado ao máximo para ser feliz. Ainda assim, uma pequena parte não estava convencida de que a antiga Lavínia era madura o bastante para lidar com as dificuldades que encontraria.

Quando o cabriolé estacionou junto ao clube, foi uma surpresa ver Finn de pé na entrada, vestido como um cavalheiro de sucesso, em uma jaqueta preta e colete cinza, o lenço branco perfeitamente amarrado no pescoço. O medo a assolou por um momento insano, e quase pediu ao motorista que fosse embora. Finn já era muito bonito quando jovem, mas, como homem, era devastadoramente belo. Lavínia temia se apaixonar por ele de novo, o que traria à tona os acontecimentos hediondos de seu passado, coisas que não desejava revisitar.

Se fosse mais esperta, procuraria outro meio de ganhar dinheiro. Sem os homens do irmão em seu encalço, poderia trabalhar como professora, governanta, ou acompanhante de mulheres ricas, mas precisava admitir que fora conquistada pela ideia empolgante do clube — e pelo que significaria para as damas que conhecia ter um local onde pudessem se entreter, mesmo que não tivessem nenhum pretendente para acompanhá-las.

Ficou esperando enquanto ele se aproximava, pagava ao cocheiro, abria a porta do cabriolé e lhe oferecia a mão.

— Estava começando a pensar que você mudaria de ideia — comentou, ajudando-a a descer.

— Demorei mais do que esperava para me despedir das crianças.

— Você pode vê-las a qualquer momento.

— Eu sei, mas elas têm sido uma parte importante dos meus dias já faz alguns meses, e sei que também sou importante para elas. Mas vamos nos adaptar.

Finn pegou seu saco lamentável de pertences, livrando-a do fardo. Lavínia se esforçou para pensar em uma resposta sagaz, caso ele fizesse algum comentário, mas ele apenas a conduziu para dentro do clube. O clube dele. Dela. Dos dois.

— Meu advogado está aqui, lá no nosso escritório. Trouxe os papéis para assinarmos.

Nosso escritório. Nosso. Um acordo de negócios. Nada mais.

O advogado era gentil. Estava sentado atrás da mesa de Finn — ou, pelo menos, achava que era a mesa de Finn; havia uma segunda escrivaninha no cômodo, aos pés da outra janela, possivelmente a dela. Quando entraram, o homem se levantou.

— Sr. Charles Beckwith — apresentou Finn. — Esta é a srta. Lavínia Kent.

Esperava que seu olhar expressasse a gratidão que sentia por não ter sido apresentada como "lady". Não tinham discutido sobre como ela seria chamada, mas estava descobrindo que Finn era muito atencioso, então não precisava lhe explicar tudo. Que outras mudanças Finn teria notado nela?

— Srta. Kent — cumprimentou o sr. Beckwith, com um educado meneio de cabeça, os olhos azuis encarando-a através de óculos que o faziam parecer incrivelmente inteligente, antes de passar a mão pelos papéis espalhados pela escrivaninha. — Podemos começar?

Se o advogado sabia qual era sua verdadeira identidade ou algo de sua família, não deu nenhuma indicação, simplesmente começou a explicar os termos do acordo.

— Trinta por cento de todos os lucros vão para você. Após a sua morte, qualquer ganho futuro não será revertido para o sr. Trewlove, e sim depositado em um fundo para o Orfanato Irmãs da Misericórdia, localizado em...

Parou de prestar atenção às palavras do homem e olhou para Finn.

— Não é possível que você queira manter este acordo depois da minha morte, dar dinheiro ao orfanato...

Finn, encostado na mesa, com um pé na frente do outro e os braços cruzados, deu de ombros.

— Foi só um palpite. Mas você pode mudar o local a qualquer momento.

— E se *você* morrer?

Lavínia olhou para Beckwith, que arqueou a sobrancelha.

— Vinte e um por cento dos negócios serão transferidos para o nome da senhorita, dando-lhe o total de cinquenta e um por cento de propriedade — explicou o advogado. — Quarenta e nove por cento de todos os lucros futuros entrarão em um fundo para o Orfanato Trewlove.

Orfanato Trewlove? As dúvidas surgiram em sua mente, mas teriam que esperar Lavínia acabar de perceber algo muito mais importante.

— Por que está dando tanto do negócio para mim?

— Porque, quando chegar a hora, o que espero que não aconteça tão cedo, você já terá investido muito no negócio. Quero que possa gerenciá-lo sem qualquer interferência dos meus irmãos. Eles são muito bem-intencionados, mas podem ser... bastante incisivos. O Clube Elysium se tornará o que você e eu idealizamos, o que trabalharemos duro para conquistar. Quero que seja capaz de continuar com o negócio. E também tem uma cláusula para garantir que, caso você se case, sua parte seja depositada em um fundo para que seu marido não possa colocar as mãos no dinheiro.

— Não tenho planos de me casar.

— Melhor ter a garantia e não precisar, srta. Kent — apontou Beckwith —, do que precisar e não ter.

— Eu não me sinto confortável em receber tanta coisa — insistiu.

— E eu não me sinto confortável com seu dinheiro indo para um fundo supervisionado por alguém que não vai se importar com o clube — retrucou Finn. — Só assine o contrato. Podemos conversar melhor sobre os detalhes e fazer qualquer alteração depois. Por enquanto, quero que saiba que entro nisso confiando plenamente em você.

— Você pode se arrepender quando descobrir o quanto é tolo, Finn Trewlove.

— Eu tenho muitos arrependimentos, Vivi, mas nenhum deles tem relação com qualquer coisa que você tenha feito.

Ah, mas deveriam... Era loucura tê-lo de volta em sua vida, mas não queria se afastar das possibilidades, por mais assustadoras que fossem. O medo já a fizera fugir vezes demais. Pretendia se manter forte daquela vez, aberta àquela oportunidade. Iria até o fim.

Mergulhou uma caneta no tinteiro e assinou onde o sr. Beckwith indicou, então viu Finn fazer o mesmo. O advogado assinou o documento como testemunha e o colocou em uma pasta.

— Ficará guardada no meu escritório — informou.

Com um aceno para cada um deles, saiu.

E estava feito. Ela era sócia de um estabelecimento de jogos.

A empolgação de Lavínia ao descer do cabriolé fora palpável, contagiante. Por mais que estivesse ansioso por administrar o clube, que talvez chegasse até a competir com o de Aiden, sentiu uma alegria repentina e diferente com a ideia. A família sempre apoiara seus esforços, mas, com Lavínia envolvida na realização de seus planos, as possibilidades pareciam não apenas infinitas, mas alcançáveis. Se fosse fim de tarde, teria comemorado o acordo com drinques. Que se dane! Era fim de tarde em algum lugar do mundo!

— Vamos comemorar — disse, pegando dois copos e uma garrafa de uísque de um armário baixo.

— Não é nem meio-dia — observou ela, chocada com a sugestão.

— O que torna tudo ainda mais especial. — Finn serviu apenas um respingo em cada copo, então entregou um para ela e ergueu o outro. — Um brinde ao nosso sucesso.

Ele se acomodou melhor na beirada da mesa, tomou um gole e observou enquanto Lavínia bebia. Ela piscou e fez uma careta.

— Tinha esquecido como uísque era ruim.

— Você não tomou mais uísque desde aquela noite?

A noite em que fizeram amor pela primeira vez.

Ela negou, depois olhou para a outra escrivaninha.

— É minha?

— É.

Ela foi até a mesa e passou o dedo ao longo da borda.

— Você a conseguiu em pouquíssimo tempo. Como?

— Segredo.

Na verdade, a mesa estivera no escritório ao lado, só esperando o dia em que contratasse alguém para ajudá-lo. Quando Lavínia aceitou a oferta, pedira a um dos crupiês para mudar o móvel de cômodo.

— Você vai continuar misterioso, agora que somos sócios? — perguntou ela.

— Só quando for necessário.

Não queria que Lavínia continuasse com essas ideias de ter o próprio escritório; estava gostando de passar mais tempo na presença dela.

Ela se recostou na própria escrivaninha. Finn suspeitou que estivesse um pouco desapontada por ser baixinha e não conseguir se sentar na beirada da mesa, como ele.

— Conte-me sobre esse Orfanato Trewlove.

— Não tem muito o que contar. O nome diz tudo...

Foram interrompidos por uma batida na porta aberta. Uma jovem estava parada no corredor. A chegada dela já era esperada.

— Perdoe a minha interrupção, sr. Trewlove. Seu empregado no andar de baixo me disse para subir.

Finn pousou o copo na mesa e se endireitou, ciente de que Vivi fazia o mesmo.

— Ah, chegou na hora certa! Srta. Kent, conheça Beth, a costureira de Gillie. Ela vai tirar suas medidas para fazer alguns vestidos.

— Não estou precisando de vestidos.

— Claro que está.

— Os que tenho são o suficiente. Não precisa comprar roupas para mim.

— Vou descontar o valor da sua parte.

O que era mentira. Os vestidos seriam um presente; não suportava vê-la naqueles trapos. Levou apenas três passos para se aproximar de Lavínia, três segundos para pegar seu queixo fino.

— Você agora é minha sócia. Mesmo se preferir não aparecer no salão de jogos, vai ter que lidar com funcionários aqui e em outros cômodos. Para isso, precisa estar bem vestida. Uma antiga namorada de Mick sempre dizia que era importante se vestir como o homem de sucesso que ele almejava ser, ou nunca seria um. — Ele baixou a mão para o colarinho dela, passando o polegar ao longo da borda esfarrapada. — Roupas usadas e desgastadas não passam uma boa impressão.

Finn viu que ela não estava muito feliz com a ideia, mas também não tinha como refutar o argumento.

— Tudo bem. Mas por enquanto só dois.

Seriam três. Tinha algo especial em mente para o terceiro, mas seria uma surpresa — e, pelo visto, tão grande quanto a reação dela ao saber dos vestidos. Achava que ela iria pular de alegria com a chance de ter vestidos novos. Lady Lavínia teria ficado mortificada por usar qualquer coisa com um único fio solto. Mas a mulher diante dele era um mistério — e só queria desvendá-lo.

— Vamos para o seu quarto, para que Beth possa começar a trabalhar. Ela com certeza tem outros fregueses e muita costura esperando em sua loja.

Finn pegou o saco de estopa que, pelo peso, estava praticamente vazio e lembrou de todos os trajes que a vira usando nos encontros do passado. Não se recordava de Vivi ter repetido roupas. Lembrou do vestido de baile, que deveria ter toda a seda da China inúmeras camadas de anáguas. Devia ser preciso diversos baús e uma ou duas carruagens para transportar todas as roupas dela, na época. E lá estava aquela nova mulher, com apenas uma pequena sacola de estopa. O quanto sua vida mudara...

E a mudança tinha sido voluntária, com um propósito. Lavínia escolhera abrir mão da vida privilegiada e cumprira a promessa de fugir com ele... só que fizera tudo sozinha. Mas Finn pretendia provar que ainda valia a pena acreditar na promessa de quando eram jovens.

Quase não conseguiu conter a felicidade que sentira ao saber que teria vestidos novos, mesmo que fossem supérfluos. Mas Finn estava certo: precisava passar uma boa impressão. Quando jovem, aprendera logo sobre a importância da aparência. Não importava se estivesse morrendo por dentro, precisava passar a impressão de que estava tudo bem, explodindo de felicidade.

E, verdade fosse dita: estava grata por enfim trocar aquelas roupas por peças novas, que nunca tinham sido infestadas de insetos. Aqueles vestidos de segunda mão quase sempre davam coceira, como se ainda estivesse infestado de pulgas. Mesmo sabendo que não havia inseto algum, era inevitável não pensar na possibilidade de que um dia poderia ter havido.

Seguiu Finn e Beth pelo corredor, parando de repente quando Finn virou à esquerda.

— Meus aposentos ficam do outro lado — afirmou.

Ele a encarou.

— Ainda não estão mobiliados.

— Não se preocupe com isso.

— Por enquanto, você vai dormir no quarto com vista para a rua.

— E você, vai dormir onde?

Ele soltou um suspiro impaciente.

— Não se preocupe com isso.

— Finn, não quero que minha presença seja um incômodo. Posso voltar para o orfanato até que o quarto esteja pronto.

— *Isso* seria um incômodo para nós dois.

— Mas...

— Vivi, se continuar discutindo por qualquer coisa, nossa parceria tem muitas chances de ficar desagradável para nós dois.

Isso era verdade.

— Muito bem. Mas só até que o outro esteja mobiliado.

Os aposentos com vista para a rua já eram bem agradáveis, pelo que se lembrava, mas, quando entraram no cômodo, notou um vaso de petúnias em uma mesinha junto ao sofá. Não vira as flores antes. Ficou tocada pela consideração de Finn.

Ele entrou no quarto adjacente, deixando sua pequena sacola de pertences, e voltou de mãos vazias.

— Estarei no escritório, caso precisem de mim.

Quando ele saiu, Lavínia teve a sensação de que o cômodo ficara mais solitário.

Beth colocou a bolsa na mesinha quadrada que Lavínia estava pensando em usar para fazer as refeições, embora não tivesse como ou onde prepará-las. Devia haver uma cozinha no andar de baixo, pois Finn planejara uma sala de jantar. A costureira pegou a fita de medir e abriu um sorriso animado.

— Vamos tirar suas medidas?

Enquanto a jovem tirava medidas e fazia anotações em um livrinho, Lavínia estudou a masculinidade do cômodo: os tecidos escuros, móveis de madeira ainda mais escura... tudo no cômodo combinava com Finn, exceto ela.

— Foi muito gentil da sua parte ter o trabalho de vir até mim — disse a Beth. — Eu poderia ter ido à sua loja.

— Não me importo de vir até aqui. — A menina se ajoelhou, esticando a fita da cintura de Lavínia até o chão. — Eu faria qualquer coisa que um Trewlove pedisse. Não teria minha loja se não fosse por eles.

A curiosidade de Lavínia despertou.

— Por que diz isso?

— Meu senhorio era um homem horrível. A cada Segunda Sombria...

— Segunda Sombria?

— Sim. O aluguel da loja era pago toda a segunda-feira. Eu nem sempre tinha o que devia. Quando não tinha, ele exigia o pagamento de outras formas.

— Que formas? — quis saber, hesitante, esperando que seu palpite estivesse errado.

A garota não devolveu seu olhar, só prosseguiu com o trabalho.

— Ele esperava que eu fosse sua meretriz, achava que poderia ter o que quisesse de mim. Uma vez, quando me opus, ele me bateu. Fiquei com um roxo na cara. Gillie apareceu no dia seguinte, precisando de uma nova saia. Ela notou o machucado e me perguntou o que tinha acontecido. — A jovem deu de ombros. — E eu contei. Gillie tem um jeito que faz a gente desabafar sem nem perceber... — Levantando-se, começou a guardar suas coisas na bolsa. — Parece que, algumas noites depois, meu senhorio cruzou com os irmãos Trewlove em um beco. Mesmo a contragosto, ofereceu me vender a loja. E Mick Trewlove me ajudou a conseguir um empréstimo.

A costureira sorriu para Lavínia.

— Por isso que não é o menor problema vir aqui. Voltarei em alguns dias para que você experimente os vestidos e farei alguns ajustes, se necessário.

— Obrigada, Beth. Mal posso esperar.

Depois de acompanhá-la até a porta dos aposentos, Lavínia recostou-se na parede, muito admirada com a bravura daquela moça. Apesar dos dias sombrios que vivera, Beth conseguira se reerguer e agora irradiava otimismo. Muitas pessoas sofriam por diferentes circunstâncias infelizes, e Lavínia nunca pensara na maioria. Mas Finn pensava, e a família dele também. Os Trewlove cuidavam de muita gente. Talvez a Lavínia do passado não tivesse vivido uma vida lavando as meias de Finn, e sim trabalhando para garantir os direitos de outros.

Andou pelos aposentos sentindo o cheiro de Finn e o imaginou cuidando de uma pequena costureira, cuidando dela... Cuidando de Sophie. Finn tinha uma natureza tão protetora... Se não tivesse sido mandado para a prisão — e por causa do pai dela! —, tudo teria sido muito diferente. Mas Lavínia achava que talvez tivesse sido um pouco ingrata. Claro que não gostava de pensar que precisava comprar um vestido novo e não conseguia, e considerava que era uma obrigação sua. Ah, como fora egoísta... Pensara apenas em si, enquanto Finn e sua família sempre pensavam nos outros. Seria mesmo muito difícil resistir a ele.

Mas resistiria, porque tinha assuntos mais importantes que uma nova paixão para ocupar a mente. Não houve melhor momento para testar seu valor do que o presente. Com uma rápida olhada no espelho pendurado na parede acima do lavabo, onde Finn possivelmente se barbeara naquela manhã — não ia ficar pensando naquela atividade tão íntima, ou como seria satisfatório fazê-la por ele —, Lavínia se certificou de que cada mecha do cabelo ainda estava devidamente presa. Deu tapinhas nas bochechas para trazer um pouco de cor ao rosto antes de sair para o corredor e ir até o escritório dele. *Deles*.

Sentado diante da própria escrivaninha, Finn analisava alguns papéis, que pareciam tão frágeis em suas mãos grandes. O quarto parecia muito menor com a presença dele. Até relaxado Finn parecia alerta, com uma atenção extremamente masculina. Lavínia o imaginou caminhando pelo salão de jogos e percebeu que queria fazer mais que apenas fantasiar. Queria ver. Idealizou Finn dançando com alguma das clientes e sentiu uma centelha de ciúme. Talvez ele deixasse a tarefa para algum funcionário... Bem, sabia que talvez chegasse o momento em que o veria com uma namorada ou esposa. Um homem como ele devia ter suas necessidades. Queria que Finn fosse feliz, que encontrasse uma mulher mais apropriada do que ela, mais corajosa...

Finn ergueu os olhos, fazendo com que ela congelasse como Neville fazia com as borboletas mortas que prendia em um pequeno quadro, quando era muito mais novo. Lavínia sempre considerara a prática mórbida e libertava as criaturas coloridas, dando-lhes dava um enterro apropriado quando ele voltava para o internato, onde passava vários meses.

Porém, naquele momento, temia que fosse morrer ali mesmo. Era um desafio respirar com aqueles olhos escuros e penetrantes concentrados nela. Finn se levantou bem devagar, e ela ficou levemente perturbada ao pensar que cometera um erro terrível ao ir até o clube, ao concordar com a sociedade. Com certeza teria encontrado meios mais seguros de ganhar dinheiro... Talvez subir em telhados para limpar chaminés, por exemplo.

— Está pronta para começar a trabalhar? — perguntou ele.

Com aquelas poucas palavras, o feitiço se quebrou, e Lavínia pôde voltar a respirar. Assinara um acordo, que honraria dando tudo de si. Finn precisava de seu conhecimento, do que Lavínia trazia na cabeça, não de seu corpo. Se pelo menos não tivessem se beijado no dia anterior, se ele não a tivesse lembrado do que a fazia sentir. Ela engoliu em seco e respirou fundo.

— Sim, claro.

Ficou muito satisfeita por conseguir andar até sua escrivaninha sem dar a impressão de que as pernas estavam bambas com a proximidade dele. Sentou-se na confortável cadeira de couro e começou a avaliar os itens na mesa: pergaminho, caneta, tinteiro, as nádegas dele…

Finn estava sentado na beira da mesa parecendo não perceber a inadequação de colocar aquela parte de sua anatomia ao seu alcance, alheio à maneira como o tecido da calça envolvia seu traseiro e delineava a coxa torneada. Tinha tirado a jaqueta, então nada impedia a visão escandalosa, e Lavínia se lembrou de como fora delicioso cravar as unhas naquela carne, nos músculos firmes.

Ele se inclinou para a frente, apoiando o antebraço na coxa sedutora.

— Temos uma cozinheira.

Ficou com medo de ter deixado transparecer a fome no olhar. Será que ele notara e interpretara errado?

— Então temos cozinha?

Uma pergunta idiota. Se não tivessem, por que precisariam de cozinheira?

— No andar de baixo. Se quiser uma xícara de chá, um copo de limonada ou qualquer outra coisa, ela pode preparar. Temos… — ele franziu a testa — bem, não são exatamente criados, mas cuidam do lugar, limpam e arrumam tudo, além de cuidarem de tarefas menores, como buscar coisas. Vou arranjar um sininho para que possa chamá-los quando precisar de alguma coisa.

— Não preciso de criados ao meu dispor.

— Houve um tempo em que você teria precisado.

— Sim, mas passou. Finn, eu *abandonei* essa vida. Gosto de cuidar das minhas próprias necessidades.

— De todas?

A voz dele era baixa, sensual, temperada com luxúria.

Sabia do que aquele safado estava falando. De dar prazer a si mesma. Empinando o queixo, arrogante, esforçou-se para encará-lo de frente — ainda que Finn estivesse bem mais alto que ela.

— Das que precisam ser cuidadas.

— Estou sempre disponível, se precisar de assistência.

Lavínia suspirou.

— Finn, se continuar com essa insistência, nossa parceria tem muitas chances de ficar desagradável para nós dois.

Ele sorriu.

— Você está usando meu argumento contra mim!

— Somos parceiros de negócios. Não podemos ser nada além disso.

— Apesar de como as coisas terminaram, Vivi, o que tivemos foi bom.

— Nós éramos jovens e tolos.

— E agora estamos mais velhos e mais sábios. Então deve ser ainda melhor.

Lavínia já estava preparada para discutir, mas ele se levantou da mesa, levando aquele traseiro adorável embora.

— Venha — disse, pegando a jaqueta no encosto da cadeira. — Vou lhe apresentar à equipe.

Havia a cozinheira, que parecia magra demais para gostar do próprio trabalho; um sujeito chamado de "chefe", encarregado de manter a ordem no salão de jogos; os crupiês; um barman; jovens rapazes que atendiam às necessidades das clientes levando bebidas; dois lacaios que serviam as refeições na sala de jantar e duas garotas que varriam, limpavam, espanavam e acendiam as fogueiras.

— Por que as mulheres não podem ser crupiês? — indagou, quando voltaram ao escritório.

Finn puxou a cadeira. Lavínia receou que ele deixasse seu traseiro próximo dela outra vez, mas Finn virou a cadeira ao contrário e colocou os cotovelos na mesa, apoiando o queixo nas palmas das mãos enquanto a encarava.

— Porque é trabalho de homem.

— Por quê?

Ele piscou, franzindo o cenho.

— As mulheres podem dar cartas. Eu sempre dava as cartas quando jogava uíste — argumentou Lavínia.

— Mas era um passatempo do chá da tarde. Os jogos do clube são projetados para nos trazer dinheiro.

— E por que os homens não podem espanar o pó?

— Homens não espanam pó.

— Nem eu.

— Não vamos inverter as tarefas.

— Não estou pedindo isso. Mas, se quer que as mulheres frequentem esse lugar, que se inscrevam no clube e apostem nos seus jogos, vai ter que mostrar a elas que as vê como iguais.

— Você mesma sugeriu que contratássemos homens para dançar com as damas. Acha que elas não prefeririam um cara bonito que flerta enquanto distribui as cartas ou joga os dados?

Talvez ele tivesse razão.

— Só estou sugerindo considerar a possibilidade de contratar mulheres para cargos que não sejam de arrumadeira.

Finn deu de ombros.

— Você fará parte do processo de seleção, então poderá avaliar quem devemos contratar.

Pensar naquilo a deixava ao mesmo tempo animada e aterrorizada. A mãe lhe ensinara o que procurar em um criado, um lacaio, sobretudo porque eram muito visíveis em uma casa. Suspeitava que os empregados do clube precisassem de mais que alturas similares e panturrilhas bonitas. Ainda assim, não demonstraria o menor sinal de hesitação.

— Ótimo. Quantas damas devo convidar?

— Todas que você conhece.

De fato, a pergunta fora boba.

— As famílias estão quase todas no campo. Alguns devem voltar para a pequena temporada. Talvez devêssemos oferecer... não um baile, porque seria só para mulheres, mas uma espécie de festa. Uma noite social onde possam ter um gostinho do que oferecemos. Talvez possam jogar de graça, para conhecer.

— Nós não somos uma instituição de caridade.

— Não, claro que não. Mas podemos exibir a diversão como uma isca. Então, quando morderem o anzol, serão nossas.

— Quando foi que você aprendeu a pescar?

— Meu pai me levou uma ou duas vezes, na nossa casa de campo.

Uma das memórias mais agradáveis que tinha com ele, de quando fora amoroso e gentil. Mas, depois de saber toda a verdade, só conseguia pensar em como o pai fora responsável pela prisão de Finn.

— Você sente falta daquela vida?

Identificou interesse e solidariedade genuínos na pergunta. Finn não a julgaria mal se a resposta fosse "sim". Mas Lavínia não queria seguir por aquele caminho perigoso, não no momento. Com dificuldade, pegou a caneta que Finn escolhera para ela e a mergulhou no tinteiro.

— Vou convidar todas para uma noite no clube daqui a três semanas. Então, se não estiverem na cidade, terão tempo de chegar, caso decidam vir. — Olhou de esguelha para ele. — Está bom para você?

— Você está encarregada de trazê-las aqui. Fica a seu critério qual é a melhor maneira de fazer isso.

Lavínia ficou surpresa com o prazer que sentiu ao ouvir aquilo. Vivendo por conta própria nos últimos três meses, ela se acostumara a tomar as próprias decisões, mas ninguém jamais expressara a crença de que faria as escolhas corretas, de que suas opiniões tinham mérito. Até as irmãs questionavam a sensatez de suas ações, apreensivas. Embora apreciasse o carinho e preocupação, era um pouco reconfortante ter apoio, para variar.

Mas era incrivelmente perigoso imaginar quão melhor seria ter muito mais que apoio de Finn… Ter mais uma vez seu coração.

Capítulo 18

FINN ESTAVA ESPARRAMADO EM uma poltrona enorme e macia em seus aposentos — tinha mentido para Lavínia sobre o outro quarto ainda não estar mobiliado, queria que ela ficasse no cômodo que tinha o cheiro dele. Depois que ela mencionara aquilo, no dia anterior, achou que a mulher poderia sonhar com ele, se dormisse em sua antiga cama. Tentou não pensar sobre quão perto ela estava, no outro extremo de um longo corredor. Convidá-la para o clube tinha sido um erro. Em vez de trabalhar, passara a maior parte do tempo espiando Lavínia por cima dos papéis. Notou como ela franzia a testa quando se concentrava, como encostava a extremidade sem tinta da caneta no lábio inferior, como sua boca se curvava em um sorriso sempre que ficava satisfeita com qualquer decisão tomada e começava a escrever.

Ao que parecia, Lavínia gostava de fazer listas. Criara uma com o nome das damas que convidaria para o clube, outra para a seleção de músicas da orquestra contratada, outra para as bebidas que ofereceriam e mais uma para os petiscos que poderiam ser apreciados pela clientela. Pelo andar da carruagem, o Elysium teria a atmosfera festiva de um baile, não a devassidão sombria e imoral que ele imaginara. Bem, compreendia a sabedoria de não seguir sua ideia original.

Então, por mais que ela o distraísse, convidar Lavínia para ser sócia do clube tinha sido uma boa jogada. O conhecimento sobre o que as mulheres da aristocracia gostavam garantiria o sucesso do clube dele. *Deles*.

Levantando-se, Finn andou pela sala como um animal enjaulado, desesperado por liberdade. Passara cinco anos fazendo o mesmo na sua pequena cela, pensando em se vingar dela e de sua família, sobretudo do pai. Mas, quando fora libertado, só queria esquecer. Ainda mais quando descobrira que o pai dela morrera durante seu tempo na cadeia.

Mas, desde que ouvira o som da chave na fechadura da cela pela última vez, não conseguia ficar muito tempo em um quarto. E não permaneceria em seus aposentos só porque ela estava trancada nos dela. Precisava sair um pouco. Precisava de uma bebida.

Saiu para o corredor e foi até o patamar que dava vista ao salão de jogos. Algumas mulheres — as esposas, filhas ou irmãs de ricos comerciantes que ele conhecera por sua associação com Mick — testavam a sorte em algumas mesas de jogo. Precisavam desesperadamente de mais clientes, e não apenas para pagar o salário dos empregados. O período de três semanas que Vivi propusera estava distante demais. Precisava que as damas da nobreza fizessem logo a diferença.

Em seu caminho para a escada da frente, notou que a luz do escritório estava acesa e parou para averiguar. Lavínia estava trabalhando, embora ambos tivessem decidido, não mais que uma hora antes, quando o relógio batera oito horas, que o dia de trabalho terminara. Encostou-se no batente da porta e ficou olhando. Ela parecia... à vontade. Feliz. Anos antes, Vivi passara a impressão de estar feliz ao lado dele, mas sempre tivera a sensação de que ela via a alegria como uma coisa passageira, algo que sentia apenas em sua companhia. Será que tinha concordado em se casar porque pensara que seria feliz com ele? Será que tinha colocado o fardo dessa responsabilidade sobre os ombros de Finn? Estivera disposto a aceitar, na época, faria qualquer coisa para fazê-la sorrir. Gostava de se sentir necessário, desejado, querido... Mas o desejo por aquela mulher que encontrara felicidade em si mesma, e não em roupas bonitas, uma casa confortável ou em ter muitas coisas, era diferente e mais poderoso.

— Você não acha...

Lavínia soltou um gritinho e deu um pulo, quase caindo para trás com a cadeira. Ofegante, de olhos arregalados, ela apertou a mão contra o peito.

— Meu Deus, Finn! Você me assustou!

Finn precisou de todas as suas forças para conter a risada, que ela não gostaria de ouvir.

— Parece mais apavorada.

— Eu estava absorta no trabalho.

— Achei que tínhamos concordado em encerrar o dia.

— Esse é um assunto pessoal.

Lavínia recolheu os papéis, abriu uma gaveta e guardou tudo dentro. Finn estreitou os olhos.

— Achei que não tivéssemos mais segredos.

Lavínia uniu as mãos em cima da mesa, apertando tanto que os nós dos dedos ficaram brancos enquanto os estudava. Finn estava desapontado por, depois de tudo o que descobriram, depois de se tornarem sócios do clube, ainda não ter a confiança dela, não saber seus segredos.

— Vou para a taverna de Gillie tomar uma cerveja.

Ele se virou para sair.

— Finn?

Finn parou e contou três batidas do coração, precisando de tempo para transformar a expressão de desapontamento em uma máscara indecifrável. Então, voltando a encará-la, desejou que Lavínia não parecesse tão vulnerável.

— Estou escrevendo um artigo sobre minhas experiências nas ruas. Tenho a esperança de que seja publicado em algum jornal e chame atenção para as reformas necessárias no tratamento dos mais vulneráveis da nossa sociedade. — Mesmo à distância, viu como as bochechas dela ficaram vermelhas, como se estivesse envergonhada pela confissão. — Acho que o texto ainda não está bom o suficiente para ser publicado…

— Se você dedicar metade de sua paixão a isso, Vivi, estará bom o suficiente.

— É muita gentileza sua, mas você sempre foi um leitor voraz, então sabe que é preciso mais que desejo para uma frase bem escrita. É preciso certa habilidade, algo que temo não ter. Estou tentando ser honesta com as palavras, falar sobre o que vi, sobre as mulheres que conheci… É difícil. É como desnudar a alma. Às vezes, o que escrevo me faz sentir como se estivesse descartando as roupas, me preparando para andar nua pelas calçadas.

Sem fazer barulho, Finn entrou no escritório e foi até ela.

— Não é isso que um texto honesto exige?

Lavínia parecia muito nervosa, mordendo o lábio e franzindo o cenho.

— Você leria o meu artigo?

A alegria de saber que ela confiaria suas palavras a ele foi diferente de tudo que já havia sentido. Estava emocionado.

— Seria uma honra.

Assentindo, Vivi abriu a gaveta, tirou os papéis que guardara lá e os estendeu para ele.

— Agora?

— Se você tiver tempo.

Sempre teria tempo para ela, mas, se confessasse aquilo em voz alta, Lavínia não acreditaria e o acusaria de estar paquerando. Pegando os papéis, Finn foi até a própria mesa e sentou-se. Acendeu a chama da lâmpada e começou a leitura.

— Quero uma opinião honesta, pode falar se o que escrevi estiver ridículo.

— Não darei menos do que minha sinceridade.

— E não vou me ofender se você não gostar.

Finn abriu um sorriso irônico.

— Vivi, me deixe ler.

— Sim, claro. Continue.

De canto de olho, viu ela se inclinar para a frente na cadeira e colocar as mãos no colo, parecendo um gato prestes a dar o bote. A tensão de Lavínia era palpável, e espalhou-se pela sala até os pelos da nuca dele se levantarem. Tentou se concentrar no que ela escrevera...

E, de repente, não estava mais ciente dela, do escritório, da chama bruxuleante. Estava andando por becos, confortando crianças assustadas, segurando um bebê fraco demais para sobreviver, não importava quanto leite ou encorajamento oferecesse. Sentiu a dor das mulheres sendo forçadas a dar seus bebês para outra pessoa, porque a censura da sociedade as impediria de sustentá-los. Leu sobre o desgosto, a tristeza, a dor e os horrores da vida. Quando terminou, estava abalado, tentando recuperar sua noção de identidade.

— É bem intenso — disse, por fim.

— Eu sei. — Ela se levantou e começou a andar de um lado a outro. — Não tenho jeito com as palavras. Estou com medo de me envergonhar mandando isso para um jornal. — Ela parou. — Eu deveria rasgar tudo e jogar fora.

— Não, Vivi. As palavras são perfeitas. A escrita é intensa, mas honesta. Não esconde nada. Você me colocou nos becos e nas estrebarias. Deu uma nova perspectiva sobre a criação de bebês bastardos, algo que eu nunca tinha pensado. Só alguém muito insensível não ficaria comovidos com este texto. Ele *precisa* ser publicado.

— Acha mesmo? De verdade?

— De verdade. O mundo inteiro precisa ler isso.

Abrindo um sorriso terno, Lavínia pegou os papéis.

— Vou enviá-lo ao jornal amanhã.

— Então vamos juntos para a taverna de Gillie.

Quando o Cabriolé parou em frente à taverna A Sereia e o Unicórnio, Lavínia se recusou a deixar a visão do prédio trazer de volta as lembranças de oito anos antes — de quando pensara ser muito corajosa e ousada por fugir de casa e ir à taverna com Finn. Mal sabia que a vida lhe cobraria ainda mais coragem e ousadia, e que falharia em corresponder.

Finn saiu do veículo e a ajudou a descer. Pousou a mão nas costas dela, guiando-a para a frente, e Lavínia quase se arrependeu de ter colocado o casaco para afastar o frio da noite. As pessoas andavam apressadas pela rua, algumas entravam na taverna, outras saíam. Tanto movimento, tanta vida.

Finn abriu a porta do bar e empurrou-a bem de leve, como se soubesse que ela estava repensando a decisão de entrar. A primeira coisa que sentiu foi a névoa de fumaça de cachimbos ou charutos queimando os olhos. Então, a mistura de odores atiçou as lembranças. O pai fumava cachimbo, e ela sempre gostara do cheiro. O irmão fumava charuto vez ou outra. Lavínia se esforçou para não pensar na família, para não se lembrar de tempos mais agradáveis, quando acreditara ser feliz.

Mas não sabia dizer se algum dia fora tão feliz quanto as pessoas que conversavam e riam ali na taverna, criando uma cacofonia de tons em seus ouvidos. Era difícil distinguir todos, mas não importava. A única voz que queria ouvir era do homem ao seu lado.

Finn começou a guiá-la por entre as mesas, em direção ao balcão de madeira, atrás do qual vários barris se alinhavam nas prateleiras. Foi fácil avistar Gillie, que era quase tão alta quanto Finn. O cabelo ruivo ainda estava curto. Lavínia ficara chocada com a rebeldia da mulher, quando a conheceu, mas, anos depois, começara a entender que o corte não exigia tanto trabalho. Talvez também devesse cortar o cabelo.

Avistou o duque de Thornley e parou de repente. Ele estava atrás do balcão, sem paletó, com as mangas arregaçadas, enchendo um copo de cerveja. Sorrindo, o duque entregou a bebida para um cliente, virou-se e deu um beijo rápido na bochecha de Gillie antes de voltar sua atenção para outro pedido. Estava trabalhando como barman, e Lavínia nunca o vira mais feliz ou mais bonito. Os últimos resquícios da culpa que nutria por tê-lo abandonado no altar se dissiparam. Não podia negar que lidara mal com a questão, mas Thorne nunca teria ficado tão à vontade casado com ela.

Finn a envolveu com o braço, a mão pousando em sua cintura.

— Vamos — urgiu. — Você será bem recebida.

Não estava tão confiante quanto ele, mas queria que Thornley soubesse como era gratificante vê-lo tão alegre. Finn habilmente abriu caminho entre os clientes até ambos ficarem em frente ao balcão. Pela primeira vez desde que começara sua nova vida, Lavínia sentiu vergonha pelas roupas esfarrapadas, desejou que tivessem esperado até os novos vestidos estarem prontos para ir à taverna. Então, se repreendeu por se importar com as aparências.

Gillie sorriu para Finn, um sorriso que vacilou quando percebeu que o irmão não estava sozinho. Ela tocou o braço de Thorne e indicou os dois com a cabeça. O duque se virou. Seu olhar se aqueceu, a boca se abriu em um sorriso. Com a duquesa ao seu lado, ele se aproximou.

— Lady Lavínia.

— Só Lavínia. Abandonei a parte aristocrática da minha vida. E parece que você está fazendo o mesmo.

Ele riu.

— Não, só gosto de ajudar de vez em quando. Gillie, você já conhece...

— Sim, conheci anos atrás. Finn, que surpresa.

— Vivi é minha nova sócia — anunciou ele, sem pestanejar.

Gillie arregalou os olhos castanhos.

— O quê? No seu clube?

— Exato. Assinamos os documentos hoje. Achei que deveríamos comemorar.

— Está aí algo que eu não esperava.

— Que clube? — perguntou Thornley.

— Meu irmão acha que as mulheres precisam de um estabelecimento de jogos.

— E ele tem razão — afirmou Lavínia, querendo defender Finn contra qualquer um que duvidasse de suas ideias.

Os irmãos dele tinham conquistado o sucesso com as próprias mãos, mas não tiveram a vida atrasada por cinco anos de prisão — isso graças ao pai dela.

— Ele está se esforçando muito no clube, e acho que as damas vão adorar o local.

Sentiu Finn apertar sua cintura de leve, e seu corpo instintivamente se aproximou mais, como se de repente fosse de metal, e ele, um ímã. Finn lhe protegera como um escudo; era a sua vez de retribuir o favor.

Os olhos de Gillie cintilaram com aprovação, o que era preferível à suspeita que vira neles quando se conheceram.

— Por que não procuram uma mesa? Levaremos as bebidas até vocês. — Ela inclinou a cabeça na direção de Lavínia. — Vinho tinto, se bem me lembro.

Ficou impressionada com a memória da mulher, mas estava com disposição para algo um pouco mais forte.

— Prefiro conhaque, se tiver.

— Que tipo de taverneira eu seria se não tivesse conhaque? — perguntou Gillie, abrindo um sorriso.

Com mais um aperto leve na sua cintura, Finn a guiou para uma mesa quadrada perto dos fundos do salão, onde o barulho da conversa era mais baixo, menos intrusivo. Puxou uma cadeira para ela, então se acomodou ao seu lado. Lavínia fez menção de tirar as luvas, então lembrou que não estava usando. Apenas colocou as mãos sobre a mesa. Finn colocou as dele por cima.

— Você estava me defendendo, Vivi? — perguntou baixinho, num tom sedutor.

— Defendendo seu sonho e seu direito de sonhar. De tentar realizar o que idealiza. Mesmo se não der certo, pelo menos terá tentado. Não que eu pense que vá falhar. Acredito mesmo que as damas vão gostar de ter seu próprio estabelecimento de jogos, um local para serem um pouco rebeldes.

Finn se inclinou para mais perto dela.

— Qual é o *seu* sonho?

Ficar livre da culpa, ficar em paz, saber...

Ergueu o rosto, sobressaltada, quando Gillie e Thornley apareceram. O duque pôs um copo na frente dela e um copo do que parecia uísque logo ao lado, enquanto a duquesa colocava um copo similar na cadeira vazia ao lado do irmão e uma caneca na frente dele. Thornley puxou uma cadeira para a esposa, que, após uma inspeção mais detalhada, Lavínia acreditava já estar carregando seu herdeiro.

Depois de se sentar, Thornley ergueu o copo.

— Ao sucesso da sua empreitada.

Todos ergueram seus copos e tomaram um gole, embora Lavínia tenha notado que Gillie mal umedeceu os lábios com a bebida. Ao que parecia, ela levara o copo apenas para se misturar, para fazê-los se sentirem confortáveis.

— Neville sabe desse empreendimento? — perguntou Thornley.

Ela negou.

— Não, e prefiro que não fique sabendo.

— Ele está preocupado.

— Acho que é mais por orgulho familiar do que por amor. Ele não deveria estar preocupado. Eu escrevo semanalmente para que saiba que estou bem.

— Tenho que admitir que estou curioso para saber como vocês dois se tornaram sócios.

— É uma história bastante longa e terrivelmente chata — admitiu Lavínia.

— Enquanto você conta, preciso ter uma conversa particular com o meu irmão — anunciou Gillie. — Venha, Finn.

Ele soltou um suspiro longo.

— Qualquer que seja o assunto, Gillie, podemos conversar aqui.

— Não, é muito pessoal. Venha comigo. Por favor.

Lavínia notou a hesitação no olhar de Finn, pensando que ele negara a conversa com a irmã por estar preocupado com ela.

— Eu vou ficar bem — assegurou.

Finn se levantou à contragosto e apontou um dedo para Thornley.

— Não a aborreça.

Lavínia não conseguia imaginar o duque acatando ordens. Parecia, no entanto, que os Trewlove não se importavam muito com títulos de nobreza. Ficou olhando Finn seguir a irmã para fora da taverna, tentando não se lembrar de quando o vira sair e ele nunca retornara.

Thornley segurou sua mão, catapultando-a para o presente.

— Quero contar ao seu irmão que nos encontramos e que você está bem.

— Só não diga onde estou. Ainda não estou pronta para encarar ele ou minha mãe. Há muito sobre a nossa família que você não sabe… É bom que tudo tenha acabado bem. Você parece feliz, muito mais feliz do que jamais estaria comigo.

— Eu gostaria que você me contasse tudo.

Mas fazer isso a destruiria.

— O que você tem na cabeça, Finn? — indagou Gillie, assim que entraram no beco entre o prédio de tijolos que abrigava a taverna e outro que abrigava um farmacêutico.

Cruzando os braços, Finn se encostou na parede, agradecido por Gillie não ter começado a inquisição no meio da rua.

— Eu preciso do conhecimento dela.

— Então pague-a por isso. Não faça dela uma sócia.

— Tarde demais.

Gillie balançou a cabeça com força, andando de um lado para outro.

— Eu não deveria ter contado que ela estava aqui.

— Ela mudou, Gillie. Está diferente. Não é mais a garota que eu amei.

A irmã parou de supetão.

— Então não sente nada por ela?

— Eu não disse isso.

Abaixando o olhar, Finn arrastou a bota no chão. Em seguida, levantou a cabeça para encarar a irmã.

— Ela não me traiu, Gillie. E, embora eu saiba que há muita dor em nosso passado, não estou disposto a desistir sem nem explorar a possibilidade de um futuro juntos. — Ele abriu um sorriso zombeteiro. — Lavínia não está tão aberta para a ideia quanto eu, mas acho que consigo conquistá-la.

Viu a teimosia nos lábios cerrados de Gillie.

— Se essa mulher machucar você, arranco cada fio de cabelo dela. Um por um.

Finn riu alto, o som cheio de carinho.

— Você é tão feroz… — Então ficou sério. — Mas ela também é. Mais que antes. Não fui o único que sofreu durante o tempo que ficamos separados. Também quebraram ela, que agora está se recuperando.

— Coisas quebradas podem quebrar de novo.

— Ou podem se tornar mais fortes, impenetráveis.

O duque de Thornley sacudiu a cabeça.

— Nunca pensei em procurá-la com as Irmãs da Misericórdia. Abrigar-se com elas foi muito inteligente de sua parte.

Tinha sido mais um ato de desespero, na verdade. Temia que o irmão pensasse em procurá-la em abrigos comuns e não queria dormir nas ruas.

— Eu sinto muito, Thorne, por qualquer constrangimento que possa ter lhe causado.

— Você já pediu desculpas, e eu disse que não tinha ressentimentos. — Ele sorriu. — Além disso, tudo acabou bem para mim.

— Sua mãe deve ter ficado chocada quando soube que você queria se casar com a dona de uma taverna.

— Gillie a conquistou. Com o tempo, todos da aristocracia vão adorá-la como eu.

— Eu não tenho...

— Você é uma fada?

Uma voz muito doce a interrompeu. Lavínia ergueu os olhos e viu um jovem de 7 ou 8 anos. Seu coração deu um salto. A roupa parecia relativamente nova, o cabelo escuro era liso, os olhos ainda mais escuros.

— Robin, não é nada educado interromper alguém que está falando — apontou Thornley. — Se precisar, peça licença.

O garoto fez uma careta para o duque antes de voltar a atenção para ela.

— Com licença, senhorita. Mas você é uma fada?

Lavínia deu uma risadinha.

— Não. Por que você pensaria isso?

— Porque você é muito bonita e... — Ele franziu a testa. — Não posso explicar, mas chama muito a atenção, como se estivesse brilhando muito, sabe? E é muito bonita.

O menino parecia focado na beleza dela, embora fizesse um bom tempo desde que ela se sentira bonita — por dentro ou por fora.

— Seu nome é Robin?

Ele assentiu, balançando a cabeça com tanta força que as mechas escuras bateram na testa.

— Eu moro aqui. Eu protejo o lugar. Até minha mãe chegar. Ela é uma fada.

— É mesmo?

Mais um movimento rápido de cabeça, e Lavínia se perguntou se o menino esperava que ela conhecesse sua mãe.

— E quem é ela?

O garoto deu de ombros.

— Não sei. O duque me deu um livro sobre os bichos. Eu gosto de bichos. Você também gosta?

— Eu gosto. Já tive um gato. Dormia na minha cama.

— Eu dou leite para os gatos, mas não muito. Não quero que fiquem muito cheios, porque aí não vão comer os ratos.

O estômago dela se embrulhou só de pensar.

— É muito gentil de sua parte se importar com eles.

— Olá, jovem Robin — cumprimentou Finn, puxando a cadeira e se sentando. Ele olhou para Thorne. — Gillie voltou para o bar.

— É melhor eu me juntar a ela, garantir que não exagere… — afirmou Thornley, ao se levantar. — Foi bom rever você, Lavínia.

— Digo o mesmo.

Quando ele saiu, Robin chegou mais perto de Finn.

— Tem alguma coisa para mim, tio?

— Acho que terei algumas tarefas para você daqui a dois dias. — Ele bagunçou o cabelo do menino. — Agora, para a cama.

Robin olhou maliciosamente para Lavínia, depois de volta para Finn.

— Você já a beijou?

— Você é um intrometido.

— Ela é linda. Você tem que beijá-la.

Finn abriu um sorriso largo.

— Vou pensar no caso. Agora vá dormir.

Robin fez uma saudação.

— Boa noite, senhorita.

— Boa noite, Robin.

E saiu correndo.

— Ele fala muito bem.

Sabia que algumas pessoas de classes mais baixas tendiam a falar de um jeito errado ou muito simples.

— Agradeça a Gillie. Ela acha importante que as pessoas falem direito. Eu suspeito que em breve vai começar a trabalhar para ele usar menos "você".

— Robin mora aqui?

— Na cozinha.

Sentiu uma onda de horror.

— Que horrível!

Finn deu de ombros.

— É onde ele quer ficar. Está convencido de que a mãe vai encontrá-lo aqui. Nós o levamos para nosso abrigo, mas ele sempre volta para cá. Então, Gillie cuida dele, e Robin faz algumas tarefas para nós.

— Quero saber mais sobre esse abrigo. Tem espaço para outras crianças que eu possa resgatar?

— Temos um pouco de espaço, sim.

— Acha que vamos lucrar bastante e que minha parte será o suficiente para que um dia eu compre uma casa?

— Se as coisas correrem como espero, você poderá comprar várias.

Sorrindo, Lavínia levantou o copo de conhaque.

— Então, um brinde ao nosso extraordinário sucesso!

Thorne emprestou a carruagem para levá-los de volta para casa. Ao que parecia, deixava o veículo sempre pronto para voltar com a duquesa à residência em Londres, quando fechavam a taverna, o que não aconteceria por mais algumas horas.

Casa. A palavra ecoou na mente de Lavínia, trazendo um vazio. Não estava a caminho de casa. Estava indo para seu negócio, onde também dormia. Ainda assim não podia negar que se sentia mais confortável dentro daquelas paredes com cheiro de Finn do que jamais se sentira em qualquer um dos casarões de sua família, fosse no campo ou em Londres. A mobília era mais confortável do que a do orfanato, mas as irmãs estavam mais preocupadas em confortar a alma. E, apesar de seus enormes esforços, a dela continuava em frangalhos. Talvez sua alma não tivesse conserto; talvez não houvesse crianças suficientes em toda a Inglaterra para fazer a diferença, absolvê-la da culpa.

— Você pensa na sua mãe? — perguntou, baixinho.

Finn já estava em silêncio, sentado de frente para ela, mas Lavínia percebeu que ficou ainda mais quieto.

— Às vezes.

— Você ainda não sabe quem é?

— Não.

— Ela, sem dúvida, pensa em você. — Olhou pela janela. — Quando boatos sobre seu clube...

— Nosso clube.

Finn continuava tão obstinado quanto na juventude, mas foi impossível evitar o calor que a percorreu pela insistência de que o clube era deles.

— Quando boatos sobre *nosso* clube se espalharem, e vão se espalhar, porque não há nada que as mulheres gostem mais que de falar coisas que beneficiem sua reputação... Bem, quando receberem um convite para um clube secreto e exclusivo será algo para se vangloriar...

Lavínia riu baixinho.

— Vai parecer inocente, claro. Um sussurro de "Eu não vi você no Clube Elysium" ou "O que você vai vestir para o clube?", seguido por "Ah, você não recebeu um convite? Talvez eu possa falar com o proprietário...", e por aí vai. Bem, quando houver mais boatos sobre esse clube misterioso, até os homens vão ficar sabendo. Podem perguntar às amantes se sabem algo sobre o clube que a esposa está frequentando. — Ela voltou a atenção para Finn. — Então sua mãe também pode acabar ouvindo, não importa sua posição na sociedade. E pode até aparecer, pedir para se filiar.

— Duvido muito que ela saiba quem sou ou qualquer coisa sobre o que aconteceu comigo. Se soubesse, com certeza teria dado notícias durante todos esses anos.

A menos que tivesse morrido no parto. Ou depois. Talvez ela tivesse enlouquecido por terem tirado o filho de seus braços.

— Você ainda não vai me dizer quem é seu pai?

— Ele não é importante.

— Eu me pergunto se ele conhecia o meu.

— Suspeito que sim.

— Eu me pergunto se eram amigos.

— Possivelmente.

— Tenho mil perguntas que faria ao meu pai, se ele ainda estivesse vivo.

— Para isso teria que confrontá-lo.

— Sim. — Lavínia olhou pela janela. — Gostei de sair hoje. Queria fazer isso de novo.

— Então faremos.

Finn fazia tudo parecer tão fácil, como se não fosse haver consequências. Ela se perguntou como a mãe se sentira quando seu irmão dissera que tinha cancelado a busca por ela. Não duvidaria que a mãe contratasse outras pessoas por conta própria.

— Você me ensina a arrombar fechaduras?

— Se tem medo de ser presa outra vez, saiba de uma coisa, Vivi. Se prenderem, eu vou soltar você.

Havia uma promessa, uma determinação na voz dele que deveria ter lhe trazido conforto, paz, tranquilidade.

— Mas e se prenderem você também? Já fizeram isso antes.

— Meus aliados agora são mais poderosos. Meus irmãos têm mais dinheiro e influência. Mick tem o apoio do duque de Hedley e se casou com a filha de um conde. Minha irmã é duquesa, casada com um duque poderoso. E alguns lordes me devem por não ter quebrado seus ossos quando fui cobrar os valores devidos. Não tenho medo da sua família.

Lavínia abriu um leve sorriso.

— Eu deveria ser tão confiante quanto você.

— Acho que você é, só não reconhece. Meu Deus, Vivi, você arriscou a vida em mais de uma ocasião, perambulando no meio da noite.

— Meu propósito superava o medo.

A carruagem parou, e um lacaio abriu a porta. Finn saiu, depois a ajudou a descer.

— Ainda devemos ter algumas damas sendo entretidas — comentou ele. — Vamos dar a volta por trás. Não estou com vontade de arruinar a noite com algum problema que possa ter surgido enquanto estávamos fora.

Lavínia adorou o jeito que ele mantinha a mão espalmada firmemente sobre suas costas enquanto entravam e subiam a escada dos fundos. Permanecia meio passo atrás dela, proporcionando-lhe proteção. Parecia não ter pressa de acompanhá-la até seus aposentos.

— Onde você está dormindo?

— Onde gostaria que eu dormisse? — perguntou, à guisa de resposta, em uma voz baixa e sedutora, a respiração quente roçando a orelha dela quando chegaram ao patamar.

Lavínia não sabia se ria ou se batia nele por arruinar o feitiço sob o qual a estava colocando.

— Você disse que os aposentos do outro lado do corredor não estão mobiliados.

— Eu menti.

Ela parou de repente e se virou para encará-lo.

— Por quê?

— Porque houve uma época em que sonhei com você dormindo na minha cama. E agora você vai dormir nela, mesmo que eu não esteja junto.

— Mas você quer estar.

Finn abriu um sorriso.

— Quero.

Ele pegou sua mão e a levou até a borda do patamar, de onde podiam ver o salão de jogos no piso inferior. Cerca de dez mulheres estavam espalhadas por várias mesas.

— Imagine, Vivi. Cem mulheres rindo, se divertindo. Alguma chance de mudarmos a data da festa para semana que vem?

— É preciso considerar uma quantidade adequada de tempo entre a entrega de um convite e o evento.

— Mas este lugar não segue as regras da nobreza. Queremos ser impróprios. Nossas ações não deveriam refletir esse ideal, tanto quanto nossas palavras?

— Acho que você tem razão.

— Vamos andar pelo salão de jogos...

— Não, não quero. Sou uma sócia secreta.

— Tem vergonha de sua posição, ou vergonha de ser vista comigo?

Lavínia ficou horrorizada com a conclusão dele.

— Nenhum dos dois. Ninguém na taverna deve saber sobre a minha família, mas as damas que vou convidar sabem. Não quero mais fazer parte dessa vida. Não me adapto bem a ela. — Lavínia suspirou. — Estou cansada. Acho que vou me deitar.

Foi andando calmamente em direção ao quarto. Não se surpreendeu nem um pouco quando ele a seguiu.

— Prometa-me que você não vai sair para se encontrar com alguém.

— Eu já disse que não tenho compromissos.

— Isso não significa que não vai sair.

Ela parou na porta e o encarou.

— Não pretendo fazer nada além de me enrolar no cobertor e dormir profundamente.

Seria sua melhor noite de sono em três meses. Finn deslizou os dedos lentamente por sua bochecha.

— Estive pensando em algo que Robin disse. Você é muito bonita.

Duvidava muito disso. Mas, pelo calor que a invadiu, sabia que a pele estava ficando manchada com o rubor que se alastrava pelo seu corpo.

— E eu deveria mesmo beijar você — sussurrou Finn.

Os dedos dele pararam as carícias e se enterraram em seu cabelo enquanto a palma da mão embalava seu queixo, sua bochecha.

— Finn...

Lavínia queria protestar, mas o nome dele em seus lábios era pouco mais que um suspiro ofegante, um convite, uma aceitação.

Quando as bocas se tocaram, ela cedeu a todos os desejos e anseios que mantivera à distância e devolveu o beijo com um entusiasmo que espelhava o dele. A língua de Finn acariciou a dela, circulando sem deixar nenhum canto intocado. Ele era habilidoso em fazer com que o corpo de Lavínia reagisse, ficasse letárgico e quente, se arrepiando e se torcendo. Ele a fazia formigar de prazer com tão pouco esforço.

Sempre tinha sido daquele jeito com eles, brasas esperando pela faísca de um fósforo. Mas, de algum modo, aquele beijo fazia o fogo arder com mais intensidade, ameaçava consumir tudo até que nada permanecesse, exceto cinzas. E, nas cinzas, talvez ela renascesse para amar de novo, talvez seu coração se curasse, talvez as feridas parassem de infeccionar, talvez encontrasse coragem para confessar tudo.

Afastando-se, Finn pressionou os lábios no queixo dela e naquele lugar adorável perto do ouvido, onde a boca aquecida sempre transformava seus joelhos em geleia. Lavínia foi incapaz de conter um suspiro de rendição.

— Eu quero você, Vivi — sussurrou Finn.

— Você quer a garota que eu era, que não reside mais em mim.

Ele ergueu a cabeça e a encarou.

— Não. Eu quero a mulher que você é agora.

Lavínia se forçou para espalmar as mãos contra o peito dele e empurrá-lo para trás até que o ar que respirava já não carregasse sua fragrância sedutora.

— Se tudo isso, a parceria, só foi oferecida com a esperança de se deitar na minha cama, é melhor anular o contrato assim que possível.

— É o que você pode oferecer ao negócio, não a *mim*, que me fez ceder parte deste lugar. Mas isso não significa que não possa haver mais entre nós.

Lavínia estendeu a mão e afastou o cabelo dele da testa.

— Você não me acharia atraente se soubesse tudo o que aconteceu desde a noite em que iríamos fugir juntos.

— Então me conte.

Levantando-se na ponta dos pés, Lavínia deu um beijo no canto daquela boca irresistível.

— Boa noite, Finn.

Virando-se, abriu a porta, cruzou o limiar e a fechou. Deu três passos para a frente e esperou para ver se Finn a seguiria. Não sabia se teria forças para resistir, se ele entrasse.

Depois de longos minutos, ainda sozinha, foi até a janela e olhou para a rua, determinada a resistir à tentação que era Finn Trewlove.

Capítulo 19

Lavínia tinha quase terminado de escrever os convites quando a costureira retornou, dois dias depois, seguida por algumas empregadas carregando inúmeras caixas. Não se preocupou em disfarçar sua animação enquanto se levantava. De canto de olho, notou a expressão presunçosa de Finn. Quando o assunto era roupa, ele parecia entendê-la melhor do que a si mesma. Lavínia acreditara que havia se conformado com a ideia de usar vestidos de segunda mão, mas a perspectiva de algo novo e somente seu lhe trouxera uma alegria inesperada. Talvez não tivesse deixado a vida anterior tão para trás quanto achara.

Conduziu Beth e suas funcionários para seus aposentos, quase dando pulinhos enquanto esperava que abrissem as caixas, afastassem o papel fino do embrulho e exibissem cuidadosamente seu novo guarda-roupa.

Um vestido azul-marinho com botões até o colarinho e nos punhos. Inteligente. Refinado. Perfeito para uma mulher de negócios. Um vestido cinza com costuras azuis e babados aqui e ali, outro modelo que uma mulher de negócios usaria. Roupas de baixo, espartilhos, seda, renda, fitas e laços...

E, por último, um vestido de baile de cetim e tafetá rosa-escuro, com um corpete baixo e alças que escorregariam de seus ombros e os deixariam nus, para serem saboreados por lábios quentes. Era a coisa mais linda que vira em anos, e precisou apertar os dedos em sua cintura para se impedir de tocá-lo.

— Eu não preciso de um vestido de baile.

— Pode ser que precise — disse uma voz grave, com autoridade e convicção.

Virando-se, não ficou surpresa ao encontrar Finn apoiado contra o batente da porta. Não conseguia lembrar se fechara a porta em sua empolgação, mas uma porta fechada não faria diferença para o furtivo e silencioso Finn.

— Você pode mudar de ideia sobre comparecer à festa que daremos para as damas da nobreza — afirmou, sem lhe dar uma única chance de oferecer qualquer tipo de desculpa do porquê o vestido era desnecessário. — Além disso, já está feito. Duvido que Beth tenha outras clientes que desejam ou precisam de um vestido de baile. Recusar o traje não seria justo com ela.

— Mas o custo...

— É um presente.

— Você já me deu muitos.

Ele a havia resgatado de mulheres que a machucariam e de homens que fariam pior. Dera-lhe um lugar para viver, um trabalho, um pouco de sua dignidade de volta.

Finn deu de ombros.

— Então, o que seria um pouco mais?

Não sabia como recompensá-lo por todas aquelas gentilezas.

— Tudo bem.

Ele teve a decência de não se vangloriar por ter vencido a discussão, mas Lavínia notou que a resposta o deixara feliz. E a felicidade dele também era a sua. Gesticulou para indicar que ele saísse.

— Pode ir andando. Preciso experimentar tudo para ver se me serve.

— Eu poderia ficar e oferecer uma segunda opinião.

Lavínia quase riu da expressão inocente de Finn.

— Não — murmurou. *Não me faça cair de amores por você de novo.*

Tinham mudado uma vez e mudariam se novo, e não sabia como permanecer apaixonada por alguém, se todos estavam em constante metamorfose. O sucesso os transformaria, o fracasso os transformaria ainda mais. Todas as provações, tribulações e os desafios que a vida lançaria na direção deles — mesmo sem a família dela para estragar tudo — acabariam por alterá-los.

Finn pareceu entender o significado por trás de sua resposta, pois apenas inclinou a cabeça de leve, virou-se para o corredor e fechou a porta atrás de si.

— Você vai precisar contratar uma criada para ajudá-la a se vestir — comentou, uma hora mais tarde, depois que a costureira saíra e Vivi voltara ao escritório usando o vestido cinza-claro.

Durante a ausência dela, Finn passara o tempo imaginando-a vestindo e tirando cada pedaço de renda e de seda. Imaginou-se ajudando com o processo, e seu pênis — aquele imbecil — ficou tão duro que pensou que precisaria resolver a questão com a própria mão. Ao menos, sua mesa fornecia uma barreira para evitar que Vivi ou qualquer outra pessoa percebesse seu estado vergonhoso.

— Suponho que sim — concordou ela, tomando seu lugar na mesa ao lado. Seu lugar favorito, já que não podia tê-la em seus braços. — Beth e suas meninas me ajudaram a vestir esse. Precisou de pouquíssimos ajustes, apenas uma dobra aqui e ali. Ela é muito hábil.

Lavínia se virou para encará-lo, colocando o cotovelo na mesa e o queixo na palma da mão, quase em uma imitação da pose dele, Finn percebeu.

— Beth me contou o que você e sua família fizeram por ela.

— Não toleramos homens que tiram proveito de suas posições.

— Eu sempre me senti segura com você. Nunca me forçou a fazer nada que eu não quisesse.

— Não há nenhum prazer em tomar o que não é entregue de bom grado. — Ele sorriu como um predador. — Não significa que não vou testá-la para ver quais são seus limites.

— Você é um canalha teimoso.

Lavínia o estudou por um minuto, e Finn pensou que ela poderia se levantar, sentar-se no colo dele, mostrá-lo que estava disposta a esticar tais limites, talvez quebrá-los por completo.

— Você vai contratar Robin para entregar os convites? — perguntou ela, dando um tapinha na pilha em sua mesa.

— Sim. Ele pode começar amanhã.

— Ele é um pouco jovem para perambular por Londres.

— Vou pegar a carruagem de Mick emprestada. O cocheiro pode garantir que Robin não erre os endereços. Ele gosta de se sentir importante e os entregará com muita seriedade.

— Como ele acabou na taverna?

— Gillie o encontrou dormindo do lado de fora, uma manhã, e o levou para dentro. Ele é um tolinho independente, está convencido de que a mãe vai procurá-lo na taverna.

— Você já pensou que sua mãe, a mulher que deu à luz a você, viria atrás de você?

Ele negou.

— Eu tenho mãe. Ettie Trewlove. A mulher que me aceitou e me criou com amor. Eu não desejaria mais nada.

— Eu me pergunto se a maioria das crianças tem curiosidade sobre a própria mãe.

— Acho que depende se elas estão ou não contentes com quem as cria. É engraçado. Gillie e eu nunca pensamos muito nas pessoas que nos entregaram à Ettie Trewlove. Já Mick e Aiden se importam até demais. Deu certo para Mick. Não sei se Aiden terá a mesma sorte.

Ficava incomodado ao saber que o irmão estava se esforçando para criar um relacionamento com o "pai". Aquela não era a palavra correta. Não era seu pai, era o homem que engravidara sua mãe.

— Você tem outro irmão. Fera. O que ele acha do assunto?

— Não tenho certeza. Ele não fala muito sobre o que pensa.

— Ele deve saber do seu empreendimento. Acho que todos sabem.

— Não guardamos segredos uns dos outros.

— Você tem sorte nisto, Finn. É aceito por quem é. Minha família sempre se esforçou para me moldar em algo que eu não sou. — Voltando os olhos para a própria mesa, Lavínia abriu um pergaminho e mergulhou a caneta no tinteiro. — Talvez, depois da nossa grande festa, eu converse com a minha família. Não quero ter arrependimentos.

Finn queria tranquilizá-la, mas o passado ainda parecia assombrá-la. Mesmo sabendo que nenhum dos dois fora culpado pela quebra da promessa, Lavínia parecia hesitante em aceitar que poderiam ter um futuro juntos. E precisava mostrar a ela que podiam.

— Jante comigo esta noite — pediu. — Na sala de jantar. Vamos fechar só para nós dois. Vamos provar o cardápio que escolhemos, nos certificar de que está impecável.

Lavínia o encarou.

— É uma ótima ideia! Garantir que tudo esteja adequado para as damas da nobreza.

— Use o vestido rosa.

Como o jantar era de negócios, e não um encontro, o vestido cinza seria o suficiente. Foi o que disse a si mesma pelo resto da tarde, enquanto terminava o último dos convites e os dividia entre os que Robin poderia entregar em Londres e aqueles que precisariam ser enviados para o campo. Apesar de ter abandonado a nobreza, continuava lendo os tabloides de fofoca e sabia quem estava ou não na cidade. A quantidade de tinta gasta para falar sobre a aristocracia dizia muito sobre a sociedade em que viviam. Teria sido melhor gastá-la escrevendo sobre os pobres, as crianças órfãs que vagavam pelas ruas, a prática da criação de bastardos.

Pensando em tal injustiça, pegou o artigo que escrevera. Para que o texto tivesse peso, precisaria reivindicar sua herança e assiná-lo como lady Lavínia Kent, usar seu sobrenome para o bem. Começava a sentir que não precisava mais esconder quem era. O tempo que passara longe da família, nos últimos meses, permitira que se tornasse independente. Talvez confrontasse a mãe e o irmão muito em breve, para que vissem que já não tinham mais influência sobre ela.

Ao anoitecer, quando saía do escritório, sentiu-se bastante animada em relação às perspectivas para o futuro. Quando entrou em seus aposentos, o vestido rosa acenou como um amante que retornara depois de anos desaparecido. Era bobo se vestir para Finn, mas ele tinha pedido, e quase nunca pedia nada. E lhe dera tantas coisas...

Requisitou a duas mulheres que viu andando com espanadores no corredor que lhe ajudassem a preparar o banho. Poderia ter aproveitado a água morna da banheira por mais tempo se não estivesse ansiosa para ver o prazer no rosto de Finn quando a visse no vestido de baile. Uma das garotas, Meg, revelou-se bastante habilidosa com penteados, e prendeu suas madeixas para trás de modo que caíssem em ondas pelas costas. Era um penteado simples que exigia poucos grampos, mas Lavínia desejou não ter vendido os enfeites que usara no dia em que se casaria. Mas não poupara nada, em sua determinação de deixar a antiga vida e qualquer lembrança dela para trás.

— Meg, gostaria de ser minha criada pessoal? — perguntou Lavínia.

— Se for de seu agrado, srta. Kent — respondeu ela, de olhos arregalados, e fez uma pequena mesura.

— Sim, é. Obrigada. Informarei ao sr. Trewlove que suas tarefas vão mudar.

— Obrigada, senhorita.

Depois que as criadas saíram, Lavínia analisou seu reflexo no espelho por longos minutos. Fazia muito tempo desde que prestara atenção à própria aparência. Tinha apenas 25 anos, mas não podia negar que parecia consideravelmente mais velha. Preocupação, pesar e tristeza tinham cobrado seu preço. No entanto, Finn ainda a beijara, ainda a desejava.

Com um último olhar demorado para o reflexo, saiu de seus aposentos e foi atingida por uma onda de alegria ao encontrar Finn apoiado sobre o corrimão do patamar, olhando para o salão de jogos no andar inferior. Ele também tinha trocado de roupa, usava um paletó azul-escuro, calça preta e botas reluzentes. Apesar de enxergar apenas seu perfil, Lavínia notou o lenço de pescoço perfeitamente amarrado.

Quando se virou e a viu ali, parada, Finn abriu um sorriso, o prazer escurecendo o castanho de seus olhos. Lavínia sentiu um choque percorrer o corpo, como se ele tivesse acabado de passar as mãos por todas as suas curvas. Havia se passado menos de duas horas desde que o vira pela última vez, então como podia sentir o mesmo nível de felicidade de um reencontro de anos?

— Eu sabia que a cor combinaria com você — disse, endireitando-se e andando até estar de frente para ela.

Finn fizera a barba, o que lhe dava um ar mais elegante e sofisticado. No entanto, seria uma mentira dizer que não gostava da aparência dura e perigosa de quando a barba e o bigode começavam a crescer. Ele estava mais bonito do que fora na juventude, mais primitivo. Havia força e caráter em suas feições.

— Você está muito elegante — apontou ela.

— Pensei que deveríamos comemorar.

— Nós comemoramos ontem à noite, na taverna.

O sorriso dele se alargou, e Lavínia notou que Finn sabia que ela estava se esforçando para garantir que o jantar daquela noite não fosse nada especial.

— Podemos comemorar mais de uma vez.

Finn ofereceu seu braço, e, contrariando a sensatez, Lavínia aceitou. Desceram a escadaria na parte de trás do patamar até um pequeno labirinto de corredores que levavam à sala de jantar. À escura sala de jantar.

Lavínia sabia que havia candelabros no cômodo, mas não estavam acesos. Em vez disso, a única iluminação do ambiente vinha de três velas em uma das mesas cobertas com pano.

— Finn...

— É só para criar um pouco de atmosfera, para determinar se queremos um ambiente à luz de velas ou a gás.

— Atmosfera? Eu sempre fiquei impressionada com o seu vocabulário.

Ele puxou uma cadeira para ela.

— É incrível o que se pode aprender com a leitura. Embora, vez ou outra, eu tenha que perguntar ao bibliotecário a pronúncia ou o significado de uma palavra. — Ele se sentou na cadeira ao lado. — Meus irmãos e eu competíamos para ver quem sabia mais palavras. Gillie sempre era a melhor, mas eu ficava em segundo lugar e até conseguia ganhar algumas vezes.

Sentiu o orgulho e o amor na voz dele, enquanto falava sobre sua juventude. Fora uma competição amistosa. Não se recordava de brincar com o irmão daquela maneira. No entanto, não culpava Neville. Era o jeito que tinham sido criados.

Um lacaio se aproximou, despejando vinho nas taças. Finn levantou a dele.

— Para uma noite de descobertas sobre o que funciona melhor.

Tinha a sensação de que ele não estava se referindo ao que funcionava melhor para o clube, mas ao que funcionava melhor quando se tratava de sedução.

Lavínia estava linda, mas isso não era novidade para Finn. Estivera linda zangada, ao vê-lo levando sua égua, e quando a vira afligida pelo cavalo, quando a vira feliz em ver Sophie, quando a vira em pé de igualdade contra as mulheres que lhe desejavam mal, quando acolhera crianças como uma galinha com seus pintinhos, quando defendera o sonho dele para Gillie...

A beleza não estava apenas no desenho dos lábios, no contorno do rosto, na inclinação do nariz, no verde dos olhos. A beleza emanava de algo em seu interior, de algo que fazia sua pele cintilar em alguns momentos e corar em outros. Algo feroz, forte e inabalável por quaisquer obstáculos que pudessem aparecer em seu caminho.

— Esse vestido ficaria ainda melhor com um colar — comentou Finn.

Sua mão — tão pequena, tão delicada, quando comparada à dele — subiu, os dedos pousando próximos ao pescoço.

— Eu também teria pensado isso, mas não ligo mais para joias. Estava usando um colar de pérolas no dia do casamento, quando fugi, mas o vendi para ter mais dinheiro para comprar crianças. — Ela balançou a cabeça. — Esta foi uma péssima maneira de me expressar.

— Você não está comprando crianças de verdade, não está escravizando.

— Suponho que não. Só é triste vivermos em um mundo onde algo assim acontece.

— Achei que essas joias eram passadas através de gerações. As que você usou no dia do seu casamento não tinham valor sentimental?

Ela tomou um gole lento do vinho e lambeu os lábios.

— Meu pai me deu as joias no dia em que fui apresentada à rainha. Não por amor, mas por obrigação. É uma convenção. Ele não as entregou para mim pessoalmente. Pelo que me lembro, minha criada as levou. Se eu tivesse casado com Thornley, poderia ter passado as joias para minha filha, mas suspeito que o pai compraria pérolas para ela. Não quero me intrometer, mas Gillie parece estar carregando um herdeiro.

— Ela está.

— Ela e o duque só estão casados há algumas semanas... Fico feliz por ele ter assumido a responsabilidade.

— Thornley não se casou com Gillie porque ela estava grávida. Ele nem sabia, quando a pediu em casamento.

— Acha que ela teria mantido a criança se eles não tivessem se casado?

— Sem dúvida.

— Sua irmã é uma mulher forte.

— É mais teimosia que força. Ela sabe o que quer, e não tem como tentar convencê-la do contrário. E, ao contrário de muitas mulheres que se encontram na mesma situação, ela tem os meios de seguir o próprio caminho. Tem um negócio muito bem-sucedido e poupa dinheiro. Em pouco tempo, você será tão bem-sucedida quanto ela.

Lavínia riu levemente, e Finn sentiu o peito apertar.

— Eu nem consigo imaginar... As mulheres da minha posição na nobreza não trabalham. Elas ganham dinheiro do pai, mas não é o suficiente para que morem sozinhas. Nós nos casamos, e então passamos do cuidado da família ao cuidado do marido. Fiquei apavorada com essa ideia, quando fugi da igreja. Eu não tinha pensado em todos os detalhes. Para ser sincera, também não sei se pensei em todos os detalhes quando aceitei ser sua sócia.

— Você sempre pode abrir mão de sua parte.

— Eu não sou tão tola.

Finn se inclinou para a frente, querendo que a conversa continuasse.

— Então me diga. Prefere as velas ou os candelabros?

Ela observou o local como se estivesse mesmo pensando, então voltou a atenção para Finn e se aproximou até que ele pudesse ver o reflexo das chamas cintilando nas pupilas de seus olhos verdes.

— Como só as damas vão jantar aqui, acho que os candelabros são o suficiente. Creio que você poderia abrir a sala de jantar para homens.

— Suspeito que a maioria nunca chegaria aqui depois de avistarem as mesas de jogo.

— Talvez as damas possam usar a sala de jogos como um modo de testar a devoção de seus amantes.

Recostando-se na cadeira, ele a estudou por um longo momento.

— Colocar a tentação diante dele, ver se ele é capaz de ignorá-la para estar com a dama a quem recita sonetos?

Os lábios dela se curvaram em um sorriso perverso, mas atraente.

— Algo parecido.

— Talvez ele passe pelas mesas sem fazer uma única aposta porque está com fome, morrendo de fome. Como saber?

O riso de Lavínia era como sinos tilintando, fadas dançando em pétalas, reais e mágicos ao mesmo tempo.

— E qual deles você é? Dedicado ou faminto?

— Se está perguntando, é porque não me esforcei o suficiente para passar a mensagem.

A pergunta de Lavínia deveria ter sido apenas uma piada, algo para provocar riso e ser usado como provocação mais tarde. No entanto, o olhar de Finn era mesmo de um homem faminto — mas não por comida. Era o olhar intenso de um caçador que avistara sua presa, de um predador acostumado a capturar o que buscava, a pegar e reivindicar.

Lavínia foi tomada por um insano desejo de fugir, mas essa sempre era sua resposta. Planejara fugir com ele porque odiava a vida com a família, o futuro que estava planejado para ela. Fugira de Thornley pelos mesmos motivos. Por medo. Sempre por medo de se manter firme, de se impor. Mas ali estava Finn, o homem que perdera cinco anos de vida por causa dela, encarando-a como se nenhum tempo tivesse passado desde então. Não, aquilo não era verdade. Ele nunca a olhara daquela forma, como se pudesse devorá-la e fazê-la agradecer depois, como se tudo que sempre quisera estivesse ao seu alcance, bastava que ela se mantivesse firme...

Lavínia quase caiu da cadeira de susto quando um criado colocou uma tigela de sopa em sua frente, mas ficou grata pela intromissão ter quebrado o contato visual com Finn. Os olhos castanhos a enfeitiçavam, e ela não tinha certeza se conseguiria se libertar do feitiço sozinha.

— Nossa, a sopa parece uma delícia!

Pegou a taça, consternada ao descobrir que a mão estava tremendo.

Finn soltou uma risada baixa, quase sombria, como se tivesse lido os seus pensamentos, como se soubesse que ela não queria ser seduzida.

— A cozinheira ficará feliz em ouvir.

— Deveríamos chamá-la de "chef", começar alguns rumores de que talvez seja da França.

— Esse boato morreria quando alguém a ouvisse falar.

— Eu poderia ensinar algumas palavras a ela.

— Podemos ser um estabelecimento de jogos, Vivi, mas quero que sejamos honestos.

A expressão dele era sincera, sem sinal de provocação ou sedução. Ao discutir o clube, ele sempre ficava sério.

— Você está certo, é claro.

Provou a sopa e aprovou o sabor.

— Isso é muito bom!

A conversa se voltou para outros assuntos bons. Momentos engraçados da juventude dele, provocando seus irmãos e irmãs, sendo provocado de volta. Tempos mais felizes da vida dela, quando ganhou Sophie e aprendeu a cavalgar. Evitaram falar sobre o passado compartilhado. E Lavínia soube que, se não tivessem se relacionado antes, se estivessem apenas começando a se conhecer naquela noite, teria ficado encantada por ele. Se não houvesse passado, talvez ela se sentisse confortável por encantá-lo.

Apesar disso, velhos hábitos arraigados desde o nascimento eram difíceis de ignorar, e ela se viu flertando um pouco mais do que deveria, sorrindo misteriosamente, baixando os cílios de forma provocante. Especialmente quando o vinho — uma safra tão fina quanto qualquer coisa servida na mesa de um lorde — instigava-a a diminuir sua resistência, a revelar seu interesse por cada palavra que Finn pronunciava — e *estava mesmo* interessada. Sempre estivera. Finn tinha sido a primeira pessoa fora de seu nível social a falar com ela como uma igual, a mostrá-la um mundo sem privilégios. Ele era músculos e robustez, força e ternura, e os anos só o deixaram mais fascinante. Ele a enchia de esperanças por um mundo melhor, uma vida mais significativa. Era o motivo pelo qual não se importava mais com pérolas ou diamantes — mesmo que gostasse muito de usar um vestido de baile para ele, especialmente quando aqueles olhos castanhos mergulhavam no contorno de seus seios delineados pelo decote. Desejava parar de imaginá-lo pontilhando sua pele com beijos.

Lavínia disse a si mesma que era o vinho, mas duas taças dificilmente seriam suficientes para fazê-la perder a cabeça. Era Finn e as velas e o ótimo jantar. Terminaram a refeição com uma taça de conhaque quente, o calor suavizando o sabor da bebida.

— As damas vão gostar de jantar aqui. A cozinheira se superou.

Não estava surpresa. Provara diferentes pratos quando levavam uma refeição ao escritório no meio do dia, e outra em seus aposentos ao anoitecer. Mas a comida daquela noite fora especial, pensada para seduzir as papilas gustativas. Tudo naquela noite fora projetado para seduzir, da carícia da seda de vestido sobre sua pele ao provocante sabor do vinho e do conhaque em sua língua. Das sombras e das chamas bruxuleantes a voz baixa e sensual do homem sentado ao seu lado.

— Estudei a sala de jantar do hotel de Mick — explicou Finn, erguendo a taça. — E naturalmente, Gillie compartilhou seu conhecimento de licores. Thornley a levou para vinícolas na França depois que se casaram. Não que ela tenha provado muito dos vinhos, pelo que entendi. Mas sempre quis conhecê-las. Sua empolgação após o retorno, quando nos contou sobre tudo o que havia experimentado... — Ele fez um som que poderia ter sido uma risada ou uma zombaria, mas que continha muito afeto. — Dava para pensar que o duque tinha colocado uma pilha de ouro aos pés dela.

— Eu acho que, para uma proprietária de taverna, o presente dele foi melhor que ouro.

— Você se arrepende de não ter se casado com ele?

— Não, nós não combinávamos. Nunca conversamos. Simplesmente seguíamos o que era esperado. Toda a minha vida foi seguir o esperado. Acho que vivi mais nos meses desde agosto do que em toda a minha vida. — Ela balançou a cabeça. — Isso não é verdade. Eu sempre me sentia mais viva quando estava com você. Mais como eu mesma. Talvez as fadas tenham me trocado no nascimento e eu não tenho sangue nobre correndo nas veias, afinal.

— Você tem sangue nobre, Vivi. E houve um tempo em que eu teria lhe culpado por isso.

— Parece que somos muito rápidos para julgar pelo que vemos de uma pessoa, e não pelo que sabemos ou estamos dispostos a aprender sobre ela.

— Talvez mudemos o pensamento de algumas pessoas quando nossos clientes começarem a se misturar.

— Espero que sim. Seria uma contribuição maravilhosa à sociedade.

Ele deixou de lado a taça vazia.

— Você terminou?

Lavínia saboreou a última gota do conhaque. Queria que o tempo juntos se prolongasse, mas estava ficando tarde, e tinham muito trabalho a ser feito no dia seguinte.

— Sim, suponho que sim.

Ele se levantou, ajudou-a a se levantar e ofereceu o braço. Certamente, Lavínia poderia voltar para o quarto por conta própria, mas aproveitou a oportunidade de tocá-lo mais uma vez. No entanto, em vez de se dirigirem para a porta por que tinham entrado, ele a conduziu na direção oposta.

— Você está indo pelo caminho errado — informou.

— Não estou. Tenho outra coisa para mostrar.

Ele abriu outra porta, e Lavínia entrou em um salão onde os candelabros a gás brilhavam, aquecendo o local com uma iluminação bruxuleante que mal mantinha as sombras à distância, dando uma atmosfera íntima à área que ela designara como salão de baile. Em seguida, os acordes ritmados de uma orquestra começaram a preencher o silêncio, e Lavínia se encheu de felicidade, como se fosse uma das cordas que estavam sendo dedilhadas.

Sem palavras, sem pressa, com nada mais que as mãos para guiá-la, Finn a conduziu pelo chão de parquet polido. Era aquilo, não o jantar, era a razão pela qual ele queria que ela usasse o vestido de baile. A refeição fora apenas um prelúdio para sua sedução. Era ali, com ela em seus braços, que ele a seduziria de verdade.

E onde Lavínia aceitaria a sedução de braços abertos.

E estava cansada de resistir à atração, de ignorar o que sentia por ele. Os dois se moviam em uníssono, complementando um ao outro. Sempre havia sido assim, tinham um entendimento que não exigia voz. Sustentando o olhar dele, Lavínia percebeu que, com ele, estava sempre se apaixonando — que sempre estaria, indo cada vez mais fundo e mais longe. Aquela fora a verdadeira razão pela qual não conseguira se casar com Thornley. Porque não queria uma vida sem aquele amor, sem uma conexão que significava tanto sem uma única palavra dita.

Finn nunca tentara moldá-la ao que achava que ela deveria ser. Desde o começo, a aceitara como era, com fraquezas e todo o resto. Desde o começo, ele a fizera feliz.

Ninguém jamais a olhara como ele, como se fosse morrer se não pudesse tê-la, como se fosse morrer se pudesse. Sentira uma dor dilacerante quando Finn não aparecera ao encontro para fugirem, porque ele significava muito para ela. E permitira que a mágoa criasse uma névoa, que só então começava a se dissipar. Finn não a abandonara. Tinha sido tirado dela.

E, naquele momento, estava de volta. Diferente, mudado. E, impossivelmente, o mesmo — mas não em tudo. Ele exalava sensualidade. Sentia o desejo dele emanar em ondas. Os olhos castanhos estavam mais escuros, ardendo com a paixão acumulada.

Os músicos da orquestra passaram de uma música para a outra, os passos de Finn nunca vacilando. Ele já era um bom dançarino naquela época, mas passara ser confiante em seus movimentos.

— Você praticou — comentou ela, surpresa por como soava ofegante, como se tivesse acabado de se despir com ele na cama.

— Não, só observei. Fui a casamentos demais nos últimos tempos, onde a dança era necessária.

Estava bem ciente de que o irmão dele, Mick, se casara naquele verão, e Gillie, no outono.

— Você vai dançar com as damas que vierem ao clube?

Lavínia não ficou muito satisfeita com a faísca de ciúme que o pensamento lhe trouxe, imaginando-o como um dos homens que fazia toda mulher se sentir especial, querida. Imaginou-o tocando em outra dama, segurando-a tão perto quanto a segurava naquele momento. Não iria reivindicá-lo, mas não queria que outra o fizesse.

— Depende.

— Do quê?

— Se há a mínima chance que eu sinta por uma delas um pingo do que sinto por você.

Cada partícula de ar parecia ter fugido da sala, deixando-a com dificuldade para respirar. Parando, Finn segurou o seu rosto.

— Sei que você está com medo de sentir alguma coisa por mim de novo, depois da dor de quando pensou que eu a dispensara feito lixo. Acha que também não senti a agonia de pensar que você tinha me traído? Eu estava um caco, Vivi. Fechei meu coração, construí um fosso em torno dele, tornei-o impenetrável... Ou foi o que pensei. Até ver você de novo, levando as crianças agarradas à sua saia esfarrapada para longe de uma mulher que não cuidaria delas direito. Você é uma feiticeira, tem uma magia que inutiliza todas as minhas barreiras. Acha que não tenho medo de passar por essa dor de novo? Sei que vou, se você se afastar ou se o destino tirar você de mim. Mas estou disposto a arriscar, mesmo que seja por uma única noite.

Não era justo que ele pudesse dizer palavras tão bonitas que enfraqueciam sua determinação. Teria começado a ler poesia ou romances melosos? Ele estava expondo o coração, e Lavínia não podia mais permitir que Finn se ferisse de novo. Assim como não poderia mais voltar à vida de antes. Finn devia ter notado a resposta em seus olhos verdes, ou a ouvido em seu suspiro, ou a sentido quando seu corpo se derreteu contra o dele. Porque, quando Lavínia envolveu seu pescoço com os braços e ergueu a boca, ele já estava lá, esperando e pronto, tomando o que ela oferecia como se fosse um néctar dos deuses.

Não lhe escapava o fato de estarem se comportando de maneira totalmente inadequada diante de uma plateia de músicos que não perderam uma única nota enquanto tocavam, uma percepção que teria mortificado lady Lavínia, mas que apenas divertia Vivi. Com Finn, ela era diferente, via tons de si mesma que nem sabia que existiam. Finn lhe fazia bem, fazia ela florescer igual o sol faz com um botão extremamente fechado que temia se abrir para a luz.

Ele amava o que Vivi se tornara, o que ela era no presente, o que estava fazendo. Finn não tinha dito aquilo em voz alta, mas sentiu em como as mãos dele percorriam suas costas e a pressionavam cada vez mais. Então as mãos não estavam mais vagando, e sim levantando-a em seus braços, embalando--a como se ele pudesse manter a dor longe, como poderia tê-la segurado na noite depois que se casassem, como se ninguém tivesse os machucado ou despedaçado.

Enquanto a música tocava e as notas subiam em crescendo, como se prenunciassem a chegada do clímax de um conto, Finn marchou para fora do salão com ela em seus braços, um propósito ecoando a cada passo. Ele, que podia se mover tão silenciosamente, não estava mais se importando em ser discreto. Lavínia pressionou o sorriso contra o ponto logo abaixo do queixo bem-definido, onde a pele era macia e quente, perfumada pelo calor, liberando o cheiro de sândalo. Finn tinha tomado banho para a noite. Os curtos pelos de barba ao longo da mandíbula fizeram cócegas na testa dela, deliciando-a com a sua pura masculinidade.

Finn mal parou quando chegaram à escadaria, apenas subiu os degraus como um homem que não achava nenhum peso muito fatigante. A respiração dele permanecia calma e uniforme, ao passo que a dela travava enquanto se aproximavam de seus aposentos.

Finn ignorou o corredor que os levaria até o quarto dele e continuou pelo lado que dava vista para o salão de jogos, mantendo-se próximo à parede que abrigava os escritórios, para que não fossem vistos do andar inferior, tentando proteger a reputação imaculada que ela não possuía mais. No entanto, não seria bom que os empregados e a equipe soubessem o que estavam fazendo.

Quando se aproximaram da porta, ele perguntou:

— Eu deixo você aqui ou entro também?

Finn estava dando a possibilidade de escolha, para o caso de ter interpretado mal seu consentimento ou o modo como Lavínia se enterrara no pescoço dele, e ela o amou ainda mais. Por não assumir que seus desejos eram os mesmos, que suas necessidades se espelhavam no outro. Mordiscou o lóbulo da orelha dele. Finn gemeu.

— Entre — sussurrou, tão sedutoramente quanto podia.

Lavínia nunca usava as fechaduras. Não tinha nada que valesse a pena ser furtado. Mas quando Finn fechou a porta atrás de si e a colocou no chão, ele girou a chave. Então, olhou para ela e esperou, apenas esperou.

— É uma pena que a orquestra não tenha nos seguido — comentou Lavínia, sem dúvida do caminho que estavam tomando, mas incerta de como segui-lo. — Gostei bastante da música.

— Faremos a nossa própria.

Levantando a lâmpada acesa da mesa onde tinha deixado, para que Lavínia não retornasse à escuridão, Finn pegou a mão dela.

— Não.

Ele parou.

— Deixe a lâmpada aqui, abaixe a chama. Faremos o nosso caminho através das sombras.

— Eu quero ver você.

Por mais que também quisesse vê-lo, Lavínia ainda negou com a cabeça.

— Eu só quero o luar.

Finn abriu um sorriso terno.

— Eu já vi você antes, Vivi. Por que a timidez?

— Estou mais velha. Você pode não achar meu corpo tão… atraente.

— Você tem 25 anos. Não é uma idosa.

— Por favor, Finn. Não quero discutir sobre isso ou arruinar o que começamos. Quero você na minha cama, mas preciso do romance das sombras e do luar.

Finn deixou a lâmpada de volta na mesa e diminuiu a chama, e ela o amou ainda mais que antes. Mais uma vez, ele pegou a sua mão e começou a conduzi-la para o quarto de dormir. Lavínia ouviu um estrondo, carne e osso contra madeira.

— Merda! — Ele praguejou baixo.

— O que aconteceu?

— Bati a canela em uma das mesas baixas. Você moveu a mobília.

— Só um pouco.

Lavínia apertou a mão e avançou, avisando:

— Vou na frente.

Ele a seguiu de perto, a outra mão descansando em sua cintura.

— Você vai ter que beijar o machucado para ele sarar — sussurrou ele, perto de seu ouvido, a respiração quente balançando seu cabelo.

— Ah, eu pretendo beijar muitas coisas.

Capítulo 20

O CORAÇÃO DE FINN deu um solavanco com as palavras provocativas, palavras que também refletiam suas intenções. Era um rapaz inexperiente quando se deitaram juntos, no passado. Mas, desde que saíra da prisão, tinha adquirido mais experiência, aprendido coisas que pretendia compartilhar com ela.

Lavínia parou ao lado da cama e se virou para ele, e Finn teve que admitir que era atraente vê-la por entre as sombras e o luar. Vivi tinha uma silhueta sensual, movendo-se graciosamente através da luz fraca e tremulante, estendendo a mão para o lenço de seu pescoço e soltando o nó. A confiança dela aumentara com os anos.

— Você se deitou com alguém depois mim?

Sabendo que Thornley engravidara sua irmã antes do casamento, era impossível não se perguntar se o duque também fora íntimo de Vivi. Odiaria tornar sua irmã viúva em tão pouco tempo, mas, se o homem tivesse encostado nela…

— Não.

A voz dela era baixa, suave, pouco mais que um sussurro. O lenço roçou seu queixo quando ela o jogou de lado. As mãos delicadas seguraram as lapelas da jaqueta, tirando-a devagar.

— Mas você sim — completou Lavínia. — Já admitiu isso.

— É.

As mãos dela pararam por apenas uma fração de segundo antes de se desfazer do casaco.

— Mas nenhuma delas significou nada, Vivi. Foi pura necessidade.

— E você não necessita de mim?

Finn sentiu os botões de seu colete serem abertos.

— Necessito, com tudo o que tenho. Com as outras, era físico. Com você, é mais. Sempre foi mais.

Depois de tirar o colete ele mesmo, segurou o rosto dela e tomou o que lhe fora permitido ter, provar, explorar. Somente o sabor de Vivi satisfazia sua boca. Era um gosto doce, abrandado pelo conhaque. Ele se deliciou, sabendo que poderia ficar tão embriagado como quando extrapolava no álcool.

Com um suspiro, sem tirar a boca da sua, Vivi pressionou o corpo contra o dele, passando os dedos ao longo de seu couro cabeludo. Finn aprofundou o beijo, saboreou um gemido e recepcionou o aumento do entusiasmo dela enquanto as línguas se digladiavam. Foi como se, por um breve momento, Lavínia estivesse se contendo, amedrontada de dar liberdade aos desejos. Mas o momento passou, e os desejos prevaleceram. Ela estava livre de qualquer amarra.

Lavínia era dele, e enfim a possuiria.

Minha nossa! Bastara um beijo para deixá-la em frenesi. Daquela vez, a excitação não tivera calma para surgir. Era como se fosse explodir com a tensão crescente, como se fosse a corda de um arco que se arrebentava de repente. Ela o queria desesperadamente.

Doía saber que Finn se deitara com outras, mas ele era um homem viril, não seria um celibatário. Por mais que o conhecimento a machucasse, as garantias dele, tão rápidas e inabaláveis, a confortaram. O tom não era de vanglória, e sim do desejo de ser honesto com ela.

Finn sempre fora direto e sincero, nada de brincadeiras ou provocação. Era uma das razões pelas quais o amava. Depois de todo aquele tempo, não precisara de muito para cair sob o feitiço dele de novo — mas como não cair de amores por um homem tão bom?

Girando-a, Finn começou a desfazer o laço de seu vestido. Não pediu a ele que tomasse cuidado para não rasgar o tecido. Se rasgasse, bastava consertar. E, sempre que seus dedos deslizassem sobre a costura adicional, ela se lembraria daquela noite, do calor que sentira.

Depois que o vestido caiu a seus pés, Lavínia começou a ajudar na tarefa de tirar suas roupas de baixo até ficar nua à luz da lua, olhando para a cama sombreada que os receberia em instantes.

De costas para ele, sentiu-o plantar um beijo entre seus ombros.

— Você continua tão macia quanto antes — comentou Finn, deslizando a língua ao longo de sua coluna.

Deixando a cabeça pender para trás, Lavínia concentrou-se na trilha que ele seguia até seu traseiro. Finn mordiscou uma nádega, depois a outra. As mãos se fecharam ao redor dos seus joelhos, e ele as deslizou por suas coxas, seus quadris, subindo até segurar os seios. Lavínia gemeu de puro prazer quando ele tocou as aréolas rosadas, os dedos apertando e enrijecendo os mamilos.

— Eu amo tocar você, sentir seu corpo — rosnou ele, baixo, perto de sua orelha.

— Estar na escuridão aguça nossos sentidos, intensifica o que sentimos.

— Vá para a cama.

— Suas roupas...

— Vou cuidar delas.

Lavínia subiu na cama. Mal rolara de costas quando o sentiu juntando-se a ela. Será que Finn rasgara as próprias roupas? Ele a cobriu com o corpo enquanto acariciava seu pescoço, mordiscando a carne macia.

— Seu cheiro é muito gostoso.

— O seu também — retrucou Lavínia.

Acariciou os ombros fortes dele, as costas.

— Você ficou sem isso por oito anos? — indagou Finn.

— Eu já disse que sim.

— Não. Você disse que não esteve com nenhum outro homem. O que não significa que não sentiu prazer. — Ele arrastou a boca pela clavícula dela até chegar ao outro lado do pescoço. — Você se satisfez sozinha?

— Finn...

— Se satisfez?

Lavínia umedeceu os lábios, sentindo uma pulsação entre as pernas. Rolando de leve para o lado, pressionou a área sensível contra a coxa dura.

— Algumas vezes — confessou, a voz rouca como se tivesse acabado de passar horas gritando o nome dele em êxtase.

— E pensou em mim quando o fez?

Mesmo que estivessem mergulhados na sombra, Lavínia fechou os olhos e balançou a cabeça, se recusando a responder. Mas a palavra saiu sem controle, contradizendo suas ações.

— Sim.

Apesar de tudo, era Finn quem sempre levava para seus sonhos.

Ele deslizou a boca para baixo, salpicando seu colo com beijos.

— Quando o êxtase veio, você gritou? Gritou meu nome?

— Eu *sussurrei*.

— Pois eu pensei muito em você. Pensei em fazer isso.

Finn exemplificou fechando a boca sobre um mamilo, circulando-o com a língua até ela soltar um gritinho.

— Seu nome era uma maldição nos meus lábios toda vez que eu derramava minha semente na mão. Tentei pensar em outras mulheres, nas que eu via em teatros vulgares, mostrando as pernas, ou nas meninas da taverna de Gillie, com os seios escapando do corpete, mas pensar nelas não me trazia nenhum alívio, nenhum prazer. — Finn se aninhou entre suas coxas. — Só você, Vivi. Eu pensava nessa sua entrada quente e apertada, na sensação de estar dentro de você.

— Eu pensava em como eu me sentia cheia com você dentro de mim, completa.

— Talvez doa de novo esta noite.

— Eu não me importo.

Ele se abaixou, beijando sua barriga, mergulhando a língua em seu umbigo.

— Vou garantir que você esteja molhada e pronta para mim.

Finn foi mais para baixo, passando a mão sob os quadris dela, inclinando-os para cima.

— Diga se você já fantasiou comigo fazendo isso aqui.

Ele abaixou a cabeça, e Lavínia sentiu o golpe de sua língua áspera contra a maciez de seu cerne.

— Ah, meu Deus, Finn!

Tentou se sentar, mas caiu de volta no céu — ou no inferno, não sabia dizer. Só sabia que a língua dele girava com uma precisão enlouquecedora, que a boca sugava sem pudor, que os dedos a abriam para que pudesse se banquetear ainda mais. Nunca sentira algo tão sublime, tão erótico, tão embriagante... Enrolou os dedos no cabelo dele, deslizou os pés pelas coxas másculas e os apertou contra as nádegas, encorajando-o a ficar onde estava, a se satisfazer com ela. Estava ofegante, e não conseguia parar de gemer baixinho.

Se nunca poderia haver mais nada além daquilo entre eles, seria suficiente. Mas não poderia imaginar aceitá-lo em sua cama sem amor. E o amava. Cada maravilhoso e glorioso centímetro dele. Cada parte aventureira.

Lavínia sentiu seu corpo começar a se contrair como a mola de um relógio, cada vez mais apertada. Rolou a cabeça de um lado para o outro, e amaldiçoou a escuridão por que tanto insistira, que a impedia de vê-lo, de encarar seus olhos castanhos, de descobrir se ele sabia o que estava causando nela. Ah, antes tinha sido bom, mas nada comparado com aquilo.

Naquele momento, Finn a dominava de prazer, levando-a a novas alturas...

E, de repente, não conseguia mais subir. Ela se atirou da borda de um cataclismo de sensações que a fizeram tremer até o âmago. Gritou o nome dele, uma bênção e uma maldição. Grata e admirada por como ele conseguia fazê-la sentir tanto.

Saindo do ninho entre suas pernas, Finn tomou sua boca, e Lavínia saboreou seu gosto e o dele no beijo. Ergueu os quadris em convite. Ele avançou, o membro ereto pedindo passagem.

— Me possua — murmurou ela.

E ele o fez. Deslizando para dentro dela, esticando-a, preenchendo-a com todo o seu comprimento glorioso, cobrindo-a com o belo corpo. As estocadas começaram curtas, testando a prontidão dela, então se alongaram, quase deixando escapá-la apenas para retornar com mais força. De novo e de novo, enquanto salpicava beijos nas pálpebras pálidas dela, nas bochechas delicadas, na boca fina. Enquanto Finn sussurrava seu nome como uma prece de salvação.

Dentro dela, as sensações começaram a se acumular novamente até atingirem o pico e, quando Finn explodiu em êxtase, Lavínia foi logo atrás.

Finn acordou letárgico e saciado, a luz do sol batendo nas pálpebras fechadas, um indicativo de que tinham dormido a noite toda. Lavínia ainda estava em seus braços, aconchegada contra ele, as cobertas emboladas abaixo dos quadris. O ar estava frio, e Lavínia sentiria seu toque gélido quando ele saísse da cama para começar o dia. Abaixando-se, puxou o lençol com uma das mãos, arrastando-o para cima, e seu olhar caiu sobre a barriga dela — uma barriga que não era mais a mesma de quando fizeram amor pela primeira vez. Examinou as estranhas marcas. Na juventude, Lavínia tivera uma pele impecável. Anos depois, a pele da barriga apresentava uma leve descoloração azulada aqui e ali, com linhas finas e sinuosas. Soltando o lençol, Finn tocou um dos buraquinhos superficiais no local. Lavínia enrijeceu, e ele percebeu que estava acordada.

As marcas eram tão superficiais que quase não podia senti-las, e de fato não as sentira na noite anterior. Teria este sido por isso que ela insistira na escuridão?

— O que aconteceu aqui?

— Não é nada.

Lavínia tentou se sentar, mas ele a segurou com a pressão da mão, com um leve movimento dos dedos.

— Não pode ser nada, Vivi. São várias cicatrizes...

— Não são cicatrizes. Acho que não.

Franzindo a testa, ele tracejou algumas das marcas.

— Como apareceram?

— Não importa.

Ergueu o olhar para o dela, e, nas profundezas verdes, viu medo e vergonha. Deveria deixar o assunto de lado, permitir que ela mantivesse seus segredos, mas o pensamento de que alguém a machucara o fazia querer cometer um assassinato.

— Vivi, como apareceram?

Lágrimas brotaram dos olhos verdes, e Finn temeu ouvir a resposta tanto quanto temia não saber o que poderia ter acontecido. Observou os músculos delicados do pescoço se movendo enquanto ela engolia em seco, o súbito tremor dos lábios que devorara na noite passada. Ficou mais apreensivo, como se de repente estivesse enfrentando uma centena de homens empunhando facas. A suspeita da causa das marcas estava começando a espreitar.

— Vivi, me diga.

— Apareceram quando minha barriga aumentou... para acomodar seu filho, que crescia dentro de mim.

Capítulo 21

As LÁGRIMAS ARDERAM NOS olhos dela, que tentou contê-las, sabendo que se afogaria caso cedesse. Tentou empurrar Finn para o lado e sair da cama, mas, com um braço poderoso, ele a agarrou pela cintura, puxou-a para baixo e cobriu metade do seu corpo com o dele.

— Você teve um filho meu?

A curiosidade na voz dele foi como um soco em seu peito, e as lágrimas que tanto se esforçava para controlar jorraram. Não conseguiu falar, então apenas assentiu.

Com uma das mãos, Finn gentilmente embalou seu queixo e acariciou a bochecha com um polegar, tocando as lágrimas.

— Onde ele está?

— Eu não sei. Foi tirado de mim.

As lágrimas continuavam a jorrar, acompanhadas de soluços.

— Ah, Finn! Não me deixaram nem segurá-lo. Não sei se era menino ou menina.

Os anos de dúvida, preocupação e luto desmoronaram sobre ela, trazendo a vontade de se encolher em posição fetal de se esconder dele, esconder sua vergonha. Mas Finn não permitiria aquilo. Acariciou o cabelo dela enquanto Lavínia chorava, as lágrimas escorrendo das bochechas para o peito dele. Então, se afastou, e Lavínia não reclamou nem o chamou de volta. Merecia a rejeição. Não lutara o suficiente pelo bebê, não o protegera, não conseguira impedir que o levassem para longe.

Entorpecida pela tristeza, mal percebeu quando Finn a enrolou com o lençol e o cobertor, quando ele a ergueu nos braços e a abraçou, ou quando sua bochecha pressionou o peito nu dele, que se sentava em uma cadeira. Até que se viu embalada no colo dele. Finn estava de calça, e concluiu que ele só a deixara por meros segundos para se vestir. Talvez, sem roupa, Finn se sentisse tão vulnerável quanto ela.

— Conte-me tudo — pediu ele, a voz rouca como se tivesse gritado tanto quanto ela quando a parteira entregou o bebê à sua mãe.

— Eu queria a criança! Mesmo acreditando que você tinha me abandonado, eu queria o nosso filho. — Ela se afastou até encarar seu olhar ferido. — Você precisa acreditar nisso. Fiquei feliz quando descobri que estava grávida. Assustada, sim. Apavorada. Mas feliz.

Finn deslizou as costas da mão pela bochecha dela.

— Que moça de 17 anos não teria ficado apavorada com a perspectiva de enfrentar tanta coisa sozinha? Ah, Vivi… — Ele fechou os olhos. — Fui um desgraçado por nunca ter considerado que você poderia ter ficado grávida. Nunca, em todo o tempo que estivemos separados, ocorreu-me que eu poderia ter lhe deixado com o fardo de um bastardo. Ah, a ironia! Você teria sido forçada a abrir mão…

— Eu queria criar a criança! Não o via como um fardo.

Lavínia beijou a testa dele com força, até sentir o movimento dos cílios contra sua pele quando os olhos se abriram. Então o encarou mais uma vez, encontrou força naquele olhar castanho.

— Meus pais ficaram furiosos, é claro. Mamãe queria me levar para outro país da Europa, para que ninguém notasse minha barriga, para que eu tivesse a criança lá. Mas eu me recusei a ir. Foi a única vez que venci, e fiquei tão convencida da minha vitória… No entanto, sabia que não poderia sair de Londres. Mantive a esperança, contra todas as probabilidades, de que você voltaria para mim. Eu não sabia que estava na prisão.

Afastou o cabelo da testa dele. As mechas douradas e escuras estavam bagunçadas pelo sono, amassadas em um lado da cabeça, espetadas em ângulos estranhos no outro, e ainda assim, a bagunça era um bálsamo para seu coração.

— Eu teria quebrado as grades da cela, derrubado a parede com meus punhos, se soubesse que você estava grávida — afirmou Finn.

Era uma fantasia linda, mas Lavínia tinha noção da realidade. Ele não conseguiria se libertar, e só teria mais uma coisa para atormentá-lo durante o encarceramento.

— Eu vim para Whitechapel, tentei encontrá-lo, brigar com você por ter me abandonado. Mas não sabia onde procurá-lo. Fui à taverna da sua irmã, mas não consegui entrar. Temia o julgamento dela, fiquei com medo de ouvir que você tinha fugido com outra, ou que seu paradeiro não era da minha conta. Vim e fui embora, decidi que estava sozinha.

— Você não estaria sozinha, Vivi. Minha família teria ficado ao seu lado.

— Eu percebi o jeito que eles olharam para mim naquela noite na taverna. Não gostavam de mim, nem confiavam. Sabendo mais sobre o passado deles, não os culpo. Mas eu sabia que não podia confiar neles. Quando a barriga começou a crescer, me tranquei em casa.

— E Thornley? O que ele estava fazendo durante todo esse tempo?

— O duque é muito mais velho que eu, sabe? Ele ainda não estava pronto para se casar e não estava me cortejando de verdade. Minha mãe disse a ele que eu tinha voltado ao campo, achando a temporada muito opressiva, que eu não estava preparada para isso. Não há idade certa para uma garota ter sua primeira temporada. Acontece quando os pais julgam que esteja pronta, e ela disse que eu não estava. Incitou-o a me dar mais tempo. Tenho certeza de que ele viu isso como um atraso compreensível e estava disposto a me conceder o tempo que eu precisasse. O duque não foi atrás de mim. Em vez disso, empenhou-se em aproveitar o máximo da vida antes de se casar. A diferença é que ele podia se divertir sem culpa, pensando que eu ainda não estava pronta para usar o manto de duquesa.

Tentou não se lembrar de como se sentira solitária, sem amizades, sem se atrever a convidar alguém que pudesse descobrir a verdade de sua condição. Sua única companhia era Miriam, que cuidava dela. Recebia visitas ocasionais da mãe, que a olhava e suspirava de decepção.

Por dias e noites, cantou canções de ninar para o bebê, lendo para ele, tirando alegria de seus movimentos dentro dela.

— O inverno chegou, e todos se retiraram para o campo, exceto mamãe e eu. Até meu pai foi. Ele estava bem zangado comigo, não suportava me ver, sempre se afastava se nos cruzássemos no corredor. Tentei me esforçar para que isso não me machucasse, para não deixá-lo saber que doía ser tratada de forma tão cruel...

O cobertor escorregou de seu ombro, e Finn o colocou de volta no lugar, como se precisasse de qualquer pequeno gesto para demonstrar que a protegeria.

— Quando o bebê nasceu? — perguntou.

— No primeiro dia da primavera. O frio ainda era intenso. Estava chovendo, eu me lembro. Era meu aniversário, embora não houvesse nenhuma celebração, é claro. Eu não celebro nada desde então. Foi um dia marcado por tristeza.

As lágrimas voltaram, queimando seus olhos.

— Minha mãe simplesmente levou o bebê. Tentei impedi-la, mas estava fraca demais. Por sua causa, eu sabia do destino que aguardava as crianças nascidas de mãe solteira. Eu sabia como ela livraria nossa família da minha vergonha.

Finn sentiu como se Lavínia tivesse atravessado seu coração com o espadim.

Precisava bater em alguma coisa, em alguém. Com força. Várias vezes, até que os nós dos dedos sangrassem, os ossos estalassem, e a angústia física abafasse a dor que esmagava seu coração, a tristeza que ouvia refletida na voz dela e sentia no ligeiro tremor do corpo frágil. Não tinha certeza de que Lavínia conseguia sentir o tremor de seu corpo, sentia-se uma folha tentando se agarrar a um galho com o vento determinado a derrubá-la. Ele se esforçou para impedir que o corpo se dobrasse com a necessidade de atacar, para que Lavínia não notasse a batalha que travava dentro de si. Se o pai dela não estivesse morto, encontraria um visitante em seu quarto ainda naquela noite.

Finn segurou na bochecha dela e escondeu o rosto em seu ombro, a garganta apertando ao sentir a umidade fria deixada pelas próprias lágrimas.

— Não foi culpa sua, Vivi.

Cerrou bem os dentes para não gritar com a injustiça de tudo aquilo.

— Por que não me contou? Naquela noite, quando nos encontramos pela primeira vez, ou quando conversamos na cozinha do orfanato?

— Eu estava com vergonha. Não queria que você soubesse como fui fraca. E, naquela primeira noite, ainda estava com raiva de você, achando que tinha sido abandonada. Depois, quando você deixou de me olhar com ódio, não pude suportar a ideia de voltar a me encarar daquele jeito.

E Finn sentia mesmo ódio. De si mesmo, por não ter estado ao lado dela para protegê-la — mesmo que a distância tivesse sido imposta.

— Eu não consegui impedir minha mãe de levar o bebê, e depois me afundei em desesperança. Eu estava com muita dor depois do parto. Uma parteira cuidou de mim, mas precisaram chamar um médico. Ele me deu láudano. O remédio não aliviou só as dores no meu corpo, mas também no meu coração e na minha alma. Então, mesmo depois de me curar fisicamente, continuei a tomá-lo. Passei um ano vivendo em um nevoeiro. Então, um dia, minha mãe entrou no quarto e deu um basta. Era hora de parar de ficar deprimida e seguir em frente. Perguntei onde estava meu filho. "Se Deus for misericordioso, está morto", respondeu. Não consegui me conter, dei um tapa na cara dela. Um tapa forte, Finn, mas não o suficiente para cessar a dor terrível e a raiva que sentia. Foi quando comecei a arrumar as malas para ir embora, mas, em vez disso, fui mandada para o sanatório.

— Meu Deus, Vivi!

Ele a apertou mais forte, querendo bloquear a dor que a fizera passar — ou pelo menos na qual tivera grande participação. Pensara que poderia tê-la sem consequências... Fora um jovem tão cheio de si, nem um pouco disposto a reconhecer as diferenças entre o lugar dela e o dele no mundo.

— Achei que fosse ficar louca de verdade. Eu já contei... então, meu pai morreu, e minha mãe foi me buscar, porque as pessoas estranhariam se eu não comparecesse ao enterro. Mamãe me culpava pela morte dele, disse que era culpa dos meus pecados. E aceitei a culpa. Então, mesmo podendo ir embora, fiquei com ela, tentando compensar a dor que minha perversidade causara, determinada a recuperar minha honra e a da minha família. Tentei cumprir o acordo que meu pai fizera e me casar com Thornley. Mas, como você bem sabe, também não fui forte o suficiente para isso.

— Fugir exige mais coragem que ficar. — Finn ergueu o rosto dela até que pudesse encarar os olhos verdes. — Minha garota corajosa.

Beijou-lhe a têmpora, o canto do olho, a ponta do nariz.

Lágrimas brotaram novamente.

— Não vivo um único dia sem pensar nele... ou nela. Na cor dos olhos. No tom do cabelo... — Ela balançou a cabeça. — Nunca me ocorreu que meus pais seriam tão cruéis a ponto de levá-lo e sem nunca mais tocar no assunto, como se nada tivesse acontecido. Tanto tempo se passou entre o láudano e o manicômio que eu sabia que nunca o encontraria, então só pude seguir em frente.

Finn não sabia como Lavínia sobrevivera a tudo aquilo, porque a dor em seu peito era tanta que ele mal conseguia respirar.

Uma batida na porta assustou os dois.

— Senhorita Kent?

Vivi soltou uma risada nervosa.

— Meg. Deve ter vindo me ajudar a me preparar para o dia.

— Diga a ela para voltar mais tarde. Ainda não terminamos.

Assentindo de leve, Lavínia deslizou para fora de seu colo, ajustou as cobertas ao redor do corpo e saiu do quarto. Finn quase a seguiu. Não queria perdê-la de vista nunca mais. Em vez disso, ele se levantou e foi até a janela, surpreso ao descobrir que Lavínia não era a única que estava tremendo. Tantas emoções... Raiva, tristeza, ódio pelo que tinham feito a ela, a eles, ao que poderiam ter causado ao seu filho. O filho *deles*.

Olhando para a rua movimentada com carroças e cabriolés, pessoas passeando, crianças correndo... parecia incapaz de se concentrar em qualquer coisa além do fato de que tinha um filho — ou uma filha — em algum lugar. A criança teria 7 anos, se ainda estivesse viva. Como era possível se importar tanto com alguém que nunca conhecera? Mas era o que sentia.

Ouviu passos e percebeu que Lavínia estava parada atrás dele, sentiu o calor irradiando da pele sedosa dela.

— Você resgata bastardos porque está procurando pelo nosso filho? — perguntou, baixinho.

— De certa forma, embora eu saiba que não dá para pensar que eu reconheceria a criança. Eu nem saberia se salvasse ele ou ela de uma vida infeliz, mas tenho conforto na ideia de que talvez o reconheça. No entanto, todas as crianças que consegui resgatar até agora são mais jovens, com três ou quatro anos de idade. Mesmo assim, se a criança é loira, como um de nós, eu sempre penso... penso que talvez seja nossa.

Finn avistou Robin desfilando pela rua com a bengala que ganhara do duque de Thornley, com o traje elegante que o mesmo homem comprara para ele, com o cabelo escuro e liso coberto por uma cartola do tamanho de uma caneca de cerveja.

— Meu cabelo era mais escuro quando eu era novo.

Ele se virou para encará-la.

— Você sabe que vou confrontar sua família.

Lavínia assentiu.

— Isso só aumentará sua frustração. A pessoa que sabia dos detalhes, meu pai, está morta. E acho que meu irmão não sabe que dei à luz. Ele era um jovem fanfarrão que só queria aproveitar a vida, então meus pais o enviaram para uma das propriedades no interior, para que a gerenciasse. Minha mãe mantém os lábios bem fechados, sabendo que seu silêncio é um castigo para mim. O que você pode fazer? Bater neles? Ameaçá-los? Com o quê? Dano corporal? — Deslizou a mão pelo braço dele. — Isso não é do seu feitio.

— Eu tenho que fazer alguma coisa, Vivi.

— Então me ajude a encontrar mais crianças que precisam de um lar.

Finn não queria encontrar mais crianças. Queria encontrar *seu filho*.

Deixou Lavínia sozinha depois da conversa porque não sabia o que fazer com todas as revelações, como categorizá-las, como lidar com elas. Além disso, ainda havia muito a ser visto no planejamento da noite em que apresentariam o clube às damas da nobreza. Embora, naquele momento, ele não conseguisse se animar com o futuro do estabelecimento. Mal sentia ânimo para se vestir.

Como Vivi conseguira viver todos aqueles anos?

Era o que mais doía: imaginá-la passando por tudo sozinha. Ela era tão jovem, mal se tornara mulher, e tivera que enfrentar tanta responsabilidade, tanta preocupação, tanta crueldade da família... O que sofreu da sociedade teria sido muito pior se alguém descobrisse seu estado. Lavínia precisara abrir mão de tudo o que conhecia, de seus amigos e colegas...

E depois foi trancada em um hospício. Mesmo que ela já tivesse contado essa parte na noite em que foram ao festival, Finn sabia a extensão da agonia que ela suportara... era um absurdo!

Finn só percebeu que havia socado o guarda-roupa de carvalho ao sentir a dor latejante atravessar seu braço. Fechando os olhos com força, tentou recuperar o controle.

O pai dela poderia estar morto, a mãe dela poderia manter silêncio, o irmão dela poderia ser ignorante, mas — por Deus! — não significava que ele não confrontaria a todos, que não encontraria um jeito de trazer paz para ela, para ambos.

Quando Meg terminou de ajudá-la a se vestir para o dia, Lavínia ficou surpresa ao não encontrar Finn esperando no escritório. Quem estava lá era Robin, bastante elegante, uma pequena réplica de um lorde.

— Bom dia, senhorita. Estou aqui para enviar seus convites.

Olhou para os convites empilhados na mesa. Não tinha energia para pegá-los e explicar ao menino onde precisavam ser entregues.

— Você viu o sr. Trewlove?

O garoto balançou a cabeça com força em negação, e ela imaginou que Finn estava em seu quarto tentando absorver tudo o que ela confessara naquela manhã. Nunca quisera que ele soubesse a verdade, descobrisse como ela falhara com ele e com o filho. Nunca desejou que ele sentisse a dor devastadora daquilo tudo. Tivera sete anos para chegar a um acordo com a tristeza, mas ainda permanecia infeliz. Para Finn, tudo ainda era muito novo. E não sabia como ajudar a diminuir a dor.

Olhou para o menino que esperava ansioso por uma tarefa, e de repente a decisão de fugir, de evitar a família, pareceu imprópria e covarde. Não era mais uma garota de 18 anos, jovem e ingênua. Conseguia se defender sozinha. As excursões noturnas não lhe ensinaram aquilo? O tempo com Finn não lhe mostrara que ela estava diferente?

Ter contado tudo a fez sentir-se mais forte. Sabia o que precisava fazer, o que era seu dever fazer.

— Diga, Robin, quer ganhar quinhentas libras?

O menino arregalou os olhos escuros, boquiaberto.

— Quinhentas libras? Isso me deixaria muito rico, o mais rico de toda Londres!

— Não tão rico assim. E você teria que guardar o dinheiro no banco. Não pode gastar tudo de uma vez.

Ele franziu o cenho.

— Eu poderia esconder debaixo do colchão.

— Não, tem que ser no banco. Ainda será seu, mas o banco vai proteger o dinheiro para você.

Ele não pareceu gostar da ideia, mas acabou concordando.

— Bom menino.

Escreveu uma nota rápida para Finn e a deixou em cima da mesa. Então, partiu para fazer o que deveria ter feito havia muito tempo.

Capítulo 22

— LAVÍNIA, VOCÊ ESTÁ mesmo insistindo que este rapaz a encontrou, a trouxe aqui, e é merecedor da recompensa? — perguntou seu irmão, incrédulo, depois que ela entrou na biblioteca e explicou que ele devia quinhentas libras a Robin, por trazê-la para casa, como indicado nos folhetos.

— Não foi o que acabei de dizer?

Era uma pequena mentira. O menino não a levara até lá, mas a acompanhara no cabriolé.

Neville estava de pé atrás da mesa, parecendo desconcertado.

— Ele não deve ter mais de 8 ou 9 anos.

— Sou velho o suficiente para me divertir com uma princesa — afirmou Robin.

O conde franziu o cenho.

— E o que isso quer dizer? Isso é ridículo!

— Apenas pague a ele, Neville, para que possamos conversar.

Se ia voltar para casa, queria que alguém se beneficiasse disso. Usava o vestido azul-marinho, sentindo-se poderosa, no controle, mesmo que o estômago estivesse um emaranhado de nós.

— Mas cancelei a busca. Escrevi uma carta para você. Trewlove deveria ter entregado.

— Ele entregou. Você cancelou a busca, mas não a recompensa.

— Dá no mesmo.

— Não, Neville, não dá. Os idiotas que você contratou distribuíram panfletos pelas ruas, então eu não estava livre enquanto qualquer um pudesse me trazer aqui pelo dinheiro. E o jovem Robin trouxe.

Com um suspiro, Neville se sentou, abriu uma gaveta, retirou um livro encadernado em couro, abriu-o e começou a escrever.

— Não se deve escrever nos livros — anunciou Robin. — O duque disse isso.

O irmão fez uma pausa, a caneta erguida do pergaminho.

— Você anda por aí com duques, é?

— Sim, ele anda — retrucou Lavínia. — Com Thornley, para ser mais específica.

Neville estreitou os olhos. Era o conde de Collinsworth agora, e todos se referiam a ele por seu título, mas ela não conseguia. Aquilo a lembrava muito do pai.

— Então você estava se escondendo em Whitechapel? Thorne achava mesmo que você estava lá. Achei que só tivesse pedido ao meu cocheiro para nos despistar.

— Não importa onde estive. Só que estou aqui agora.

Para resolver assuntos importantes. E, se fosse trancada novamente, Robin voltaria correndo para o Clube Elysium e alertaria Finn quanto a seu paradeiro. Sabia que nada o impediria de resgatá-la, não dessa vez. Com essa certeza, levantou o queixo e olhou o irmão de cima.

— Escreva.

Neville escreveu, rasgou a nota do livro...

Robin prendeu a respiração como se tivesse acabado de testemunhar alguém cometer um assassinato.

— Está tudo bem — assegurou ela. — É um livro especial para escrever e rasgar papel.

Neville empurrou a cadeira para trás sem muita gentileza, marchou até Robin e estendeu o papel.

O garoto, segurando o chapéu e a bengala em uma das mãos, como qualquer cavalheiro, apenas olhou para ele e piscou.

— O que você acha que eu sou? Um idiota? Isso não é dinheiro, e são quinhentas libras, chefia.

— É uma nota de banco — respondeu Neville, impaciente. — Vale quinhentas libras.

Lavínia pegou a nota de Neville e a entregou a Robin.

— É só levar a um banco, e eles dão o dinheiro. Faremos isso depois que terminarmos a visita. Agora vá procurar a cozinha e diga à cozinheira que lady Lavínia falou que você deve comer biscoitos e tomar leite.

Lavínia sabia que Robin era engenhoso o bastante para achar o caminho pela casa, e, já que o mordomo vira o menino chegar com ela, sabia que não o expulsariam.

Robin assentiu, pegou o papel, colocou o chapéu na cabeça e bateu a ponta da bengala — a cabeça de um leão — na aba.

— Obrigado, tia. Se precisar de qualquer coisa, como enviar recados, é só avisar.

E saiu.

— Thorne tem uma bengala como essa, com uma cabeça de leão — comentou Neville, parecendo um pouco perplexo com a ideia.

— Sim. Robin disse que ganhou uma réplica de Thorne, de presente.

O menino lhe contara muita coisa enquanto viajavam por Londres. Depois de um tempo de conversa, revelou-se um tagarela.

— Eu preciso ter uma palavra com a condessa viúva. Você sabe onde posso encontrá-la?

— Simples assim? Você entra aqui, exige que eu pague o menino, e não oferece nenhuma explicação sobre onde esteve? Ficamos preocupados.

A voz dele refletia preocupação genuína.

— Escrevi todas as semanas para que soubesse que eu estava bem.

— Alguém poderia estar lhe forçando a escrever as cartas.

Ela deu um pequeno sorriso.

— Você deveria parar de ler histórias horrendas de assassinatos e coisas do tipo.

Seu irmão gostava dos contos mais terríveis.

— Não vamos discutir meus hábitos de leitura. Passei mais de três meses dizendo às pessoas que você estava doente. Não tenho dúvidas de que grande parte de Londres acredita que você esteja em seu leito de morte. Se é algum consolo, recebi uma abundância de condolências pela sua saúde debilitada. Quero uma explicação sobre o que está acontecendo.

— Sinto muito, Neville, mas eu disse que tinha dúvidas sobre o casamento com Thornley. Você não quis ouvir. Mamãe me trancou no meu quarto na noite anterior.

Ele encarou os sapatos polidos, parecendo arrependido.

— Sim, eu soube disso depois. — Ele ergueu os olhos. — O que você disse àquele garoto sobre o banco... Você não vai embora com ele, não é?

— Eu não posso ficar. Há muita coisa que você não sabe, Neville, mas eu não estava feliz aqui. Esta não é a vida que eu quero.

— É a vida para a qual você nasceu.

— Mas isso não significa que é a vida que devo viver.

— Eu não entendo, Lavínia. O que você quer?

Com um longo suspiro, ela encarou o irmão.

— Superar o passado. Agora, onde posso encontrar minha mãe?

— No salão matinal.

Virando-se, saiu da biblioteca coberta de prateleiras, profundamente consciente de que o irmão a seguia de perto. Havia muito a explicar, muito que ele não seria capaz de compreender. Ele se parecia muito com o pai e todos os condes que tinham vindo antes dele e viviam de acordo com sua doutrina. Honra, dever e respeitabilidade eram as coisas mais importantes. Não havia espaço dentro de seu mundo para os sentimentos ternos de uma garota ou para os planos determinados de uma mulher, se não envolvessem se casar com um lorde.

As amplas portas francesas para o salão matinal estavam abertas, e ela entrou da mesma maneira que a mãe saíra de seu quarto, muitos anos antes, segurando um embrulho minúsculo embalado nos braços: emanando uma aura de vingança e justiça. A mãe estava sentada no sofá de brocado amarelo, tomando seu chá. Ela fez pouco mais que arquear uma sobrancelha para Lavínia.

— Onde está meu filho? — perguntou Lavínia, parando diante da mesa baixa que fornecia uma barreira entre ela e a mulher que lhe dera à luz.

Neville, que passara por ela para chegar mais perto da mãe, como se temesse que precisasse protegê-la, parou de repente e olhou para Lavínia.

— O quê?

A mãe a encarou com uma expressão passiva e imutável. Talvez houvesse mais reações se Lavínia tivesse perguntado se iria chover naquela noite.

— Para qual mulher você entregou o bebê? — questionou, determinada. — Quais eram as iniciais? MK, DB, XX, alguma outra combinação?

— Do que você está falando? — perguntou Neville, analisando-a da cabeça aos pés como se estivesse procurando a evidência de que um bebê tivesse crescido dentro dela. — Que filho?

Bem devagar, ainda hesitante, a mãe colocou a xícara de chá no pires, a porcelana chinesa fazendo o menor dos ruídos ao ser posta na mesa.

— Você está falando besteira, querida, mas fico grata por ver que teve o bom senso de voltar para casa.

Lavínia deu um passo à frente, a saia tocando a borda da mesa.

— Eu quero saber para quem você entregou meu bebê.

— Precisa passar mais algum tempo no hospício até que essas ilusões desapareçam?

— Você não tem mais controle sobre mim, mãe.

— Não seja ridícula. Você tem 25 anos, ainda não é casada, não tem meios de se sustentar. Claro que tenho controle.

— Eu tenho meios. — As palavras a empoderaram, a fizeram se sentir mais forte. — Não notou meu vestido novo? Não foi você quem comprou.

— E dá para ver que é bastante óbvio que não veio de Paris.

— Esperem, esperem... — Neville se aproximou da mãe, querendo encarar a irmã mais diretamente. — Lavínia, você está insinuando que deu à luz...

— Sim, Neville. Quando eu tinha 18 anos.

— Como eu não soube disso?

— Porque seu pai o manteve ocupado — respondeu a condessa, fungando. — Não precisávamos que você contasse a Thornley que sua irmã se envolvera em uma situação tão descabida, ainda mais com um plebeu.

O irmão caiu na beira da almofada do sofá perto de onde a mãe estava sentada, boquiaberto, e Lavínia se lembrou da irmã Theresa falando que ela parecia um peixe. Também tirou forças da recordação, lembrando que tinha outro lugar para onde ir, caso precisasse. Neville piscou, então piscou de novo, olhando a sala como se estivesse tentando lembrar como tinha chegado ali.

— Você teve um filho? — repetiu. — Você ia se casar com Thornley, mas não era...

Ele estava sem palavras. Lavínia, no entanto, não estava.

— Uma virgem? Intocada? Não, eu não era.

— E como Thornley teve a pobreza de julgamento de se casar com alguém de origem duvidosa, teremos de encontrar outra pessoa para você. Talvez o duque de...

Lavínia interrompeu a condessa.

— Não estou aqui para falar de casamento. Quero saber do meu filho. Era menino ou menina?

— Eu não me lembro.

— Como pode esquecer algo assim, mãe? — indagou Neville, dando a Lavínia um vislumbre de esperança de que talvez o irmão ficasse do lado dela.

— Menino ou menina? — repetiu.

A mãe apenas a encarou.

— Para quem você deu o bebê?

— Um criado. Que não trabalha mais aqui.

— Qual era o nome dele?

— Eu não me lembro.

— Você ordenou que ele entregasse o bebê a alguma mulher que aceita bastardos?

— Sim. Para dar um fim nele.

Lavínia fechou os olhos com força enquanto o mundo desmoronava com o choque da dor e da realidade. Aprendera que "dar fim" era um código para "matar". Abrindo os olhos, encarou a mulher horrenda sentada no sofá. Parecia tranquila, como se fosse inocente das ações hediondas.

— Era seu neto.

— Não era. Era um bastardo. Nascido da vergonha, do pecado. Uma aberração.

— Como você pôde matá-lo?

— Matar? — Neville se levantou do sofá como se, de repente, o tecido tivesse pegado fogo. — Você mandou matar o bebê?

— Era necessário, fiz isso para proteger *vocês dois*, para proteger sua posição, garantir que aquela *coisa* não voltasse para nos assombrar. Veja o duque de Hedley. Seu bastardo sobreviveu e agora está casado com a enfermeira dele. Um escândalo! Se as pessoas soubessem o que Lavínia tinha feito, o problema em que ela se metera... isso poderia arruinar suas perspectivas de um bom casamento. Fiz o que precisava ser feito por sua herança e seu legado. Seu pai não apenas concordou, como aprovou de todo o coração.

Balançando a cabeça, Neville olhou para Lavínia.

— Eu me sinto um idiota. Eu não tinha ideia de que você passou por tudo isso. Fui um irmão miserável...

Lavínia também tinha sido tola por ter esperanças de que a mãe não seria o monstro que suspeitava que fosse.

— E acho ótimo — completou a mãe. — Fico contente que tenhamos nos livrado dos problemas.

Quando deu por si, Lavínia já se lançara na direção daquela mulher abominável. O tapa de anos antes não era nada comparado ao que dera naquele momento, um tapa tão forte que a mãe caiu do sofá.

Depois de passar os primeiros anos de vida nas ruas, Robin tinha um sentido aguçado para problemas à espreita. Então, enquanto se aproximava da cozinha para desfrutar de um biscoito quente, estava bem ciente do peso do silêncio anormal nos corredores que levavam para o seu destino. Diminuindo o passo e andando na ponta dos pés, aproximou-se da entrada de onde os aromas de tempero e laranja escapavam.

Espiando dentro da sala, encontrara o que devia ser um refeitório — para os criados, supunha — com todos os presentes de pé próximo à mesa ou contra a parede, imóveis como estátuas, parecendo sequer conseguir respirar, os olhos arregalados, as bocas meio abertas. Não que Robin os culpasse. Estava familiarizado com a visão da retaliação em forma de homem, e Finn Trewlove a vestia com a mesma facilidade que qualquer outro homem vestiria uma calça.

— Acho difícil acreditar que nenhum de vocês saiba alguma coisa sobre uma criança nascida nesta residência e levada há sete anos. Sei muito bem que a condessa não entregaria o bebê diretamente a uma criadora de bastardos, então para qual de vocês ela deu as ordens, para fazê-lo sem sujar as próprias mãos?

Parecia impossível, mas o silêncio aumentou. Robin pensou que qualquer sussurro soaria como um grito no silêncio ensurdecedor.

— Senhor, se posso me atrever a dizer — começou um homem que Robin reconheceu como o mordomo que o cumprimentara quando chegara com a srta. Kent —, as senhoras desta residência estão acima de qualquer reprovação. Acredito que esteja ladrando para a árvore errada, senhor.

— Servos sabem tudo o que acontece, mesmo que finjam ignorância. Qual de vocês é Miriam? — perguntou Finn, sem querer dar atenção ao homem mais velho.

Uma jovem de cabelo ruivo levantou a mão hesitante, balançando os dedos trêmulos.

— Eu, senhor.

— A empregada da dama? Aquela que a traiu?

— Não, senhor. Eu nunca...

— Ah, traiu, sim. O que aconteceu com a criança?

A mulher olhou em volta.

— Por favor, senhor, não aqui, não na frente de todos.

— Quero que os outros saiam! — bradou Finn.

Os criados saíram depressa, como se fugissem de um incêndio, obrigando Robin a se apertar contra a parede para evitar ser pisoteado. Cogitou seguir os empregados para garantir a própria segurança e um biscoito, mas sua curiosidade era grande demais, e permaneceu no corredor.

Finn entrara na residência pelo acesso dos empregados e imediatamente assumira o controle da situação, dos criados e do andar inferior. Depois de reunir os trabalhadores na sala onde compartilhavam as refeições, exigiu que contassem o que sabiam sobre o bebê de lady Lavínia. Talvez devesse ter se esforçado mais para proteger a reputação dela, mas aquilo não era mais preocupação sua — e suspeitava que também não fosse dela. Algo maior estava em jogo.

No entanto, os empregados permaneceram mudos, e ele não conseguia distinguir se era por ignorância ou por lealdade à família, à garota que um dia vivera ali.

A criada diante dele deveria ter quase a idade de Vivi.

— Você contou ao conde que a filha planejava fugir.

Ela assentiu.

— Lady Lavínia merecia mais que um plebeu.

Mas será que a mulher não estivera, na verdade, preocupada com a própria posição? Certamente, Vivi teria levado a criada com ela para a residência do duque, elevando seu status entre os empregados. Ser criada de uma duquesa era um título muito mais pomposo do que ser a criada de uma mulher casada com um plebeu. Não que tivesse condições de pagar pelos serviços dela, na época.

— O que você sabe sobre o destino da criança?

— Nada, de verdade. A condessa o levou do quarto, e foi a última vez que o vi.

— Você não sabe a quem ela entregou o bebê?

A mulher balançou a cabeça.

— Mas o senhor está certo. Ela teria dado o bebê a alguém, provavelmente a um lacaio. Eu não tenho a menor ideia de qual deles. Lady Lavínia está segura? Minha senhora está bem?

— Ora essa, ela está aqui! — exclamou uma voz juvenil.

Finn se virou e viu Robin parado na porta.

— O que você está fazendo escondido aí?

— Vim com a srta. Kent. Posso mostrar onde ela está.

Pensar em Vivi naquela casa, sem ele, em como poderiam machucá-la ou trancafiá-la novamente, o deixou tremendo de raiva.

— Vamos até ela.

Mas a biblioteca estava vazia quando chegaram.

— Eles estavam aqui... — disse Robin. — Ela e o irmão. Ele me pagou quinhentas libras.

Finn fechou os olhos. É claro que Vivi garantiria que alguém se beneficiasse daquela recompensa escandalosa.

— Ajude-me a encontrá-la — ordenou, e Robin não hesitou em sair correndo da sala e começar a espiar os outros cômodos.

Finalmente, a encontraram em um quarto amarelo brilhante, de pé diante de uma mulher caída no chão. A mulher, que Finn presumiu ser a mãe de Lavínia, pressionava a mão contra o queixo, olhando para cima com terror. O irmão estava ali por perto, encarando a cena, atônito, tentando decidir o que fazer. Finn colocou a mão no ombro de Robin.

— Espere por nós na escadaria da frente.

O menino assentiu e saiu correndo, e Lavínia se virou. Não sabia se ela ouvira suas palavras ou os passos do menino, mas não se importava. A tristeza nas feições dela quase o deixou de joelhos.

— Ela *deu um fim* ao bebê.

A raiva e a fúria que atravessaram seu corpo o levaram até ela. Teria avançado mais, partido para cima da cadela hipócrita de olhos arregalados, se sua preocupação não fosse Vivi. Ele a tomou nos braços, pressionando o rosto de sua amada contra o peito.

— Venha — disse, baixinho, surpreso por ter soado carinhoso ao falar com Vivi, mesmo tomado de dor e sofrimento. Pela perda de um filho que nunca conhecera, pelo sofrimento da mulher que amava. — Vamos embora.

Endireitando-se e limpando as lágrimas do rosto, Lavínia abriu um sorriso trêmulo e assentiu.

A condessa se levantou, os olhos resplandecentes de fúria.

— Você não vai levar minha filha a lugar algum!

— Levar? — repetiu. — Como se ela fosse uma posse, para ser carregada no bolso? Não, eu não vou *levar* Lavínia comigo. Mas, se ela escolher vir, nem você, nem uma horda de criados, policiais ou cães do inferno será suficiente para impedir.

— Lavínia, pense muito bem nisso. Se você sair com esse canalha, nunca mais será recebida nesta residência.

— Sua cadela sem coração, eu não quero ser recebida nessa residência! Você roubou o meu filho! Me mandou para um hospício! Me fez sentir vergonha, e tudo o que fiz foi me apaixonar! Então, quando eu ainda estava vulnerável, você me culpou pela morte do meu pai, na tentativa de fazer com que eu me curvasse à sua vontade. E eu me curvei! Mas foi a última vez! Papai não morreu por causa dos meus pecados. Mas nosso filho morreu pelos seus. Você garantiu que ele fosse assassinado. Um bebê inocente que não lhe fez mal algum. Você é uma mulher horrível e odiosa! Estou farta!

Lavínia se afastou de Finn e, com a coluna ereta e os ombros retos, saiu do quarto com graça e dignidade. Ele nunca a amou mais em toda a sua vida.

Finn olhou para aquela criatura horrenda.

— Que você apodreça no inferno.

— Minha filha vai se juntar a mim lá, por seus pecados.

— Amar não é pecado.

E, com aquelas palavras, saiu do cômodo. Acelerou o passo assim que entrou no corredor até alcançar Vivi, passando o braço em volta da cintura dela e a puxando para mais perto de uma maneira protetora.

— Eu sinto muito, meu amor.

— Eu nunca mais quero ver aquela mulher.

— E nunca mais terá que fazer isso.

— Não acreditei que ela pudesse ser tão cruel.

— Riqueza, poder e prestígio não são indicações de bondade.

Inclinando a cabeça para fitar os olhos castanhos, Lavínia franziu a testa.

— Como você sabia que eu estava aqui? Minha nota não dizia meu destino.

— Eu não sabia que você estava aqui. Nem vi sua nota. Vim falar com os criados, para ver se conseguia descobrir alguma coisa com eles antes de confrontar sua mãe e seu irmão.

— Pobre Neville. Temo que esta manhã tenha trazido muitas revelações infelizes para ele. De alguma forma, conseguiram esconder tudo do meu irmão.

Tinham acabado de chegar ao foyer quando ouviram:

— Lavínia?

Finn e Lavínia se viraram e encararam o conde, que vinha do corredor.

— Lavínia, eu mal sei o que dizer — disse, parando diante deles.

— Eu acho que a condessa viúva disse tudo.

Ele olhou para Finn, assentindo de leve.

— Trewlove. Nunca nos encontramos nas melhores circunstâncias. — Então, voltou a atenção para a irmã: — Eu sabia que havia um menino na sua juventude. Então era ele.

— Sim. É uma longa história.

— Talvez você a compartilhe comigo em algum momento. Enquanto isso, quero que saiba que não posso tolerar o que minha mãe fez. Vou mudá-la para a casa secundária, não a quero perto da minha esposa, do meu herdeiro ou de qualquer criança.

— Seu relacionamento com ela é da sua conta, não minha.

Ele assentiu, olhando para os dois.

— Preciso que você saiba do status de seu dote.

— Neville, esse dote vai passar para sua filha, porque não vou me casar com duque nenhum...

— Me ouça.

Ela assentiu.

— Como bem sabe, a propriedade de Wood's End foi depositada em um fundo para ser usada como dote da primeira filha de um conde de Collinsworth que se case. Passei um tempo considerável revisando os termos do fundo e falando com meu advogado, porque esperava encontrar uma maneira de vendê-lo para Thornley. Nossa terra é vizinha da antiga terra da família dele, e você sabe o quanto o duque queria aquilo.

— O suficiente para se casar com uma mulher que não amava.

— Acho que ele teria passado a amar você. — Ele balançou a mão. — Mas não interessa. O importante é que o dote permanece no fundo, como era suposto. Apesar de tudo, e não a culpo nem um pouco por odiar todos nós...

Estendendo a mão, Lavínia tocou o braço do irmão.

— Eu não odeio você.

— Ainda estou tentando entender minha ignorância sobre o assunto. Se eu tivesse prestado mais atenção…

— Não teria feito nenhuma diferença.

— É gentileza sua dizer isso, mas vai demorar um pouco até que eu aceite. Bem, vamos voltar para o assunto. Se você se casar, o fundo é dissolvido, e a terra passa a ser do seu marido. Nesse ponto, você, ou seu marido, no caso, pode vendê-la. Sei que Thornley pagará uma quantia principesca pelo terreno. Pode ser o suficiente para que você tenha uma vida confortável fazendo o que desejar. Queria poder lhe oferecer mais, e ajudarei no que puder.

— Eu disse a verdade para a condessa viúva. Posso ganhar meu próprio dinheiro.

— Entendo o seu desejo de nunca mais ver nossa mãe, mas espero que considere não fazer o mesmo comigo e minha família.

Finn a viu abraçar o irmão.

— Obrigada, Neville.

Quando ela saiu do abraço, o conde o encarou, pedindo:

— Cuide dela.

— Será um prazer.

— Sinto muito por não ter notícias melhores.

— Adeus — disse Lavínia, tranquila, e Finn soube que ela ainda não estava pronta para refletir sobre todas as notícias indesejáveis.

Eles se viraram para a porta.

— Ah, espere! — gritou Collinsworth. — Como vocês chegaram aqui?

Vivi olhou para Finn, depois para o conde.

— De cabriolé.

— A cavalo — respondeu Finn.

— Vou emprestar uma carruagem. É o mínimo que posso fazer.

— Obrigado — agradeceu Finn.

Até que o irmão dela não era um sujeito tão ruim, afinal, pensou, escoltando Vivi para fora da mansão.

Robin, que estava sentado nos degraus, saiu e limpou algumas migalhas do paletó.

— A cozinheira lhe deu seu biscoito, não é? — perguntou Vivi.

Finn ouviu uma leve melhora de humor na voz dela, e entendeu o que levara Robin para a cozinha naquele momento.

— Estava muito bom, senhorita. Devo buscar um cabriolé?

— Não, o conde está preparando a carruagem para nós.

Esperaram em silêncio, no pórtico, com o braço de Finn em volta dela, segurando-a bem perto. Parecia que havia muito a dizer e, no entanto, nem uma única palavra era adequada para o que cada um deles estava sentindo. Certamente, a dor de Vivi era mais profunda que a dele, já que passara nove meses com a criança, sentindo-a crescer dentro de si, sete anos torcendo para que estivesse viva, enquanto ele descobrira sua existência somente naquela manhã.

E, então, seu filho lhe fora tomado.

Foi só na segurança da carruagem — o cavalo dele amarrado na parte de trás, seguindo junto, com Robin defronte a eles e Finn sentado ao lado dela, o braço ao redor de seu corpo delicado, trazendo-a para perto — que Lavínia enterrou o rosto no peito dele, apertou a lapela com a mão e se deixou ser dominada pela tristeza.

— Eu sinto muito — murmurou.

Finn não sabia se ela estava se desculpando por tudo o que tinha acontecido ou por que não tinha mais forças para conter a dor.

— Shh. Está tudo bem.

Ele passou a mão sobre o cabelo loiro e macio dela, sabendo que, por dentro, Lavínia era muito mais suave, mesmo quando se esforçava para parecer durona. Mas havia força em sua suavidade, sua ternura.

— Por que a senhorita está triste? — perguntou Robin.

— Recebemos uma notícia ruim — explicou Finn, simplificando a história devastadora, sem querer deixar Vivi ainda mais perturbada ou fazer com que Robin se preocupasse.

— Eu deveria ter dado metade do meu biscoito para ela.

O riso de Vivi soou um pouco abafado.

— Sim, isso poderia ter ajudado — concordou ela.

Mas só o tempo e a distância aliviariam a dor.

Lavínia fungou e se endireitou. Finn já estava pegando o lenço no bolso quando Robin tirou um pedaço de linho e o estendeu para ela.

— Obrigada — agradeceu ela, enxugando as lágrimas.

Ela olhou para Finn.

— Neville deu uma nota a Robin, então precisamos levá-lo ao banco.

— Faremos isso amanhã.

— Eu sou rico, tio — comemorou o menino.

— Quinhentas libras é uma baita grana. Não vá se gabar disso por aí. Você não quer ninguém tentando roubar seu dinheiro.

— Certo! Vou ficar de bico fechado.

Ainda assim, Finn estendeu a mão.

— Por que não me deixa guardar a nota em segurança até amanhã?

Viu o menino refletir sobre a oferta e ficou aliviado quando Robin tirou a nota um pouco amassada do bolso do casaco e estendeu para ele. Deu uma piscadela para o garoto.

— Venha me ver amanhã para resolvermos esse assunto.

Assentindo, Robin voltou a atenção para a paisagem na janela, e Finn se perguntou se ele estava contemplando todas as coisas que poderia fazer com sua fortuna. Ou se ele apenas não se sentia confortável olhando para Vivi triste.

Fizeram o cocheiro parar primeiro na taverna de Gillie, onde o menino desembarcou. Então, partiram em direção ao clube. Vivi se jogou em cima dele.

— Só mais um pouquinho — assegurou Finn.

Ela assentiu.

— É difícil.

— Eu sei, amor.

Lavínia conseguiu se manter firme até entrarem em seus aposentos, quando perdeu as estribeiras e se afundou ao chão, sem forças.

— Não achei que veria nosso filho, mas sempre pensei que ele pelo menos estivesse vivo.

Soluços intensos de choro faziam seu corpo tremer, trazendo uma dor tão grande que ela não sabia como sobreviveria.

Notou que Finn a levantara nos braços e a levava da saleta para o quarto de dormir, mas não conseguia parar de chorar. Ele a colocou na cama, com toda a delicadeza, e ela se enrolou em uma bola de angústia.

— Eu odeio aquela mulher. Odeio o que ela fez. Como ela pôde ser tão cruel?

Finn não respondeu. Lavínia não esperava resposta, pois não havia o que dizer. Em vez disso, ele tirou os seus sapatos, massageando os pés, e foi até a cabeceira da cama para tirar os grampos de seu cabelo. Quando todas as mechas descansavam no travesseiro, ele se deitou ao lado dela e a envolveu no calor de seu abraço, segurando-a com força enquanto ela chorava. E, durante tudo aquilo, Lavínia sabia que ele também devia estar sofrendo.

— Mulher horrível! — desabafou. — Não sei uma palavra forte o suficiente para descrever a crueldade dela.

— Eu pensei em *cadela*.

Ela relou na cama e fitou seus olhos castanhos.

— Eu deveria ter feito alguma coisa para impedir, deveria ter lutado mais.

— Vivi, você era quase uma criança e tinha acabado de passar pela dor do parto. — Finn acariciou o cabelo dela. — Não se responsabilize pelo que ela fez. A culpa não é sua. Se eu tivesse mantido meu pau dentro da calça...

— Não. — Pressionou os dedos contra os lábios dele. — Você também não tem culpa. Eu só me pergunto se vai doer assim para sempre.

— Eu não sei. Nunca senti uma dor dessas.

Os soluços voltaram, e ela chorou por sonhos perdidos e uma vida não vivida. Chorou por uma criança que nunca segurou, nunca acalentou até dormir. Uma criança a quem nunca sussurrou *eu te amo*.

Chorou até não restarem mais lágrimas, mais nenhuma força. Então, contra todas as probabilidades, adormeceu.

Quando Lavínia acordou, ele ainda a abraçava, encarando seu rosto, a mão acariciando seu cabelo. O quarto já não estava tão claro, e o sol do fim da tarde estendia sombras de todos os cantos.

— Você precisa comer alguma coisa — disse Finn.

— Não estou com fome.

— Mas tente comer, por mim, para que eu não me preocupe ainda mais com você.

Alguém bateu à porta, e ela revirou os olhos.

— Parece que você já pediu para que o jantar fosse servido.

— Não, espere aqui. Vou ver quem é.

Ele se sentou na cama, prestes a se levantar, mas Lavínia colocou a mão em suas costas largas para impedi-lo.

— Não, eu vou. O que as pessoas vão pensar se o virem aqui?

Quando saiu da cama, quase riu ao pensar que estava se preocupando com sua reputação. De que importava, se ela nunca mais voltaria à sociedade? Não queria mais nada com aquele mundo.

Finn não protestou, mas a seguiu, como se esperasse que ela fosse cair no chão de novo a qualquer momento. Ignorando a preocupação com o que a equipe poderia pensar de encontrá-lo em seus aposentos.

Lavínia abriu a porta e deu de cara com Meg, que fez uma mesura.

— Desculpe incomodá-la, senhorita, mas há um senhor aqui procurando uma lady Lavínia. Não sei quem poderia ser, e não consigo encontrar o sr. Trewlove para perguntar sobre isso, mas o homem insiste em dizer que ela mora aqui. Talvez seja louco.

Finn se aproximou por trás dela.

— Leve-o para o nosso escritório.

Meg arregalou os olhos, mas ela teve o bom senso de não comentar sobre a presença dele ali, com o cabelo de Lavínia caindo em cascata pelas costas, os pés, descalços.

— Sim, senhor.

Meg fez outra mesura e disparou pelo corredor.

Fechando a porta, Lavínia suspirou e encarou Finn.

— Talvez seja alguém que tenha visto o folheto.

Ele franziu a testa.

— Talvez, mas teria sido mais fácil raptá-la quando você saísse. Quem quer que seja, vou despachar.

Sem humor para receber visitantes, Lavínia apenas assentiu. Segurando seu queixo dela, Finn ergueu o seu rosto e depositou um beijo suave na sua boca.

— Pense no que gostaria de comer enquanto eu estiver fora. Talvez eu mesmo cozinhe para você.

— E sairá algo comestível?

— Não prometo nada.

Mal conseguia acreditar que seus lábios estavam tentando se abrir em um sorriso. Quando ele fechou a porta, Lavínia pressionou a mão na madeira. Talvez Finn estivesse certo, e ela se sentiria melhor depois de comer. Talvez os dois se sentissem melhor depois de comer.

Voltando ao quarto, parou diante do espelho e começou a escovar o cabelo. Deixaria as mechas soltas naquela noite. Queria se sentir jovem e livre. Queria...

Ouviu a porta se abrir e Finn gritar:

— Vivi!

Correu para a saleta da frente e o encontrou ao lado de um homem que parecia na casa dos trinta.

— Ele diz que é um lacaio na residência de sua família e precisa conversar com você.

Com cuidado, Lavínia se aproximou, tentando se lembrar do homem. Ah, sim, ele servia seus pratos durante o jantar, carregava pacotes, mexia na lareira. Um lacaio alto e moreno, combinando com cada um dos outros servos da casa dos Collinsworth. Não seria suficiente se não fosse perfeito.

— James, não é?

Ele abriu um sorriso triste.

— Sim, milady.

— No que posso ajudá-lo?

— Sua mãe entregou o bebê para mim.

Capítulo 23

Lavínia cambaleou dois passos para trás, como se tivesse levado um golpe. Poderia ter desabado ao chão se Finn não estivesse ali para segurá-la, tomando-a nos braços, dando apoio. Seu coração batia tanto que temia que o lacaio pudesse ouvir. Mas porque se importaria com o que ele podia ou não ouvir, com o que ele pensaria dela?

— O senhor foi encarregado de entregar a criança a uma cuidadora de bastardos? — perguntou ela.

O homem assentiu, num movimento rápido, e apertou o chapéu nas mãos.

— Sim, milady.

Queria brigar com ele, chamá-lo de todo tipo de nomes indelicados, mas era apenas um servo, só seguira ordens.

Ouviu a si mesma questionar, a voz soando como um zumbido abafado em seus ouvidos:

— Você sabe se era menina ou menino?

— Uma garota. A coisa mais linda do mundo.

E Lavínia nunca a veria... Queria gritar, sucumbir ao peso da realidade.

— Você se lembra para onde a levou? — indagou Finn.

Por um momento, Lavínia sentiu pena da mulher que ele pretendia confrontar. A mulher que assassinara aquele bebezinho inocente.

— Sim, senhor. É por isso que vim.

O homem olhou para o chão, suspirou, então ergueu o olhar para eles.

— Minha irmã passou mais de uma década tentando engravidar, ela queria muito um filho. Quando a duquesa colocou aquela pequenina em meus braços e me deu cinco libras, dizendo onde eu deveria entregá-la, o que eu deveria dizer... Pensei na minha irmã e em todas as vezes que a vi chorando... e disse para mim mesmo: "Que mal há nisso? Quem iria saber?"

Lavínia sentiu os braços de Finn se fecharem com mais força ao redor dela.

— Está dizendo que deu a bebê para a sua irmã? — perguntou, esforçando-se para não deixar a alegria tomar conta de tudo até entender todas as ramificações da confissão.

O lacaio assentiu.

— Sim. — Ele voltou seu olhar para Finn, então a fitou de novo. — Mantive meu silêncio na cozinha porque achava que nada de bom aconteceria se eu falasse, e, se a duquesa descobrisse o que fiz, perderia meu emprego. Então vi lady Lavínia esperando nos degraus... Já vi viúvas em velórios que não pareciam tão tristes quanto a senhorita, milady.

Ela respirou, trêmula, quando uma faísca de esperança explodiu.

— Minha filha está viva.

— Sim. Antes de vir para cá, fui a Watford visitar minha irmã, conversar com ela. Deixá-la avisada de que você iria até lá assim que soubesse a verdade.

A filha de um conde não mostrava fraqueza, lágrimas ou qualquer emoção diante dos empregados. Nunca. Mas um soluço, horrivelmente alto e feio, escapou, e Lavínia enterrou o rosto no peito de Finn.

— Posso levar a senhorita lá — ofereceu James. — Amanhã. Peço essa noite para que minha irmã e seu marido se acostumem com a ideia de perder a filha deles.

A filha deles. As palavras atingiram Lavínia com força. A mulher passara sete anos acalentando, ninando, abraçando e amando sua garotinha. Possivelmente. Provavelmente. Certamente. Lavínia assentiu, sem palavras, sem conseguir falar enquanto era tomada por todas as emoções imagináveis.

— Pode nos dar um momento de privacidade? — requisitou Finn.

— Sim, senhor. Vou esperar lá fora.

— Desça a escada. Peça um uísque, será por conta da casa.

De esguelha, viu o homem concordar, dar um passo para trás em direção à porta, fazer uma pausa e virar o chapéu em suas mãos.

— Sinto muito, milady, que eu não tenha dito nada antes, quando a senhorita ainda morava na casa. Mas pensei que não queria sua filha, por ter nascido do lado errado do cobertor...

— Eu não culpo você, James.

Com outro aceno de cabeça, o lacaio saiu da sala. Lavínia afundou no sofá. Ajoelhando-se diante dela, Finn pegou suas mãos.

— Ela está viva, Finn! Nós vamos recuperá-la! Ela será nossa!

— Ela não nos conhece, Vivi.

— Ainda não, claro, mas amanhã... amanhã vai nos conhecer.

— Ela está com essas pessoas há sete anos.

— Mas ela é minha. Nossa. Ela nunca deveria ter sido tirada de mim.

— Pare e pense, Vivi. Ela é filha deles. Ela os chama de "mamãe" e "papai". Eles a amam, e ela os ama.

— Eles não a amam tanto quanto eu! E ela não os ama tanto quanto vai me amar, nos amar.

Finn apertou as mãos dela.

— Não podemos recuperar o tempo perdido.

— Você não entende, Finn. Você não consegue entender porque não estava lá.

Afastando-o, Lavínia se levantou e começou a andar de um lado para o outro.

— Você não a carregou por nove meses. Não a sentiu se mover em seu ventre. Não conversou com ela por não ter mais ninguém com quem conversar. Não compartilhou suas esperanças e sonhos com ela.

As lembranças estavam voltando à tona como uma torrente depois de fortes chuvas.

— Eu estava preparada para ficar com ela, planejava ficar. Estava disposta a enfrentar o ostracismo, as fofocas. Sabia que nenhum homem me aceitaria com um filho ilegítimo pendurado nas saias, mas não me importei.

Ela se virou para encará-lo, a respiração pesada, os punhos cerrados, enquanto Finn a olhava como se não a conhecesse.

— Você não pode sentir o amor que sinto por ela. Você não pode a querer como eu a quero. Ela não significa para você o que significa para mim. Passei sete anos pensando nela, imaginando...

— E eles passaram sete anos a amando — repetiu Finn.

Lavínia queria esmurrar o peito dele, queria que ele soubesse o quanto o desprezava naquele momento, mas apenas balançou a cabeça, irada.

— Você não entende.

— É aí que você está errada, Vivi. Eu já fui aquela garotinha.

Se o olhar dela pudesse mesmo ferir alguém, Finn estaria morto. Mas suas últimas palavras amenizaram um pouco o brilho de fúria em seus olhos.

— Duvido que tenham contado para a menina que ela não é filha deles — continuou.

— Vamos explicar isso de forma afável e gentil.

— Não importa que palavras você use, não será nem afável, nem gentil. Eu e meu irmão tínhamos oito anos, e Gillie, sete, quando descobrimos que Ettie Trewlove não era nossa mãe biológica, que fomos levados até ela por alguém que não nos queria.

Lavínia deu um passo à frente, a mão estendida em súplica.

— Mas eu a *quero*. Essa é a diferença, não vê? Eu sempre a quis.

— Talvez minha mãe me quisesse. Eu não sei. Foi meu pai quem me entregou. O que estou dizendo é que, por oito anos, Ettie Trewlove era *minha mãe*. Eu a amava como minha mãe. Quando soube que eu não tinha saído do ventre dela, a primeira coisa que pensei foi na mulher que me gerara. Que não fazia diferença de qual ventre eu saíra. Ettie Trewlove ainda era minha mãe. Eu já a amava mais que tudo, mesmo se ela não tivesse me trazido para este mundo. E estou aqui tentando imaginar como eu teria me sentido se alguém tivesse batido à porta e me levado para longe dela.

— Você *não pode* ter certeza, Finn. Pode supor ou especular ou imaginar, mas *não pode* ter certeza.

— *Posso sim*, Vivi, porque *eu fui* tirado dela. Eu tinha 23 anos, idade suficiente para compreender que estava sendo levado e o porquê, mas não diminuiu a dor. Não aliviou a falta que senti. Eu era um homem, capaz de lidar com a perda, de entender, e ainda assim foi difícil, triste e devastador. Eu não era uma criança que precisava aprender a lidar com a dureza da vida. Robin não é muito mais velho que ela e ainda acredita em fadas.

— E ainda quer que sua mãe venha buscá-lo.

— Nossa filha não sabe que a mãe não é a que está lá.

Aquela mulher bonita e corajosa parecia querer arrancar os olhos dele.

— Tudo bem. Vamos discordar sobre isso. Vou buscar minha filha amanhã. Eu a levarei para as Irmãs da Misericórdia, moraremos lá até que eu tenha dinheiro para outras acomodações. Nossa sociedade terminou. Vou me encontrar com Beckwith para que os contratos sejam anulados.

— Não é isso que eu quero.

— Nem sempre temos o que queremos. Agora, se me dá licença, preciso combinar um horário com James para irmos buscar minha filha.

Lavínia saiu do quarto, os pés descalços e o cabelo bagunçado. E Finn deixou, porque seu amor não podia competir com um sonho que temia que Vivi em breve descobrisse que era impossível de realizar.

Finn se acomodara em uma mesa dos fundos, em um canto sombrio na taverna de Gillie, e tomava sua cerveja. Não estava com cabeça para ficar no clube, onde corria o risco de cruzar com Vivi. Estava muito mal-humorado, como nunca estivera. E extremamente decepcionado.

Achava que Vivi tinha mudado, mas, naquela noite, ela fora a filha de conde mimada que sempre conseguia o que queria — não importava quem fosse ferido no processo. Sentiu-se aliviado por não terem se casado, anos antes, porque não tinha certeza se conseguiriam fazer um ao outro feliz por muito tempo.

Aiden estava certo. Era tolice amá-la. Mas, mesmo sabendo disso, parecia incapaz de tirá-la de vez do coração.

— Que cara é essa? Alguém chutou seu cachorro?

Olhando para cima, não conseguiu encontrar forças para abrir um sorriso para Fera. Era o mais alto e mais largo dos irmãos, alguém que Finn quereria ao seu lado em uma briga. Não que fosse brigar naquela noite. Ou talvez fosse. Dar alguns socos poderia fazê-lo se sentir melhor.

— Eu não tenho cachorro.

Fera apontou para a cadeira diante de Finn. Ao contrário de Aiden, ele não achava que era sempre bem-vindo. Finn considerou negar o pedido, sabendo que o irmão não se ofenderia. Em vez disso, convidou à mesa.

Fera se largou na cadeira.

— Quer conversar?

Finn negou, depois se ouviu dizer:

— Acabei de descobrir que tenho uma filha.

— Nossa. Você é pai... — comentou Fera, devagar, como se as palavras não fizessem sentido. — Mamãe sabe?

— Você é o primeiro. Guarde a informação por enquanto.

— Eu não sou de fofocar — lembrou Fera, então sorriu. — Eu sou tio! Imagine isso! Nunca pensei que você seria o primeiro. Você não era de andar por aí enfiando o bastão em todo pote de mel que encontrava.

Finn suspirou.

— Ironia do destino.

— Quem é a mãe?

— Vivi.

O irmão balançou a cabeça, como se fizesse muito sentido, depois a balançou de novo, como se não fizesse sentido nenhum.

— Aiden tinha contado que ela estava de volta na sua vida, mas isso é recente... — Ele arregalou os olhos. — Está me dizendo que esta pequena é de antes?

Finn tomou um longo gole, virando a cerveja de uma só vez. Não protestou quando Fera sinalizou para uma das atendentes, pedindo mais bebida.

— Sim. Ela tem sete anos e está sendo criada por uma família em Watford. Vou conhecê-la amanhã.

Iria com Vivi. Queria ver a menina.

— Isso deve ser difícil.

Colocando os cotovelos na mesa, Finn se inclinou na direção do irmão.

— Estou confuso, Fera, não sei o que fazer com meus sentimentos. Como você disse, sou pai. Tenho uma garotinha. Nem a conheci ainda, mas meu coração já se encheu tanto de amor que preencheu meu peito inteiro. Já a amo muito. E estou apavorado. Não sei como garantir que vou fazer o que é certo por ela. Como serei o pai que ela precisa. Deus sabe que nenhum de nós teve um bom exemplo.

— Você é um bom homem, Finn. Vai saber o que fazer.

— Mas essa é a questão. Eu não sei. Vivi quer buscar a menina. Nós discutimos. Ela está convencida de que é a melhor coisa para todos. Mas nem sabemos o nome da criança, e ela quer buscá-la.

— E você acha que ela não deveria?

— Este casal que cuida dela... eles amam minha filha há sete anos, Fera. São tudo o que ela tem e conhece. Como você se sentiria se alguém tivesse te tirado da mãe nessa idade?

— Eu teria corrido de volta para ela.

Finn assentiu, reconhecendo que teria feito o mesmo.

— Vivi não me ouve. E não quer mais nada comigo. Estava começando a pensar que havia uma chance para nós, mas, sempre que começo a acreditar, algo nos rouba esta chance.

— Se apaixonou por ela de novo, foi?

— Eu nunca me desapaixonei, mas o que eu estava sentindo agora era mais forte, mais firme. Não consigo explicar. A profundidade desse sentimento deveria ter me aterrorizado, mas só me trouxe paz. Não faz sentido, eu sei. Acho que já bebi demais.

— Você a amou como um menino, quando dá para ser feliz por coisas mais simples, quando a perseguição é mais divertida, e a captura, mais decepcionante. Agora, você a ama como homem, quando se é feliz em ter e manter, encontrar a estabilidade, não perseguir mais a felicidade, porque o que você conquistou é a melhor coisa de todas, e você sabe que nunca poderia ser melhor.

Fera era bom em entender as pessoas, o que sentiam, a verdade por trás de suas mentiras. Mesmo que não colocasse seus pensamentos em tantas palavras.

— Sim. Bem, parece que não capturei nada, no fim das contas, e é por isso que estou sentado aqui, me embebedando e pensando em fazer uma estupidez.

A testa de Fera franziu.

— Quão estúpido? O que você vai fazer, precisamente?

— Visitar o idiota que fodeu minha mãe.

— Qual deles você é? — perguntou o conde de Elverton, sentado indolentemente em uma cadeira grande de veludo roxo em seu escritório, segurando um copo no alto, prestando mais atenção ao modo como a luz das chamas bruxuleantes da lareira era capturada no líquido âmbar do que em Finn, diante dele.

O conde não tinha se incomodado em oferecer uma bebida ao filho bastardo — não que Finn fosse aceitar. Não estava ali para socializar. Estava em busca de respostas.

No entanto, ao se aproximar, foi impossível não se perguntar se as roupas caras do lorde tinham sido comprados com os lucros de Aiden, junto com os grossos anéis de ouro que adornavam três dedos da mão esquerda, o abridor de cartas de ouro na mesa, as estatuetas douradas de ninfas nuas em várias poses de brincadeira e a prostituta, que estivera em seus braços quando ele entrou na casa. Finn estivera no foyer, nas sombras, aguardando seu retorno.

— Eu sou Finn Trewlove, seu bastardo, e quero discutir uma coisa — anunciou, saindo para a luz, fazendo a mulher gritar de susto. O homem responsável por sua existência só fez careta.

O conde instruiu a moça a esperá-lo em seu quarto e a não perturbar a condessa no caminho até lá. As palavras deixaram Finn enojado. Se ele era tão desrespeitoso com a esposa ao ponto de levar amantes para casa, quão mal deveria tratar as próprias amantes? Mal o suficiente para tirar os filhos delas.

— O segundo rapaz que você entregou na porta de Ettie Trewlove — respondeu Finn.

O conde balançou a cabeça.

— Eu não me lembro.

Quase se identificou como irmão de Aiden, mas cada um dos bastardos do conde poderia se encaixar na descrição.

— Aquele que deveria ter sido deportado para a Austrália. Você fez um acordo com Aiden Trewlove. Em troca de usar sua influência para me manter aqui, receberia parte dos lucros do Clube Cerberus.

— Ah, sim. — Finalmente, o olhar saiu do uísque e se fixou em Finn. — Se meteu em encrenca com a filha de algum conde, se me lembro bem. Ele não ficou nada satisfeito com minha interferência. Para sua sorte, era alguém de quem eu não gostava muito, então tive o prazer em provar que meu poder excedia o dele. Você se meteu em mais problemas? Vai custar mais. Quis me livrar dos bastardos para era evitar a irritação de ter que lidar com eles.

Finn nunca encontrara ou falara com o homem, mas já o odiava mais que nunca. Pensar em Aiden se humilhando perante aquela larva para pedir um favor em seu nome fez com que seu estômago se revirasse.

— Quem é minha mãe?

Elverton riu, um som feio e odioso, do tipo que Finn já ouvira os garotos fazerem quando tiravam asas de moscas.

— Como eu deveria saber? Rapaz, você tem ideia de quantos bastardos vieram a este mundo por que meu pinto impressionante atraiu alguma mulher?

Finn foi tomado por uma fúria súbita e maciça. Teve que respirar fundo para não atacar a criatura presunçosa sentada à sua frente.

— Tenho uma gaveta cheia de anúncios de recebedoras de bastardos promovendo seus serviços. Quando uma biscate vem chorando, dizendo que está carregando meu filho, entrego um dos anúncios e uma bolsa de moedas e digo a ela para cuidar do assunto sozinha.

Ficou enojado ao saber que aquele homem, que mostrava tanta crueldade com mulheres promíscuas que se viam em apuros, era seu pai. Ainda assim, balançou a cabeça.

— Não. *Você* me entregou na porta de Ettie Trewlove.

Dando de ombros, o conde tomou um gole de uísque e umedeceu os lábios. Finn não conseguia ver nada de si naquele sapo.

— Então talvez ela tenha morrido, por isso precisei lidar com a questão. Ou talvez fosse alguém com quem eu me importava um pouco e quis poupá-la da humilhação. Precisei cuidar de alguns casos pessoalmente, quando suspeitava que a mulher não se livraria do bastardo.

— Então você talvez tenha me tirado dela.

— Se fosse a única maneira de garantir que não seria incomodado pelo pirralho...

Sem pensar, Finn acabou com o espaço que o separava daquele inseto vil. O copo de uísque voou longe. Pressionando o joelho no peito do homem, com a canela apoiada na barriga, deixando-o imóvel, Finn fechou as mãos ao redor da garganta dele até que Elverton ofegasse, esbugalhando os olhos. Tinham a mesma altura, mas o conde tinha uma vida desleixada de vício e preguiça, não possuía os músculos ou a força de Finn.

— Olhe bem para mim, seu porco. Você não vê nenhuma mulher do seu passado em minhas feições?

O suíno abominável negou com a cabeça, desesperado, e Finn aceitou que nunca descobriria nada sobre sua mãe. O que importava? *Ettie Trewlove* era sua mãe. Talvez só estivesse tentando entender o que a filha poderia sentir quando soubesse a verdade sobre sua paternidade.

Sacudiu o conde, observando o rosto dele começar a ficar roxo.

— Escute bem. Você não vai mais tirar dinheiro de Aiden. Se eu souber que não cancelou o acordo, arranco esses seus dedos cheios de anéis.

O homem gorgolejou, tentando dizer alguma coisa. Finn afrouxou o aperto, inclinando a orelha em direção ao conde.

— O que disse?

— Você vai ser... enforcado.

Finn deu um sorriso de lobo.

— Acha que sua influência ou poder é maior que a dos duques de Hedley, Thornley, de Mick Trewlove ou de todo o clã Trewlove? Contra todos esses, você seria pouco mais que um mosquito contra leões.

Finn empurrou o maldito uma última vez, então o soltou, se endireitou e recuou.

— Seus bastardos não são mais meninos de rua sem recursos. Podemos nos manter sozinhos. Mas, com o apoio da família, somos imbatíveis.

Virando-se, Finn fez menção de sair do cômodo, mas então parou e olhou para trás.

— Qual braço você usa mais?

Parou seu cavalo do lado de fora de uma casa decrépita, amarrando o animal a um poste, sabendo que ninguém naquela área decadente de Londres ousaria roubar um Trewlove. Caminhou até a porta e não se incomodou em bater, simplesmente entrou na residência, destruída e reconstruída pela mulher que morava ali.

— Finn, meu amor! — cumprimentou Ettie Trewlove, levantando-se da cadeira aconchegante diante do fogo e indo até ele.

Finn abaixou a cabeça para que a mãe pudesse beijar sua bochecha, do jeito que sempre o cumprimentava. Depois de visitar o homem vil que era seu pai, precisava de muito conforto, precisava de *seu lar*.

— Mãe.

A voz saiu rouca, e ele a envolveu em um abraço forte, acolhendo a sensação reconfortante de sentir o amor no abraço dela.

Segurou a mulher com firmeza por vários momentos antes de recuar. A mãe acariciou sua bochecha com carinho.

— Eu colocaria água para ferver, mas você parece estar precisando de algo um pouco mais forte. Gillie me trouxe um bom conhaque. Vou servir um gole para nós.

Parado, observou a mulher ir até o aparador e derramar mais que um gole de bebida em dois copos, revivendo lembranças afetuosas de todas as vezes que ela fizera o mesmo para ele sem nunca esperar nada em retorno.

Pegou o copo e se sentou na cadeira em frente à dela. A mãe brindou.

— Saúde.

Ambos tomaram um gole, estudaram o líquido âmbar e esperaram.

— O que lhe aflige? — perguntou ela.

Inclinando-se para a frente, Finn enfiou os cotovelos nas coxas, apertando o copo entre as mãos.

— Quando eu tinha sete anos, se a mulher que me dera à luz tivesse vindo atrás de mim e me tirasse de você, como se sentiria?

— Meu coração teria se partido, meu querido. Assim como aconteceu quando você tinha 23 anos e foi tirado de mim.

— Mas você tinha outras crianças.

Filhos que a irmã do lacaio não tinha.

— Ah, meu querido. Nenhuma criança substitui outra. Vocês são muito diferentes, sabe? Desde o início, cada um é único. Mick era teimoso, determinado a ter o que queria, não importava se era a maneira como eu o segurava ou o que ele comia: Mick fazia questão de mostrar que não estava gostando. E Aiden sempre foi endiabrado. Mas você... a primeira vez que o segurei, você se enterrou em mim, e eu soube na hora que você tinha um coração terno, uma natureza protetora. Então, se o tirassem de mim, mesmo que ainda pequenino, teria ficado com o coração partido.

— E teria lutado para ficar comigo?

— Que pergunta difícil... Ter dado à luz filhos meus e perder três para uma doença... Bem, também conheço esse lado das coisas, não é? Eu entenderia a necessidade de uma mãe de ver seu filho. Não sei se teria direito de não deixar que sua mãe levasse você, contanto que ela o amasse de todo o coração.

— Eu tenho uma filha, mãe.

— Ah, meu menino!

Finn mal teve tempo de se levantar antes que os braços dela o envolvessem, embalando-o, enquanto as lágrimas queimavam seus olhos.

— Ela nasceu enquanto eu estava na prisão. Eu não sabia, mãe. Eu não sabia que Vivi estava grávida. Achei que sabia o preço que paguei por amá-la, mas agora descobri que era muito mais caro.

A mãe o colocou de volta na cadeira, puxou um banquinho, sentou-se e pegou a sua mão. Apesar da mão frágil da mãe, Finn sentia força e amor em seu toque. Respirou fundo, estremecendo.

— Vivi está de volta na minha vida. Nossa filhinha mora com outro casal, e Vivi quer pegá-la de volta. Estou tentando entender o que ela sente, porque parece incrivelmente cruel tirar a menina de alguém que ela já ama. E tenho medo que isso estrague meu amor por ela.

A mãe esfregou o braço dele.

— Eu não sei a resposta certa, querido. Às vezes, não há nenhuma. Mas saiba disso: mesmo se tivessem tirado você de mim, eu nunca deixaria de amá-lo, nunca deixaria de pensar em você, nunca deixaria de me preocupar.

Capítulo 24

Lavínia não conseguira dormir, as muitas emoções conflitantes a mantiveram acordada a noite inteira. A animação de finalmente poder segurar a filha nos braços era mais do podia suportar. Passara horas pensando em todos os vestidos que daria à pequena, nos chapéus que usaria, nos brinquedos que ela teria, nos livros que leria enquanto a embalasse no colo. Então, como um caleidoscópio apontado para o sol, o vidro girava, e outra imagem vinha à mente: a tristeza e a decepção se derramando sobre o amado rosto de Finn, como sombras cobrindo a terra com o cair da noite.

Botou o vestido cinza e deixou seus aposentos, esforçando-se para não se preocupar com a possibilidade de encontrar Finn. Trancara-se no quarto depois da briga. Não empacotara os outros dois vestidos porque iria deixá-los ali; não levaria nada, exceto as roupas do corpo. Estava determinada a começar de novo mais uma vez. Agora teria a filha ao seu lado.

Tinha acabado de descer a escada, mas avistou Robin sentado com as pernas cruzadas no patamar do lado de fora da porta do escritório. Precisava levá-lo ao banco, e o menino ainda tinha que entregar os convites para a festa — convites em que ela não queria nem pensar, no momento. Não estaria mais no clube quando todas as mulheres aparecessem, não veria o sucesso do lugar. Talvez apenas lesse a respeito…

— Olá, Robin — cumprimentou, indo para o escritório.

O rostinho se iluminou, e ele deu um pulo.

— Bom dia, srta. Kent.

Passou pelo garoto, bagunçando o seu cabelo liso, para entrar no escritório. Ficou surpresa ao ver que Finn ainda não estava lá.

— Vamos ter que procurar seu cheque bancário na mesa do sr. Trewlove.

— Não é por isso que estou aqui.

Virando-se, Lavínia notou algo se movendo na jaqueta de Robin. O menino tirou um gatinho minúsculo de dentro do tecido.

— A senhorita estava tão triste ontem... Achei que isso aqui podia ajudar. — Robin estendeu a bola de pelo branco para ela. — Ele é muito pequeno, e acho que não será um bom caçador de ratos, mas parece que vai virar um bom *aconchegador*. Testei ontem à noite, dormi com ele e tudo, e ele se aconchegou muito bem.

— Ah, Robin...

Com os olhos se enchendo de lágrimas pela consideração do menino, aceitou a oferta. Sorriu quando o gatinho miou.

— Onde você o conseguiu?

— Uma das gatas que eu cuido, essas que espantam os camundongos, teve um monte de bebês. Ela fez um "miau" bem alto quando peguei o gatinho, mas Gillie disse que ela vai esquecer que o peguei depois de um tempo, porque animais não ficam com seus bebês.

— Não, parece que não ficam.

Não como pessoas. Não como ela, que nunca fora capaz de esquecer a criança que trouxera ao mundo.

— Mas acho que você pode estar errado sobre as capacidades de caça desse aqui. Ele só precisa crescer um pouco.

— E a senhorita gostou dele?

— Muito. De verdade.

O menino estufou o peito e deu um pulinho, encantado com a ideia de tê-la agradado. Sentiria saudade dele. Mas, talvez, quando já estivesse situada, pudesse ter recados para ele entregar.

— O que temos aqui? — perguntou Finn, parado na porta, parecendo doente.

— Você está bem? — questionou Lavínia.

— Estou com a cabeça doendo. Bebi demais ontem à noite, então fiz uma estupidez, o que me fez ficar ainda mais bêbado. Um gatinho?

Ela mostrou o bichinho.

— Robin achou que eu estava precisando de algo para me animar. Vamos levá-lo ao banco, depois ele resolve essas tarefas — Lavínia apontou para a pilha de convites em sua mesa.

— Vamos fazer essas coisas amanhã. O que combinou para hoje?

Sabia que ele estava se referindo ao encontro com a filha deles.

— Enviei uma carta para Neville por James ontem à noite, instruindo meu irmão a lhe emprestar uma carruagem hoje. Ele chegará às onze.

— Certo. Vou ao banco, depois deixo o Robin com Gillie. Não saia antes que eu volte.

As palavras dele a surpreenderam.

— Você vai?

— Se você não tiver objeção.

Ela fez que não.

— Você tem tanto direito de estar com ela quanto eu.

— Tudo bem, então. Vamos, Robin, vamos fazer de você um rapaz rico.

— Enquanto isso, vou encontrar uma caixa para o gatinho — informou Lavínia, sentindo uma forte necessidade de dizer alguma coisa para transmitir que estava feliz por ele acompanhá-la, mas sem dizer o quanto estava aliviada.

Finn assentiu de leve enquanto conduzia Robin para fora da sala. Quando ele sumiu de vista, Lavínia sentiu o coração dar um solavanco. Por que, mesmo conseguindo o que desejava havia sete anos, sentia que estava perdendo muito mais?

Não trocaram nenhuma palavra enquanto a carruagem de seu irmão os levava para Watford, o que só lhe deixou ainda mais nervosa. Finn e James se sentaram de frente para ela, ambos parecendo a caminho de um funeral. Deveria ser um dia de alegria, uma jornada em direção à felicidade, mas a preocupação começou a ficar mais palpável. Queria fazer centenas de perguntas a James.

Qual era o nome da sua filha? Como ela era? O que ela gostava de fazer? O que a fazia rir? Ela comia legumes?

Lavínia quase levara o gatinho em busca de algum conforto, para lembrá-la de que, mesmo que Finn estivesse chateado com ela, Robin ainda a adorava. Arrependeu-se de não ter ido ao banco com eles. Imaginou a reação do menino ao abrir uma conta. O dinheiro seria colocado sob os cuidados de Finn, pois

Robin era muito jovem, mas Lavínia sabia que ele era confiável, e ajudaria o menino a descobrir a melhor forma de usar a quantia.

A carruagem parou em frente a uma casinha de campo pitoresca nos arredores da cidade.

— O que o seu cunhado faz, James? — perguntou Lavínia.

— Ele é marceneiro. Ganha bem. Fanny nunca passou necessidade.

— Fanny?

— Minha irmã.

— Claro.

Ela não tinha pensado em perguntar nenhum de seus nomes, talvez porque hesitasse em torná-los reais.

James desceu e ajudou-a a fazer o mesmo. Finn os seguiu.

Lavínia apertou as mãos à frente do corpo, subitamente insegura, enquanto James abria o portão da cerca branca.

Finn colocou a mão nas costas dela.

— Estou aqui.

Ela o encarou, fixando-se naqueles olhos castanhos, agradecida.

— Eu não esperava estar tão nervosa.

— Ela vai adorar você.

Mas será que Finn ainda a adorava? Sabia que estava indo contra a vontade dele, mas não tinha dúvidas de que, quando visse a filha, quando a conhecesse, ele entenderia a sua necessidade.

Com um leve empurrão, ele a guiou pelo portão e seguiu o caminho ladrilhado. Uma mulher, nem alta nem baixa, saiu na varanda, torcendo as mãos à frente do corpo. O cabelo castanho estava preso em um coque simples; o vestido azul-escuro não parecia velho. Os olhos, também castanhos, estavam tristes, mas seu sorriso era meigo. Ela fez uma breve mesura.

— Seja bem-vinda, milady.

— Srta. Kent, por favor.

— Esta é minha irmã, Fanny Baker — informou James, apresentando-a. — Fanny, esse é o sr. Trewlove.

Ela acenou em direção a Finn.

— Sr. Trewlove.

— É muito gentil de sua parte nos receber, sra. Baker.

A mulher apenas assentiu.

— Por favor, entrem. Ângela está brincando nos fundos com o pa… com o sr. Baker.

A sala da frente era tão quente e acolhedora quanto a mulher, com um fogo aceso na lareira e móveis confortáveis espalhados por toda parte. Lavínia não queria pensar na mulher segurando a sua filha no colo, embrulhada em uma colcha, enquanto lia ou cantava para a pequena em uma noite fria.

— Gostaria de uma xícara de chá? — perguntou a sra. Baker.

— Não, obrigada.

Seu estômago estava tão embrulhado que ela achava que não engoliria nem mesmo a mais simples das infusões.

— Claro que não — disse a mulher, constrangida. — Você quer conhecer… *ela*.

— Vou esperar aqui — disse James, sentando-se em uma cadeira, inclinando-se para a frente, com os antebraços apoiados nas coxas, as mãos entrelaçadas, a cabeça inclinada. Um homem não muito satisfeito com o seu papel em tudo aquilo.

Fanny Baker os conduziu por uma sala com uma mesa que acomodaria seis pessoas até uma cozinha com um aroma agradável de especiarias. Então, saíram para um jardim repleto de amores-perfeitos, apesar do tempo frio.

E, no outro extremo, de pé ao lado de um homem, diante do que parecia uma bancada de trabalho improvisada, estava uma menininha, os cachos loiros balançado com a brisa da manhã. Estendendo a mão às cegas, Lavínia encontrou a de Finn e apertou-a. A alegria e o amor que a inundaram quase a deixaram de joelhos.

A garota se virou, seus olhos brilharam, e ela começou a correr na direção deles, segurando alguma coisa.

— Mãe! Mãe!

Lavínia quase se abaixou e abriu os braços, mas, de canto de olho, viu Fanny Baker fazendo o mesmo e teve que reconhecer que não era para ela que a pequena corria, não era ela quem chamava. Mas logo seria. Logo, as duas teriam momentos como aquele.

A criança era mais alta do que esperava, esbelta. Mas, quando se atirou em Fanny, quase a fez cair.

— Olha, mãe! O pai me ensinou a usar o martelo.

Ela mostrou à mãe um bloco de madeira com um pequeno prego saliente.

— Eu não acertei meu dedo! Ele me ensinou uma palavra nova também. *Manejar.* É o que se faz com um martelo.

O sorriso dela era enorme, com um buraco onde deveria estar um dente, logo na frente, com o rosto cheio de tanta alegria que o peito de Lavínia se contraiu em uma dor terna.

— Muito bem, querida — afirmou Fanny Baker. — Mas nós temos companhia. Estes são a srta. Kent e o sr. Trewlove.

A garota os encarou com seus enormes olhos verdes.

— Olá.

Lavínia se ajoelhou, soltando a mão de Finn.

— E você é a Ângela. Que nome bonito.

— Me chamo assim porque foram os anjos que me trouxeram.

Ciente de que a sra. Baker se afastava, Lavínia estendeu a mão e passou os dedos pelo cabelo da criança.

— Eu gosto dos seus cachinhos.

— Mamãe fez um penteado especial hoje. — Ela franziu o rosto. — Mas gosto mais das minhas tranças.

Quantas outras coisas ela preferia? Lavínia aprenderia com o tempo.

Finn se ajoelhou ao lado dela, apoiando um antebraço na coxa, as mãos juntas. Será que estaria fazendo aquilo para se impedir de agarrar a criança, de abraçá-la?

— Você fez um ótimo trabalho com o prego.

— Estou praticando. — Os olhos verdes brilhavam. — Vamos construir uma casa na árvore.

Ela apontou para um imenso carvalho no fundo do jardim, e Lavínia se perguntou quando aqueles planos tinham sido feitos, quantos outros suas ações iriam interromper. A filha agarrou o braço de Finn sem perceber que era o braço de seu verdadeiro pai.

— Vamos, vou mostrar para você! — exclamou, animada, como se não desse para ver a árvore perfeitamente dali.

Finn olhou para Lavínia, que assentiu de leve. Ele se levantou, pegou Ângela nos braços e a balançou no ar, seu grito de alegria ecoou no jardim. Ele foi até a árvore, onde o sr. Baker o encontrou e apertou sua mão, enquanto a filha começava a apontar para vários ramos.

— Eles estão planejando construir a casa na árvore há algum tempo. Joe prometeu que fariam isso na primavera, um presente de aniversário para ela.

Ângela gosta de escalar, é destemida quando se trata de alturas. Por isso que gritou de alegria quando o sr. Trewlove a levantou. Ela fica mais feliz nas alturas. Ele é o pai?

— Sim. Nós éramos muito jovens, não éramos casados. Eu queria ter ficado com ela, mas minha mãe a tirou de mim logo depois do parto, quando eu estava fraca demais para impedir.

— Ela tem sido uma bênção para nós. É tão inteligente... Já sabe as letras. Gosta de flores. Ela que me ajudou a plantar os amores-perfeitos. De vez em quando, faz um funeral para as flores que morrem. Não sei de onde ela tirou essa ideia.

Lavínia pensou nos funerais que fizera para as borboletas da coleção de seu irmão. Seria a filha tão parecida assim com ela? Que outras coisas poderiam ter em comum?

— Estou tentando pensar no que mais lhe dizer, mas suponho que você descobrirá tudo com o tempo — comentou Fanny, com a voz trêmula. — Vou fazer as malas dela...

A voz da mulher estava embargada. Ela deu as costas a Lavínia e secou os olhos na bainha do avental. Quando se virou de volta, deu um sorriso trêmulo.

— Perdão. A brisa sempre faz meus olhos lacrimejarem.

Aquela mulher estava sendo muito corajosa, esforçando-se para não deixar Lavínia ver que estava morrendo por dentro. De repente, soube que era exatamente isso que estava acontecendo com Fanny. Porque também morrera quando implorara à mãe que não levasse o bebê. Toda a tristeza e o pesar, o equivalente a uma vida inteira, tinham desmoronado sobre ela naqueles poucos minutos em que vira seu bebê sendo levado para longe.

— Vou arrumar as coisas, está bem? — continuou Fanny Baker. — Eu não queria fazer isso antes de você chegar. Ela é curiosa, teria feito perguntas, e não sei se tenho as palavras certas para explicar. Espero que você tenha.

— Não.

Lavínia empurrara a palavra para fora das profundezas de sua alma. Encontrou o olhar da mulher.

— Não vamos levá-la.

Fanny Baker soltou um grande soluço. Pelo som, parecia que estava segurando outro, tentando impedir que saísse. Ela apertou a mão trêmula contra a boca enquanto as lágrimas enchiam seus olhos e se derramavam sobre as bochechas.

— Eu sinto muito. Eu sinto muito. Me desculpe por chorar.

Balançando a cabeça, Lavínia puxou a mãe de sua filha para um abraço.

— Está tudo bem. Vivi sete anos com a culpa de não ter protegido minha menina. Tudo que eu queria era que ela fosse amada e feliz. E posso ver que ela é. Mais do que eu esperava.

Fanny recuou, esfregando as bochechas molhadas.

— Obrigada, milady. Obrigada por não levá-la.

— Vivi, por favor. Você se importaria se eu viesse visitá-la de vez em quando?

— Será muito bem-vinda.

— Obrigada.

Olhou para onde a criança ainda estava tagarelando, com Finn sorrindo. Esperava que ele concordasse com sua decisão. Mas, considerando o que tinham discutido na noite anterior, ele com certeza concordaria.

— Acho que preciso dar uma olhada naquela árvore mais de perto.

Avançou em direção ao grupo, sentindo uma paz que não experimentava havia oito anos, não desde a noite em que fizera planos de fugir com um garoto que amava desesperadamente. Quando se aproximou, Finn desviou a atenção da filha para ela. O sorriso, tão brilhante para a menina, diminuíra, e o olhar dele ficou sóbrio. Lavínia parou debaixo dos largos galhos da árvore.

— É hora de irmos. Só eu e você.

Os olhos castanhos foram invadidos por uma onda de calor, o sorriso se aliviando enquanto ele entrelaçava os dedos nos dela.

— Obrigado — disse Joe Baker, a voz rouca de emoção.

— Não — respondeu Lavínia. — Obrigada, sr. Baker. Obrigada por amá-la.

Ele colocou a mão grande e áspera no ombro delicado de Ângela.

— Você precisa dar um abraço de despedida nessa senhorita simpática.

Sem qualquer hesitação, sua filha correu em direção a ela. Lavínia caiu de joelhos quando os bracinhos finos envolveram seu pescoço com entusiasmo. Fechando os braços ao redor do corpo pequenino, segurou a filha preciosa, inspirando seu cheiro de grama e madeira, pressionando a bochecha contra seu rostinho, sem se importar nem um pouco que seus olhos estivessem marejados. As lágrimas que logo rolaram por seu rosto, lembrando como havia gritado para que a mãe a deixasse segurar o bebê apenas uma vez... uma única vez.

Ali, finalmente, depois de todos aqueles anos, teve o abraço pelo qual sempre ansiou.

Ângela começou a se contorcer, e Lavínia a soltou. Não ficou surpresa ao encontrar as mãos de Finn embalando sua cintura para ajudá-la a se levantar. Agradecida, pegou o lenço que ele ofereceu e limpou as lágrimas.

— Machuquei você? — perguntou Ângela.

— Não, querida, pelo contrário. Você me fez bem.

Joe Baker pegou a filha nos braços.

— Diga tchau, Ângela.

— Tchau.

— Talvez a gente venha fazer outra visita — disse Lavínia.

— Você pode brincar comigo na casa de árvore — sugeriu a menina, apontando para cima.

— Seria ótimo.

Lavínia se afastou, a mão agarrada à de Finn, o coração ao mesmo tempo alegre e despedaçado.

Na carruagem, Finn observava Vivi, sentada de frente para ele. Esforçava-se, para ter alguma ideia do que ela estava sentindo. Pedira a James para fazer a viagem de volta do lado de fora, junto do cocheiro, porque sabia que Vivi precisava de um tempo sozinha, que não iria querer nenhuma testemunha quando desmoronasse. Em vez disso, ela olhava pela janela como se a paisagem cinzenta fosse a coisa mais fascinante do mundo. A chuva começou a tamborilar no teto da carruagem, aumentando a atmosfera sombria. Teria que dar algumas moedas a James, pela chuva.

— Ela parece você — comentou, depois de um tempo.

Lavínia soltou uma risada leve e olhou para ele.

— Engraçado. Achei que se parece com você.

— Ela tem seus olhos verdes.

O sorriso era excêntrico, como se não pudesse decidir se estava feliz ou triste.

— Sim, mas acho que tem a sua altura. Fiquei surpresa com a altura dela. Acho que esperava que ela fosse menor.

Lavínia encarou as mãos enluvadas, fechadas com tanta força que Finn suspeitava que os nós dos dedos estivessem brancos por baixo do couro.

— Não consegui trazê-la, Finn.

Inclinando-se para a frente, ele segurou as mãos dela.

— Eu sei. Estou aliviado.

— Talvez, se ela ainda fosse um bebê que não saberia que estava sendo levada... — Lágrimas se acumularam nos olhos esmeralda. — Mas não é. Ela tem planos de construir uma casa na árvore. E ama Fanny e Joe Baker, que também a amam. Isso ficou tão claro. Ela criou raízes. Se eu a tivesse arrancado de lá, Ângela poderia ter murchado.

Ela balançou a cabeça, as lágrimas escorrendo pelas bochechas.

— Passei tanto tempo preocupada, pensando que ela estava com alguém que não se importaria com ela ou que não a amaria como eu... que estaria sendo maltratada, que seria infeliz... mas acho que ela tem uma vida boa.

Mais lágrimas. Lavínia cobriu a boca.

— Mas, ainda assim, foi difícil me afastar. Acho que foi a coisa mais difícil que já fiz.

Cruzando o pequeno espaço para sentar-se ao lado dela, Finn segurou Lavínia nos braços e apertou com força, odiando o tremor que sentia no corpo delicado dela.

— Eu sei.

— Foi difícil para você?

— Quase me matou, mesmo sabendo que você tomou a decisão correta, que era a coisa certa a se fazer. Eu não esperava amá-la tanto, tão depressa. — Ficara encantado no instante que a menina se virou e sorriu. — Não sei de onde você tirou forças para ir embora, mas a admiro por isso.

— Eu quero ver minha filha de novo, muitas vezes, mas não o suficiente para interferir. Talvez, quando o clube estiver indo bem, possamos fazer uma poupança para ela, para ajudar em sua criação. Se eu ainda for sua parceira, claro.

Finn se afastou um pouco, só o suficiente para segurar a bochecha delicada, úmida e fria com as lágrimas, acariciando-a com o polegar.

— Você é, em todas as coisas.

— Sinto muito por tudo que eu disse na noite passada.

— Nós sobrevivemos a coisas piores do que palavras feias, Vivi.

Queria beijá-la, mas não achava que era um bom momento. Ela estava sofrendo, e suas próprias feridas também ainda eram recentes.

— Quer jantar comigo esta noite?

— Eu gostaria muito.

Ele a abraçou e a confortou enquanto viajavam em direção a um destino que Finn já começava a questionar se era certo para os dois.

Capítulo 25

Lavínia estava exausta; não pregara o olho na noite anterior e suportara uma enorme carga emocional naquela manhã. Foi direto para o quarto. Com a ajuda de Meg, tirou as roupas, subiu na cama e deixou a cabeça cair no travesseiro. Em poucos minutos, a chuva batendo nas vidraças a fez dormir.

Quando acordou, a sala estava envolta em sombras, a noite caíra, e seu coração não estava tão pesado quanto poderia. Sentia-se aliviada por saber que a filha estava sendo bem cuidada. Ouvindo um choramingo, saiu da cama e tirou o gatinho da caixa.

— Tenho que dar um nome a você. Rateiro, que tal? Não, não parece bom. Vou ver com Robin amanhã. Ele com certeza sabe o nome perfeito.

Colocando o gatinho de volta na caixa, Lavínia puxou a cordinha que tocava o sino no andar de baixo. Logo depois, Meg se juntou a ela e começou a ajudá-la a se preparar para o jantar. Quando ficou pronta, mandou a criada levar o gato até a cozinha para alimentá-lo enquanto respirava fundo por mais alguns minutos, para se acalmar. Precisava parar de se apegar ao passado, começar a olhar para a frente. Precisava parar de culpar sua juventude por coisas que não tinham sido sua culpa, acontecimentos que não poderiam ser mudados. Precisava se perdoar.

Com um suspiro, foi até a porta. Talvez o perdão viesse no dia seguinte.

Saindo de seus aposentos, viu Finn outra vez no patamar, os braços cruzados sobre o corrimão, olhando para o seu domínio. Nunca deixaria de se deleitar com a visão dele. Quando Finn a olhou, o sorriso sensual tomando a boca, Lavínia pensou que seu peito sempre estaria apertado junto dele, porque seu coração se enchia do amor que sentia por Finn. Sempre se lembraria de vê-lo balançando a filha nos braços, quando percebera a realidade agridoce de que não poderia ficar com ela para sempre, que Finn tinha entendido e aceitado que ter a pequena era uma impossibilidade muito antes dela.

Ele se endireitou.

— Você está usando o vestido rosa.

Segurando a saia nas mãos, Lavínia girou e abriu um sorriso atrevido.

— Achei que você poderia querer me levar para valsar.

— A orquestra não está aqui hoje, mas posso cantarolar.

— Será o suficiente.

Finn tocou sua bochecha com carinho.

— Você está bem?

— Vou ficar. Dormir um pouco ajudou. Como você está?

— Pensando em ajudar na construção de uma certa casa na árvore durante a primavera.

— Você pode ter que aprender com Ângela como martelar um prego.

— Vamos vê-la sempre que pudermos, Vivi, eu prometo.

Claro que poderia ver a filha sem ele, mas seria mais prazeroso tê-lo por perto. E era hora de voltarem a atenção para outras coisas.

— Lembrei mais algumas damas a quem podemos oferecer filiação. Vou escrever os convites antes que Robin chegue amanhã, para entregá-los.

O sorriso dele vacilou, a testa franziu.

— É isso que você quer? Administrar este lugar?

— O trabalho me dará a renda que preciso para comprar uma casa e resgatar mais crianças. E quero escrever meus artigos.

— E se houvesse outra maneira de você ter renda?

Ela inclinou a cabeça, em dúvida.

— Qual?

— Este negócio… — ele balançou a mão como se quisesse abranger todo o espaço entre as paredes — Este clube para mulheres nunca foi um sonho meu. Eu tive a ideia de criá-lo porque achei que poderia atraí-la ao meu mundo e me vingar de você.

Lavínia arqueou uma sobrancelha.

— Entendo. Você estava irritado comigo.

— Sim. — Ele não parecia nem um pouco arrependido. — Mas suspeito que minha raiva nem chegue aos pés do quanto você me desejou mal.

— Eu o amaldiçoava todas as noites antes de ir para a cama.

— Talvez, esta noite transforme sua maldição em uma bênção, quando se sentir grata pelo prazer que lhe farei sentir. Mas não é essa a questão. O que quero dizer é que o clube não era meu sonho antes de ir para a prisão, não era o que me animava, o que me estimulou a trabalhar tanto.

— Eu lembro que você queria ter uma fazenda de cavalos, um lugar que tivesse vista para Londres.

Ele sorriu, sem dúvida satisfeito por Lavínia ter se lembrado daquele passeio de tanto tempo antes.

— Tenho pensado em seu sonho de proporcionar um bom lar para crianças resgatadas. Sim, o sucesso desse clube poderia, com o tempo, fazer isso acontecer. Mas há uma maneira mais conveniente de realizar o seu sonho e o meu.

— E qual seria?

— Pensei no que seu irmão disse antes de sairmos de sua antiga casa. Se você se casar, seu marido ganha a terra. — Ele franziu a testa. — Qual era o nome mesmo?

— Wood's End.

— Certo. Pelo que entendi, Thornley a comprará de você a um bom preço. Com o dinheiro, você poderia comprar um terreno fora de Londres, construir uma residência com cem dormitórios. Tenho certeza de que poderia convencer Mick a lhe dar um desconto para construí-la. Quando a casa estiver cheia, construirá outra. E outra. Assim, as mulheres saberão que os filhos nascidos fora do casamento não precisarão ser entregues a uma pessoa que não os tratará bem. Você terá todas as crianças que pode amar, e estará lá com elas.

— E onde você estará?

— Bem, espero que você permita que eu crie meus cavalos nesse terreno. Eu dividiria os lucros com você, é claro. E, com o dinheiro, você teria fundos para o orfanato.

— Como vamos administrar esse clube, um orfanato e ainda por cima criar cavalos?

— Eu tenho outra ideia para o clube, e não exige nossa presença. Vamos morar no campo.

Como se ponderasse as palavras dele e estivesse com dificuldade de compreender tudo, Lavínia esfregou o queixo.

— Só tem um pequeno problema com o seu plano. Eu teria que encontrar um cavalheiro que queira casar comigo, uma mulher desonrada.

— Feche os olhos.

Lavínia obedeceu.

— Abra-os.

Quando abriu, tudo que podia ver era o amado rosto de Finn, os olhos castanhos procurando os dela.

— Você não precisa procurar mais, Vivi. Eu a amei desde o momento em que você socou meu braço nos estábulos. Pensei que não poderia te amar mais, até hoje, quando você sacrificou seu coração pela nossa garotinha. — Finn pegou a sua mão e se abaixou, apoiando um joelho no chão. — Eu não sei se o destino terá a bondade de me deixar dar outra filha para você, mas prometo tentar. Case-se comigo, Vivi.

Com a mão livre, Lavínia afastou o cabelo da testa dele.

— Eu prometi me casar com você há muito tempo, Finn. Ainda estou presa a esse voto. Você roubou meu coração desde que prometeu cantar uma doce canção de ninar para Sophie. Tudo o que precisa fazer é me levar para a igreja.

Capítulo 26

TRÊS SEMANAS DEPOIS, OS dois se casaram em uma terça-feira, em uma pequena igreja com muito menos pompa e circunstância do que Lavínia estava acostumada, mas em uma cerimônia muito mais adequada para a sua nova vida, com a presença apenas daqueles que consideravam família. Mick e lady Aslyn, Gillie e Thornley, Aiden, Fera, Fancy e a mãe dele, Ettie Trewlove. Neville e sua esposa também foram. Lavínia não mandou uma mensagem para a mãe. Planejava nunca mais entrar em contato com aquela mulher odiosa.

Neville contara que a mãe quase tivera um ataque ao ver seu artigo publicado no *London Gazette*, na semana anterior, assinado como lady Lavínia Kent, irmã do conde de Collinsworth. A mulher ficou envergonhada por todos saberem que a filha conhecia as piores áreas de Londres. No entanto, o irmão aplaudiu seus esforços e assegurou que defenderia sua causa no Parlamento. Além disso, ela recebera uma quantia modesta pelo texto, e o editor indicara que gostaria de receber mais de seus escritos.

Depois da cerimônia, quando ela e Finn assinaram o registro de casamento, foram todos em uma caravana de finas carruagens para Coventry House — a casa londrina do duque e da duquesa de Thornley —, onde o advogado Beckwith os aguardava na biblioteca com uma pequena pilha de papéis.

— Os papéis para o fundo que mantém Wood's End como dote — anunciou, separando-os dos outros e abrindo em uma página na parte de trás. — Lorde Collinsworth, se puder assinar aqui para confirmar que os termos foram cumpridos...

Neville fez isso com muito floreio.

— Sr. Trewlove, por gentileza, se puder servir como testemunha.

Mick rabiscou seu nome no lugar indicado.

Depois de receber os papéis de volta, o sr. Beckwith os assinou, separou-os e pegou outros.

— A escritura do terreno, sr. Trewlove.

Finn pegou o documento e imediatamente passou para Thornley.

— Thorne está trabalhando em uma lei para que as mulheres não tenham que entregar suas propriedades ao marido quando se casarem — anunciou Gillie. — Não é justo sermos tratadas como se fôssemos frágeis demais para lidar com essas questões.

Lavínia deixou escapar um sorriso. Sua cunhada não era nada frágil.

— Receio que isso não vá acontecer tão rápido quanto minha esposa deseja — informou Thorne. — Mas não vou descansar até a lei passar.

Gillie deu um beijinho rápido na bochecha dele.

— Vou precisar que vocês, senhores, assinem aqui e aqui para indicar que a terra agora pertence ao duque de Thornley.

Mais assinaturas, mais testemunhas. Então, Thornley entregou um cheque bancário para Finn.

— O valor acordado — disse.

Com um sorriso e uma piscadela, Finn mostrou o papel a ela. Em seguida, enfiou-o no bolso da jaqueta.

— Apreciamos sua generosidade, Sua Graça.

Beckwith se levantou e começou a enfiar tudo em sua pasta.

— Eu acredito que esteja tudo certo, senhores. — Ele inclinou a cabeça em direção a Lavínia. — E senhoras. Foi um prazer. Chame-me sempre que precisarem.

— Fique para o café da manhã, Beckwith — convidou Thorne.

— Obrigado, Sua Graça, mas tenho outro compromisso.

Ele apertou a mão de todos antes de se despedir.

— Eu sei que é cedo — disse Thornley —, mas, antes de nos encontrarmos com os outros na sala de jantar, vamos fazer um brinde?

Ele serviu um pouco de conhaque em seis taças e entregou uma para cada. Então, ergueu a sua.

— Um brinde à família e aos amigos, e a tudo ter acabado espetacularmente bem no fim.

Tomando um gole de conhaque, Lavínia se aninhou ao lado de Finn, mais contente e feliz do que estivera em toda a sua vida. O destino lhes mandara por rumos diferentes e tortuosos, mas, apesar das improbabilidades, encontraram o caminho de volta um para o outro.

— Vamos comer — sugeriu Mick. — Estou faminto.

Todos se dirigiram para a porta, e Finn a segurou, encarando os seus olhos verdes.

— Você está feliz, Vivi?

— Como um menino que eu conheço disse uma vez: "Sou muito rica, a mais rica de toda Londres!" E não é por causa do papel em seu bolso. É por sua causa, Finn. Amo muito você.

Levantando-se na ponta dos pés, beijou o homem que seria para sempre dono de seu coração.

O café da manhã tinha sido barulhento, nada parecido com as refeições tranquilas e quietas da casa em que ela crescera. Os irmãos Trewlove se provocavam, falavam alto, interrompiam um ao outro. Apenas um olhar ou pigarro de Ettie Trewlove os colocava no lugar. Era óbvio que adoravam a mulher que os criara. A família não era unida pelo sangue, e sim pelos corações e pelo seu lar.

— Finn me apresentou a um marceneiro, um tal de Joe Baker. E ele está fazendo as prateleiras mais bonitas do mundo para a minha livraria — contou Fancy Trewlove.

Lavínia a conhecera pela primeira vez naquela manhã. Era muito mais jovem do que os outros, tinha apenas 17 anos, mas sonhava em ter uma livraria, e Mick estava construindo uma.

— Mal posso esperar para ver tudo pronto!

— Você mal pode esperar a hora de ajudar a colocar os livros nelas — apontou Aiden.

— Bem, isso também, claro. Evidente. Mal posso esperar até que tudo esteja pronto para que eu abra a loja.

A conversa continuou, mas Lavínia deixou de prestar atenção. Por baixo da mesa, apertou a coxa de Finn.

— Eu não sabia que você tinha feito isso.

Ele deu de ombros.

— Achei que ele poderia se beneficiar do trabalho extra. Construir uma casa na árvore não é barato.

— Talvez Mick possa doar a madeira.

Finn deu uma piscadela.

— Vamos garantir isso.

— E, se ele não doar, haverá muitos restos da construção da nossa casa. Talvez sejam suficientes.

Tinham encontrado um terreno perto de Watford. O pagamento de Thornley por Wood's End garantiria que o espaço se tornasse deles.

Finn se inclinou e a beijou de leve nos lábios. De repente, houve uma explosão de risos e aplausos. Lavínia se virou, o rosto ardendo de vergonha.

— Parem com isso! — gritou Finn. — Um homem deve ter a liberdade de beijar sua esposa quando bem entender.

O som da prata batendo no vidro fez todos se aquietarem, e Lavínia viu Thornley em pé, na cabeceira da mesa.

— Como tenho a maior posição entre nós, acredito que a tarefa de fazer o brinde recaia sobre mim. — Ele ergueu a taça de champanhe, e todos seguiram o exemplo. — Antigamente, eu acreditava que casamento era um dever. Uma péssima visão, eu sei. Mas, nos últimos tempos, aprendi que é um privilégio, e que o amor é a coisa mais próxima do céu que podemos ter na terra. — Ele olhou para a esposa e sorriu, antes de voltar sua atenção para o restante da mesa. — Lavínia e Finn, desejo-lhes uma vida longa para aproveitar o que encontraram um no outro, problemas que sejam facilmente resolvidos e um amor que cresça cada vez mais. À sua felicidade.

— À felicidade!

Lavínia levou a taça aos lábios.

— Ah, uma última coisa.

Parando antes de dar o gole, ela olhou para Thorne, que ergueu a taça um pouco mais alto.

— Obrigado, minha querida Lavínia, por me abandonar no altar.

Ela riu.

— O prazer foi todo meu, Thorne.

Quando o café da manhã terminou e as pessoas foram para a sala conversar um pouco mais, Lavínia foi até a cozinha e encontrou Robin dividindo alguns biscoitos e leite com Rateiro. Fizera questão de convidar o menino, queria que ele se sentisse parte das festividades, mesmo que fosse jovem demais para participar.

Desejou que o clima estivesse mais quente, para que pudessem sair nos jardins, mas o inverno havia chegado, e os ventos sopravam ferozes e gélidos. Puxando uma cadeira, ela se sentou.

— Quero agradecer por estar disposto a cuidar do Rateiro por mim.

— E a senhorita agora está casada? — perguntou Robin.

— Estou. Pode me chamar de sra. Trewlove, em vez de srta. Kent.

— E está feliz com isso?

— Muito. Acho que logo depois do Natal, Finn e eu vamos nos mudar para o campo. Teremos estábulos e celeiros. E, como ratinhos gostam muito de estábulos e celeiros, precisaremos de muitos gatos. Como você é muito bom em cuidar dos bichanos, fiquei pensando se não gostaria de morar com a gente para cuidar dessa tarefa.

Robin franziu o cenho.

— Quer dizer que eu iria deixar Gillie?

Tinha conversado com Finn e Gillie sobre seu desejo de levar Robin para morar com eles, que ele fosse a primeira das muitas crianças que receberiam em sua casa.

— Sim. Você também pode ajudar Finn com os cavalos.

— E vai ter cachorro?

— Suspeito que sim. O terreno é enorme, então imagino que teremos muitos animais. Galinhas, patos, gansos... Você poderia ser o mestre dos animais. Teria seu próprio quarto de dormir e jantaria todo dia com a gente.

Mordendo o lábio, ele balançou a cabeça.

— Não posso. Minha mãe não vai saber onde me encontrar.

— Mas veja, Robin, esse é o segredo das mães. Elas sempre sabem onde encontrar seus filhos. E, quando não podem ir falar direto com eles, como as que já foram para o céu, olham para as crianças lá de cima e sempre saberão onde estão. E, se sua mãe for até a taverna de Gillie... Bem, Gillie pode dizer onde você está. Até lá... bem, eu poderia ser sua mãe.

— Mas você não é uma fada.

— Aí é que está. Mesmo assim eu tenho magia. Se chama amor. E pode fazer uma diferença maravilhosa na vida de alguém. Eu amo muito você. Eu e Finn achamos que você será muito feliz conosco, mas não precisa decidir agora. Pode pensar sobre isso. Pode esperar até ver nossa casa, decidir se é um lugar onde gostaria de viver.

Ele assentiu.

— Vou pensar.

— Esplêndido! — Sorriu para ele. — Agora, suba a escada. Vamos comer bolo.

Aiden nunca gostara muito de doces, então Finn não se surpreendeu ao encontrá-lo de pé, no terraço, depois que o bolo foi cortado para todos.

— Está frio demais aqui — comentou, parando ao lado do irmão.

Aiden levantou um copo.

— Por que você acha que eu trouxe uísque?

— Está ajudando?

— Não.

Ele se aproximou, querendo um pouco de calor.

— Eu aprecio sua gentileza com Vivi.

A gentileza no caso era a falta de animosidade.

— Ela agora é da família. Não posso acreditar que você se casou com seu casinho.

— Ela é tudo que eu sempre quis, Aiden.

— Bem, ela não parece ser uma pessoa ruim.

— Um grande elogio.

— E definitivamente não é feia.

Finn sorriu.

— De fato. Eu tenho algo para você, de nós dois.

Enfiando a mão no bolso, tirou um envelope de couro e o entregou ao irmão.

— O que é isso?

— A escritura para o Clube Elysium. Transferimos a propriedade para você.

Aiden virou-se.

— Você está doido? Não posso aceitar.

— Você não tem escolha. Já está feito.

Aiden empurrou o envelope de volta.

— Desfaça.

— Se não fosse por você, eu estaria do outro lado do mundo. Mesmo depois de terminar a sentença, duvido que conseguiria voltar. Quantas pessoas você conhece que já voltaram? Eu não estaria planejando uma vida com Vivi. Ela não estaria planejando uma vida comigo. Estamos em dívida com você. Seja educado e aceite.

Com um suspiro, Aiden bateu a mão na coxa.

— Só se você ficar com vinte por cento dos lucros.

— Vinte? Eu esperava que você oferecesse quarenta.

Aiden franziu o cenho.

— Visitei o lugar. Você tem dez clientes. Vai dar muito trabalho. Dou trinta.

— Nós aceitamos dez.

O irmão riu.

— Você é o pior negociador.

— Aprendi com a minha esposa.

— Que o Senhor lhe ajude. Vinte e ponto final. Você nunca quis o local de verdade.

— Não, não quis. Você não é obrigado a fazer o que eu imaginava. Torne o local um estabelecimento para homens, se quiser, ou para ambos. Queime tudo. É seu.

Aiden assentiu.

— O que vou fazer é torná-lo um sucesso. Aliás, aconteceu uma coisa engraçada. Do nada, o nosso maldito pai mandou dizer, através de seu advogado, que minha dívida com ele está paga, que os termos de nosso acordo foram encerrados.

— Talvez a consciência dele tenha acordado.

— Duvido. Eu o vi andando com uma tala no braço. Você não teria nada a ver com isso, teria?

— O osso do antebraço dele quebrou como um graveto, e ele gritou como um porco a quem puxam o rabo.

Aiden ergueu as sobrancelhas.

— Está quebrado mesmo?

Finn não conteve o sorriso quando assentiu.

— E tive muito prazer em quebrá-lo. Ele é vil.

— Ah, conversou com ele?

— Sim. Não sei como você conseguiu. O homem é o pior tipo de escória. Não sabe nada sobre minha mãe.

— Talvez seja melhor assim. Prefiro pensar que ele fez o que queria com a minha uma vez e nunca mais voltou. Melhor do que pensar que ela teve que aturá-lo em mais de uma ocasião.

— Acho que nunca saberemos com certeza. Só agradeço por ele ter nos entregado a Ettie Trewlove.

A irmã Theresa ficou surpresa quando viu a srta. Kent entrar nos jardins dos fundos naquela tarde, usando seda branca e cetim. Sabia que o casamento aconteceria naquele dia, só não esperava ver a noiva — e o noivo, igualmente elegante, mas vestido de preto.

— Srta. Kent, a última vez que você veio até nós usando um vestido de noiva, parecia muito menos alegre. Suponho que não vou precisar vender este vestido.

— Não, irmã. E agora sou oficialmente a sra. Trewlove.

— Parabéns aos dois. Meus mais sinceros votos de felicidade.

— Temos algo para você, irmã — disse Finn, entregando-lhe um pequeno pacote.

Dentro havia várias libras.

— Faremos doações periódicas para o orfanato — explicou ele.

— Você é muito generoso. Nós agradecemos.

Lavínia observou a sra. Trewlove tocar carinhosamente o braço do marido.

— Vou visitar as crianças por alguns minutos antes de sairmos.

— Leve o tempo que quiser.

Erguendo as saias, a recém-casada correu para a área onde as crianças brincavam e caiu de joelhos para abraçá-las, aparentemente sem se importar nem um pouco com o fato de que o vestido ficaria manchado por pequenos pezinhos de lama.

A irmã Theresa se voltou para o homem cujo cabelo, assim como o dela quando mais jovem, tinha um tom variado de cachos loiros e indisciplinados.

— Você é bom para ela.

— Ela é ainda melhor para mim.

— Não posso deixar de pensar que já nos conhecemos, sr. Trewlove.

— Creio que não, irmã.

— Duvido que haja uma pessoa em Whitechapel que não tenha ouvido falar da família Trewlove, que não sabe que os filhos de Ettie Trewlove são todos bastardos.

Ele arqueou uma sobrancelha.

— Não vejo problema algum com crianças nascidas nessas circunstâncias — Theresa apressou-se em assegurá-lo. — Eu me pergunto, no entanto, se você sabe quem é seu pai.

— Não tenho o hábito de falar o nome dele. Para ser sincero, acho que é um sujeito bastante vil.

— Não seria o conde de Elverton?

O homem a encarou como se ela tivesse pronunciado "Belzebu" — para ele, os dois talvez fossem o mesmo.

— Você o conhece?

— Nossos caminhos se cruzaram trinta e tantos anos atrás. Ele conseguia ser bem charmoso quando queria.

— Não sei nada sobre esse charme. Só o vi uma vez. Não acabou bem para ele. Quebrei-lhe o braço.

Uma mulher religiosa e de sua posição não deveria ter ficado feliz em ouvir aquilo, mas o conde quebrara seu coração, no passado.

— Não ouço remorso em sua voz, sr. Trewlove.

— Porque não tenho nenhum quando o assunto é ele.

Então o rapaz sorriu, e foi aquele sorriso que a atingiu como um golpe no estômago e confirmou o que tinha começado a suspeitar enquanto via mais e mais de si mesma refletida naquele homem. *Ele* era a criança que fora tirada dela, quando sucumbira ao pecado. Talvez, se não tivesse feito seus votos a Deus, teria contado a ele. Mas sabia que outra mulher tomara o lugar de mãe dentro de seu coração. Não poderia competir com Ettie Trewlove.

A irmã olhou para onde Lavínia estava, já levantada, dizendo adeus para as crianças.

— Acho que ela nunca mais vai precisar correr de nada.

— A partir de agora, ela só vai correr para os meus braços.

Theresa riu baixinho.

— Não tenho dúvidas, sr. Trewlove, de que sua mãe está incrivelmente orgulhosa do homem que você se tornou.

E, pela primeira vez em pouco mais de 31 anos, sentiu paz interior.

Finn a levou para o Hotel Trewlove. Com suas conexões familiares, conseguira um quarto bastante luxuoso, com cortinas brancas e rendadas no dossel da cama. Quando passou pela porta, Lavínia pensou que o quarto devia ter sido decorado para recém-casados. Era bastante romântico, com um fogo baixo aceso na lareira e velas bruxuleantes posicionadas estrategicamente para relegar as sombras aos cantos enquanto iluminava a enorme cama.

Devia estar nervosa em sua noite de núpcias, mas estava com Finn, e sempre se sentira à vontade com ele. Então, apenas antecipava o momento — e também o restante de seus dias e noites juntos.

— Gostou do quarto? — perguntou seu marido, abraçando-a por trás.

— Muito. — Girando o corpo dentro do abraço, ela o encarou, ficou na ponta dos pés e mordiscou o seu queixo. — Mas gosto muito mais de ser sua esposa.

— Há oito anos, eu não teria sido capaz de trazer você para cá. Apesar de me arrepender e me ressentir dos anos que passamos separados, teríamos muito mais desafios nos aguardando. Ainda enfrentaremos desafios, mas não acho que serão tão difíceis de superar.

— Não vou mais pensar na noite em que deveríamos ter fugido juntos, Finn. Não vou permitir que meu pai me assombre. Não vou mais falar com a minha mãe. Ela é uma mulher tóxica, e eu me recuso a sentir seu veneno. Temos a sua família. Temos o meu irmão e a família dele. Temos um ao outro. Isso é tudo que importa.

— Perdi a conta de quantas vezes pensei em ter você como minha esposa.

Ele beijou os cantos da sua boca.

— Lady Lavínia Trewlove.

— Eu não quero ser tratada como "lady", Finn.

Exceto como o apelido que usaria em artigos e publicações.

— Sra. Trewlove é o suficiente.

— Mas você *é* uma dama, Vivi. Não deve desistir do que é seu por nascimento e por direito. Nossos filhos se beneficiarão do seu lugar na sociedade.

— *Nosso* lugar. Eu não vou frequentar círculos que não incluam você. Darei o exemplo, e talvez chegue um momento em que até a realeza ouse se casar com plebeus. Quando ninguém será julgado nem pelas origens, nem pela legitimidade de seu nascimento.

— Provavelmente estamos muito longe disso, querida.

— Talvez não, depois que virem o quanto você me faz feliz.

Mais uma vez, Lavínia ficou na ponta dos pés e o beijou. Antes que a noite terminasse, pretendia reivindicá-lo todo como seu. Tocaria, marcaria e demarcaria todo o corpo dele. Finn nunca mais seria tirado dela.

Ele retornou o beijo com fervor, soltando um gemido baixo, como se nunca a tivesse provado, como se não pudesse ter o suficiente dela. Lavínia saboreou o gosto intenso da boca dele, notando o champanhe que desfrutaram durante o café da manhã do casamento, o uísque com o qual brindaram todos os seus planos que finalmente se concretizavam. O conhaque que ele dividira com os irmãos, mais tarde, quando lhes desejaram felicidades antes que ela e Finn se despedissem.

Naquela noite, criariam um novo começo, realizariam um sonho que ambos mantiveram durante anos. Poderiam proteger, estimar, amar e cuidar um do outro. E, juntos, construiriam uma vida que lhes conviesse e lhes desse alegria.

Com cuidado e pequenos passos, Finn a empurrou para trás, até as pernas baterem na cama. Durante todo o percurso, Lavínia manteve as mãos nos ombros dele. Ombros largos que sempre admirara.

Deslizando as mãos sob as lapelas, tirou o casaco dele e o deixou cair no chão. Foi como se tivesse disparado uma arma para sinalizar o início de uma corrida: as roupas foram arrancadas com pressa, até que ambos estivessem nus, sem qualquer tecido impedindo o contato de pele contra pele. Quando Lavínia estava prestes a pressionar o corpo contra o dele, Finn a imobilizou com a mão nas costelas, antes de se ajoelhar. Beijou o umbigo dela, então o circulou com uma série de beijos, como uma pedra sendo jogada em um lago, criando círculos cada vez maiores.

— Um dos nossos filhos cresceu aqui. — O tom era uma mistura de melancolia e admiração. — Espero que isso aconteça de novo, e que eu possa vê-lo crescendo. Será mais fácil, porque você não será forçada a se esconder para evitar que o mundo veja sua vergonha.

— Eu nunca senti vergonha, Finn. Talvez tenha ficado um pouco constrangida por ter sido pega fazendo algo que não devia. Mas eu queria a criança, e queria porque era sua. Nunca pensei em desistir dela. Mas tenho medo de talvez não poder dar mais filhos a você. O parto foi difícil.

— Vivi, se tivermos outros filhos, será uma bênção. E, se não tivermos, ainda teremos centenas para cuidar. Nossa vida será repleta de crianças. — Finn se levantou e segurou o rosto dela. — Conforme fui crescendo, aprendi que não é o sangue que cria uma família. É amor. E eu amo você. Passei um bom tempo da minha vida amando você, e isso nunca vai mudar. Você é o que me faz ser completo.

— Ah, Finn. Eu amo muito você.

Enquanto as bocas se reencontravam, ele a deitou na cama, cobrindo o corpo delicado com o dele. Lavínia nunca se cansaria das sensações gloriosas que a percorriam quando tocavam pele com pele, da cabeça aos pés. Amava todas as partes do corpo dele, forte e definido, quente e convidativo. A maneira como alguns músculos endureciam enquanto ele a acariciava. As mãos grandes e carinhosas. Os dedos que se moviam com o propósito de reivindicar, amar, cuidar e dar prazer.

Lavínia esperara a vida inteira para se tornar a esposa dele, para ser tomada por completo, sem sua consciência sussurrar que é pecado.

Ela o queria, sempre o desejara em sua cama, aninhada entre suas coxas. Por mais que se sentisse bem, sua consciência sempre a fizera se sentir culpada. Mas ali só existia a pura felicidade, a esperança por uma vida cheia de amor e respeito na alegria e na tristeza, na saúde e na doença, na riqueza e na pobreza.

Era imperativo que Finn entendesse que ela estava livre para amá-lo, para fazer amor com ele sem culpa. Todas as vozes que sempre a questionaram estavam em silêncio, porque aquele homem era, enfim, seu. De corpo, alma e coração.

Deslizando as mãos sobre os músculos firmes, as nádegas tensas, os ombros largos, e saboreando o contorno dos declives, das curvas e das partes planas de seu corpo, ela o reivindicou.

Com palavras de amor e afeto sussurradas no ouvido, reivindicou seu coração.

Abrindo-se para ele, livre e com entusiasmo, reivindicou sua alma.

Aquele encontro era diferente dos que se antecederam, porque marcava um começo. O começo de uma nova vida juntos, sem ninguém para interferir. Lavínia estava tranquila e alegre quando aceitou seu papel de parceira em pé de igualdade. Não importava quais desafios o futuro traria, enfrentariam juntos.

Estava mais do que pronta quando Finn deslizou para dentro dela, preenchendo-a de uma maneira maravilhosa. Ele era gentil, mas Lavínia podia sentir a tensão em seus músculos, a necessidade de conquistar e possuir.

— Eu amo você — disse, com um suspiro.

Ele gemeu baixo, os braços tremendo ao suportar o peso de seu corpo enquanto mergulhava o rosto no pescoço dela.

— Eu nunca me canso de ouvir isso, Vivi. Ou de retribuir. Eu amo você mais que a vida.

Ele a deixou por um momento antes de penetrá-la novamente, preenchendo-a mais uma vez. De novo e de novo, saindo e entrando. E, a cada vez, ela se fechava ao redor dele, precisando, querendo mantê-lo perto, dentro dela, onde ele pertencia.

Apertando os ombros dele, Lavínia indicou que ele saísse. Quando Finn obedeceu, ela o fez virar e montou nele. Deslizando no membro ereto, parou só quando Finn estava completamente encoberto, levando-o mais fundo do que ele jamais estivera. O gemido de Finn reverberou em torno deles, transbordando-a de tanta alegria.

Enquanto ele apertava seus seios, Lavínia começou a se mover contra ele, para cima e para baixo, para cima e para baixo, nunca o deixando por completo. Observou seu rosto, a fome crescente em seus olhos, como se aquela jornada fosse o que ele queria, o que ele temia. Perder a noção de si mesmo.

Mas Finn nunca perderia a noção de si mesmo enquanto pudesse se ver nos olhos dela.

Deslizou sem parar para cima e para baixo, mas se abaixou o suficiente para pressionar a boca contra a dele, para ser saudada com tanto acolhimento que seu coração disparou. Uma vida inteira com aquele homem nunca seria suficiente. Finn segurou os quadris magros dela, guiando seus movimentos, levantando os próprios quadris quando os dela se moviam para baixo. Moviam-se como um enquanto levavam um ao outro à loucura.

As sensações começaram a sair de controle, deixando-a no limite, com a respiração cada vez mais ofegante, os movimentos cada vez mais frenéticos. Lavínia chegou ao ápice e, quando pulou do abismo do êxtase, Finn a seguiu, os gemidos dos dois se misturando, os nomes nos lábios um do outro repetidos como uma bênção, uma afirmação de seu amor.

E um coração, que uma vez fora quebrado, ficou inteiro novamente.

Epílogo

Dois anos depois

O RISO DAS CRIANÇAS ecoava dos jardins dos fundos enquanto Lavínia descia os degraus da entrada para cumprimentar as visitas que tinham chegado de carruagem. O cocheiro abriu a porta, e Ângela saiu, seguida pela mãe.

— Tia Vivi! — exclamou sua filha, correndo para abraçá-la.

Ou pelo menos tentar. A barriga de Lavínia estava crescendo havia meses. Ela passou as mãos sobre a cabeça da criança, tomando cuidado para não desarrumar as duas tranças presas juntas com uma fita.

— Olá, querida. Está pronta para a aula?

Finn começara a ensiná-la a cavalgar. Soltando-se do abraço, ela assentiu, animada.

— Então vá para o pasto. — Já tinham mais de dez cavalos. — O tio Finn está esperando.

Quando ela saiu correndo, Lavínia cumprimentou a mãe de Ângela, entrelaçando seus braços e seguindo a menina que ambas amavam.

— Fanny…

— Parece que esse pequenino vai chegar a qualquer momento.

— Não por mais dois meses. — Ela apertou o ombro de sua amiga mais querida. — Ele está chutando muito, então pode chegar mais cedo.

— Que maravilhosa deve ser essa sensação.

— Talvez ele se mexa enquanto você estiver aqui.

Fanny tinha ficado tão feliz quando soubera que Lavínia estava grávida. Ela compartilhava a experiência com a amiga o máximo que podia.

— A nova casa parece bem encaminhada — notou Fanny.

Lavínia olhou para a estrutura que estava sendo construída atrás da residência, que tinham erguido dois anos antes. Tinha os cem quartos que Finn prometera, assim como a segunda teria. Contrataram uma equipe extensa para cuidar das crianças.

— Estamos cheios, então vamos colocar todos os meninos no outro prédio. Teremos uma residência para os meninos e outra para as meninas. E ali — ela apontou para parte vaga do terreno, onde alguns cavalos pastavam —, vamos construir uma escola. As crianças dos arredores também poderão estudar aqui.

— Que coisa boa! Eu li o seu último artigo sobre os méritos de não banir da sociedade as mulheres que dão à luz fora do casamento. Você deu argumentos bem persuasivos.

— O texto do próximo mês abordará a inadequação das leis quando se trata de crianças.

Então, ela falaria com o parlamento. Estava ficando conhecida por seu trabalho como reformadora social. Pararam perto de Ângela, que estava em pé em uma cerca, a mão acariciando a crina de Sophie.

Finn apareceu, seu passo solto e relaxado. Ele nunca deixava de tirar o fôlego de Lavínia. Seu lugar era ali, com os cavalos. Os animais respondiam à sua voz, ao seu toque, de uma forma que ela nunca vira acontecer.

— Como está minha garota favorita? — perguntou ele, chegando ao lado de Sophie e beliscando o nariz de Ângela.

Ela riu.

— Você sempre diz isso.

— Porque é verdade. — Ele se inclinou na cerca e piscou. — Bem, tenho duas garotas favoritas. Você e a tia Vivi.

Os olhos verdes se arregalaram.

— E se o bebê dela for menina?

— Aí terei três garotas favoritas, não é?

— E se for um menino?

— Dois garotos favoritos.

Ela franziu o nariz.

— Cadê o Robin?

Como se tivesse sido convocado, Robin saiu do celeiro, viu Ângela e veio correndo.

— Ângela! Vamos! Tem que vir ver o que o tio Thorne nos trouxe. A maior tartaruga que você já viu. Você pode até montar nela!

Com um grito, a menina saiu correndo atrás de Robin. O menino tinha ido morar com eles, tornara-se parte da família. O amor dele por animais era surpreendente.

— Onde Thorne conseguiu uma tartaruga? — perguntou Fanny.

— Eu não sei. Em Galápagos ou algo do tipo. Robin pode lhe contar tudo sobre isso. Temos um pequeno zoológico atrás do celeiro. Recebemos um avestruz, desde que você esteve aqui pela última vez. Robin está insistindo que precisamos ter uma girafa, mas acho difícil. Você deveria ir vê-los, depois passe no jardim para tomar um chá.

Enquanto Fanny se afastava, Finn pulou a cerca, pisou no chão e pegou Lavínia em seus braços.

— Você cheira a cavalos, feno e couro — disse ela.

— E você adora isso.

Virando-se para encará-lo, Lavínia passou os braços pelo pescoço dele.

— Eu amo você.

— Justo. Porque também amo você.

Ele baixou a cabeça para beijá-la com vontade. Lavínia nunca se cansaria daquilo, nunca se cansaria de como ele a fazia se sentir apreciada e amada. Enquanto devolvia o beijo, com igual fervor, os cavalos relinchavam, as crianças gritavam de alegria, ao longe, e o bebê se movia em seu ventre.

Nota da autora

Meus queridos leitores:

Espero que tenham gostado da história de Finn e Vivi. Admito que tive um pouco de dificuldade no começo, com a paixão deles sendo tão jovem, com Finn sentindo-se atraído por Vivi quando ela tinha apenas 15 anos. Em 1861, a idade de consentimento era 13 anos, por isso espero que o fato de ele ter aguardado até que ela tivesse 17 anos para beijá-la e declarar seus sentimentos consiga demonstrar sua verdadeira devoção. Eu os fiz tão jovens porque sempre fui fascinada por casais que se apaixonam desde cedo e pelo amor que persiste durante os anos. Também queria que eles fossem jovens o suficiente para que não tivessem poder para lutar e estivessem à mercê dos mais velhos, que achavam que sabiam o que era melhor.

Quanto a Finn ser abatedor de cavalos na juventude... Bom, não era uma ocupação romântica, mas era uma necessidade urgente em uma cidade com milhões de cavalos. O rei George III foi responsável por licenciar a prática. O livro *The Horse-World in Victorian London* [O mundo dos cavalos na Londres vitoriana, em tradução livre], de W.J. Gordon, me forneceu muito conhecimento sobre esse mundo misterioso, mas fascinante.

Fico sempre impressionada com as coisas que me atraem quando estou pesquisando e como elas se prolongam, tornando-se pequenas sementes que entram em minhas histórias. Estou ansiosa para compartilhar mais com vocês enquanto guio os outros bastardos de Ettie Trewlove na direção do amor.

Carinhosamente,
Lorraine Heath

Este livro foi impresso pela Corprint, em 2023, para a Harlequin. A fonte do miolo é ITC Berkeley Oldstyle Std. O papel do miolo é pólen natural 70g/m², e o da capa é cartão 250g/m².